Zu diesem Buch

Die hier vorliegende, von Mary Gerold-Tucholsky getroffene Auswahl aus Kurt Tucholskys Schriften und Gedichten vereinigt die schönsten und funkelndsten Stücke der im Rowohlt Verlag erschienenen Sammlungen «Na und –?» und «Gruß nach vorn». Dem Leser erleichtern die im vorliegenden Band jeweils angeführten Entstehungsjahre die Orientierung über die zeitgeschichtliche Atmosphäre, aus der heraus Kurt Tucholsky wirkte.

Der am 9. Januar 1890 in Berlin geborene Kurt Tucholsky war einer der bedeutendsten Satiriker und Gesellschaftskritiker im ersten Drittel unseres Jahrhunderts. Nach dem Absturz Deutschlands in die Barbarei, vor der er prophetisch gewarnt hatte, schied er in Trauer und Bitterkeit in der Emigration am 21. Dezember 1935 in Hindås/Schweden aus dem Leben. Der scharfsinnige Essayist und brillante Stilist gewann als unerschrockener Vorkämpfer des radikalen Sozialismus politische Bedeutung. Unter den Pseudonymen Peter Panter, Theobald Tiger, Ignaz Wrobel und Kaspar Hauser war er fünffacher Mitarbeiter der «Schaubühne» und späteren «Weltbühne», einer Wochenschrift, die er gemeinsam mit Siegfried Jacobsohn und nach dessen Tod mit dem späteren Friedens-Nobelpreisträger und Opfer des nationalsozialistischen Terrors Carl von Ossietzky zu einem der aggressivsten und wirksamsten publizistischen Instrumente der Weimarer Republik machte.

Von Kurt Tucholsky erschienen außerdem: «Schloß Gripsholm» (rororo Nr. 4), «Panter, Tiger & Co.» (rororo Nr. 131), «Rheinsberg» (rororo Nr. 261), «Ein Pyrenäenbuch» (rororo Nr. 474), «Politische Briefe» (rororo Nr. 1183), «Politische Justiz» (rororo Nr. 1336), «Politische Texte» (rororo Nr. 1444), «Schnipsel» (rororo Nr. 1669), «Deutschland, Deutschland ü!ber alles» (rororo Nr. 4611), «Briefe aus dem Schweigen» (rororo Nr. 5410), «Literaturkritik» (rororo Nr. 5548), «Die Q-Tagebücher 1934–1935» (rororo Nr. 5604), «Wenn die Igel in der Abendstunde» (rororo Nr. 5658), «Ausgewählte Werke» (2 Bde. Rowohlt 1956), «Briefe an eine Katholikin 1929–1931» (Rowohlt 1970), «Wo kommen die Löcher im Käse her?» (Rowohlt 1981), «Unser ungelebtes Leben. Briefe an Mary» (Rowohlt 1982), «Gedichte» (Rowohlt 1983), «Das Kurt Tucholsky-Chanson-Buch» (Rowohlt 1983), «Deutsches Tempo» (Rowohlt 1985) und eine zehnbändige Taschenbuch-Kassette «Gesammelte Werke».

In der Reihe «rowohlts monographien» erschien als Band 31 eine Darstellung Kurt Tucholskys mit Selbstzeugnissen und Bilddokumenten von Klaus-Peter Schulz, die eine ausführliche Bibliographie enthält.

Kurt Tucholsky

Zwischen Gestern und Morgen

Eine Auswahl aus seinen Schriften
und Gedichten

Herausgegeben
von Mary Gerold-Tucholsky

Rowohlt

Umschlagentwurf Klaus Detjen

810.–820. Tausend August 1986

Veröffentlicht im Rowohlt Taschenbuch Verlag GmbH,
Hamburg, März 1952, mit Genehmigung des
Rowohlt Verlags GmbH, Reinbek bei Hamburg
Gesetzt aus der Monotype-Bembo Lasercomp durch LibroSatz, Kriftel
Gesamtherstellung Clausen & Bosse, Leck
Printed in Germany
680-ISBN 3 499 10050 9

Avis an meinen Verleger

Von allen Leser-Briefen, lieber Meister Rowohlt, scheint mir dieser hier der allerschönste zu sein. Er stammt von einem Oberrealschüler aus Nürnberg.

> *«Lieber Herr Tucholsky!*
>
> *Erlauben Sie mir, daß ich Ihnen zu Ihren Werken meine vollste Anerkennung ausspreche. Das wird Ihnen zwar gleichgültig sein – aber ich möchte doch noch eine weitere Bemerkung hinzufügen. Hoffentlich sterben Sie recht bald, damit Ihre Bücher billiger werden (so wie Goethe zum Beispiel). Ihr letztes Buch ist wieder so teuer, daß man es sich nicht kaufen kann.*
>
>

Gruß!»

Da hast es.

Lieber Meister Rowohlt, liebe Herren Verleger!

Macht unsre Bücher billiger!
Macht unsre Bücher billiger!
Macht unsre Bücher billiger!

Kurt Tucholsky

1.3.1932

Wie Gestern und Morgen
sich mächtig vermischen

Erwarte nichts
Heute: das ist dein Leben.

Affenkäfig

Der Affe (von den Besuchern): «Wie
gut, daß die alle hinter Gittern sind –!»
Alter ‹Simplicissimus›

In Berlins Zoologischem Garten ist eine Affenhorde aus Abessinien
eingesperrt, und vor ihr blamiert sich das Publikum täglich von
neun bis sechs Uhr. Hamadryas Hamadryas L. sitzt still im Käfig
und muß glauben, daß die Menschen eine kindische und etwas
schwachsinnige Gesellschaft sind. Weil es Affen der alten Welt sind,
haben sie Gesäßschwielen und Backentaschen. Die Backentaschen
kann man nicht sehen. Die Gesäßschwielen äußern sich in flammen-
der Röte – es ist, als ob jeder Affe auf einem Edamer Käse säße. Die
Horde wohnt in einem Riesenkäfig, von drei Seiten gut zu besichtigen; wenn man auf der einen Seite steht, kann man zur andern
hindurchsehen und sieht: Gitterstangen, die Affen, wieder Gitterstangen und dahinter das Publikum. Da stehen sie.

Da stehen Papa, Mama, das Kleinchen; ausgeschlafen, fein sonn-
tagvormittaglich gebadet und mit offenen Nasenlöchern. Sie sind
leicht amüsiert, mit einer Mischung von Neugier, vernünftiger
Überlegenheit und einem Schuß gutmütigen Spottes. Theater am
Vormittag – die Affen sollen ihnen etwas vorspielen. Vor allem
einen ganz bestimmten Akt.

Zunächst ist alles still im Affenkäfig. Auf den hohen Brettern
sitzen die Tiere umher, allein, zu zweit, zu dritt. Da oben sitzt eine
Ehe – zwei in sich versunkene Tiere; umschlungen, lauscht jedes auf
den Herzschlag des andern. Einige lausen sich. Die Gelausten haben
im zufriedenen Gesichtsausdruck eine überraschende Ähnlichkeit
mit eingeseiften Herren im Friseurladen, sie sehen würdig aus und
sind durchaus im Einverständnis mit dem guten Werk, das da getan
wird. Die Lauser suchen, still und sicher, kämmen sorgsam die
Haare zurück, tasten und stecken manchmal das Gejagte in den
Mund . . . Einer hockt am Boden, Urmensch am Feuer, und schau-
felt mit langen Armen Nußreste in sich hinein. Einer rutscht vorn
an das Gitter, läßt sich mit zufriedenem Gesichtsausdruck vor dem
Publikum nieder, seinerseits im Theater, setzt sich behaglich zu-
recht . . . So . . . es kann anfangen.

Es fängt an. Es erscheint Frau Dembitzer, fest überzeugt, daß der

Affe seit frühmorgens um sieben darauf gewartet habe, daß sie «Zi-zi-zi!» zu ihm mache. Der Affe sieht sie an ... mit einem himmlischen Blick. Frau Dembitzer ist unendlich überlegen. Der Affe auch. Herr Dembitzer wirft dem Affen einen Brocken auf die Nase. Der Affe hebt den Brocken auf, beriecht ihn, steckt ihn langsam in den Mund. Sein hart gefalteter Bauernmund bewegt sich. Dann sieht er gelassen um sich. Kind Dembitzer versucht, den Affen mit einem Stock zu necken. Der Affe ist plötzlich sechstausend Jahre alt.

Drüben muß etwas vorgehen. In den Blicken der Besucher liegt ein lüsterner, lauernder Ausdruck. Die Augen werden klein und zwinkern. Die Frauen schwanken zwischen Abscheu, Grauen und einem Gefühl: nostra res agitur. Was ist es? Die Affen der andern Seite sind dazu übergegangen, sich einer anregenden Okularinspektion zu unterziehen. Sie spielen etwas, das nicht Mah-Jongg heißt. Das Publikum ist indigniert, amüsiert, aufgeregt und angenehm unterhalten. Ein leiser Schauer von bösem Gewissen geht durch die Leute – jeder fühlt sich getroffen. «Mama!» sagt ganz laut ein Kind, «was ist das für ein roter Faden, den der Affe da hat –?» Mama sagt es nicht. Mein liebes Kind, es ist der rote Faden, der sich durch die ganze Weltgeschichte zieht.

In die Affen ist Bewegung gekommen. Die Szene gleicht etwa einem Familienbad in Zinnowitz. Man geht umher, berührt sich, stößt einander, betastet fremde und eigne Glieder ... Zwei Kleine fliehen unter Gekreisch im Kreise. Ein bebarteter Konsistorialrat bespricht ernst mit einem Studienrat die Schwere der Zeiten. Eine verlassene Äffin verfolgt aufmerksam das Treiben des Ehemaligen. Ein junger Affe spricht mit seinem Verleger – der Verleger zieht ihm unter heftigen Arm- und Beinbewegungen fünfzig Prozent ab. Zwei vereinigte Sozialdemokraten sind vernünftig und realpolitisch geworden; mißbilligend sehen sie auf die Jungen – gleich werden sie ein Kompromiß schließen. Zwei Affen bereden ein Geheimnis, das nur sie kennen.

Das Publikum ist leicht enttäuscht, weil wenig Unanständiges vorgeht. Die Affen scheinen vom Publikum gar nicht enttäuscht – sie erwarten wohl nicht mehr. Hätten wir Revue-Theater und nicht langweilige Sportpaläste voll geklauter Tricks – welch eine Revue-Szene!

In dem Riesenkäfig wohnten früher die Menschenaffen aus Gibraltar. Große, dunkle und haarige Burschen, größer als Menschen – mit riesigen alten Negergesichtern. Eine Mutter hatte ein Kleines – sie barg es immer an ihrer Brust, eine schwarze Madonna. Sie sind alle eingegangen. Das Klima hat ihnen wohl nicht zugesagt. Sie sind nicht die einzigen, die dieses Klima nicht vertragen können.

Ob die Affen einen Präsidenten haben? Und eine Reichswehr? Und Oberlandesgerichtsräte? Vielleicht hatten sie das alles, im fernen Gibraltar. Und nun sind sie eingegangen, weil man es ihnen weggenommen hat. Denn was ein richtiger Affe ist, der kann ohne so etwas nicht leben.

(1924)

Morgens um acht

Neulich habe ich einen Hund gesehen – der ging ins Geschäft. Es war eine Art gestopfter Sofarolle, mit langen Felltroddeln als Behang, und er wackelte die Leipziger Straße zu Berlin herunter; ganz ernsthaft ging er da und sah nicht links noch rechts und beroch nichts, und etwas anderes tat er schon gar nicht. Er ging ganz zweifellos ins Geschäft.

Und wie hätte er das auch nicht tun sollen? Alle um ihn taten es.

Da rauschte der Strom der Insgeschäftgeher durch die Stadt. Morgen für Morgen taten sie so. Sie trotteten dahin, sie gingen zum Heiligsten, wo der Deutsche hat, zur Arbeit. Der Hund hatte da eigentlich nichts zu suchen – aber wenn auch er zur Arbeit ging, so sei er willkommen.

Es saßen zwei ernste Männer in der Bahn und sahen, rauchend, satt, rasiert und durchaus zufrieden, durch die Glasscheiben. Man wünscht sich in solchen Augenblicken ein Wunder herbei, etwa, daß dem Polizeisoldaten an der Ecke Luftballons aus dem Helm steigen, nur damit jene einmal Maul und Nase aufsperrten! Da fuhr die Bahn an einem Tennisplatz vorüber. Die güldene Sonne spielte auf den hellgelben Flächen – es war strahlendes Wetter, viel zu schön für Berlin. Und einer der ernsten Männer murrte: «Haben auch nichts zu tun, sehen Sie mal! Morgens um acht Uhr Tennis spielen! Sollten auch lieber ins Geschäft gehen –!»

Ja, das sollten sie. Denn für die Arbeit ist der Mensch auf der Welt, für die ernste Arbeit, die wo den ganzen Mann ausfüllt. Ob sie einen Sinn hat, ob sie schadet oder nützt, ob sie Vergnügen macht («Arbeet soll Vajniejen machen? Ihnen piekt er woll?») –: das ist alles ganz gleich. Es muß eine Arbeit sein. Und man muß morgens hingehen können. Sonst hat das Leben keinen Zweck.

Und stockt einmal der ganze Betrieb, streiken die Eisenbahner oder ist gar Feiertag: dann sitzen sie herum und wissen nicht recht, was sie mit sich anfangen sollen. Drin ist nichts in ihnen, und draußen ist auch nichts: also was soll es? Es soll wohl gar nichts . . .

Und dann laufen sie umher wie Schüler, denen versehentlich eine Stunde ausgefallen ist – nach Hause gehen kann man nicht, und zum Spaßen ist man nicht aufgelegt . . . Sie dösen und warten. Auf den nächsten Arbeitstag. Daran, unter anderm, ist die deutsche Revolution gescheitert: sie hatten keine Zeit, Revolution zu machen, denn sie gingen ins Geschäft.

Wobei betont sein mag, daß man auch im Sport dösen kann, der augenblicklich wie das Kartenspiel betrieben wird: fein nach Regeln und hervorragend stumpfsinnig. Aber schließlich ist es immer noch besser, zu trainieren, als im schwarzen Talar Unfug zu treiben . . .

Ja, sie gehen ins Geschäft. «Was für ein Geschäft treibt ihr?» – «Wir treiben keins, Herr. Es treibt uns.»

Der Hund sprang nicht. Man hüpft nicht auf den Straßen. Die Straße dient – wir wissen schon. Und das verlockende, niedrig hängende patriotische Plakat . . . der Hund ließ es außer acht.

Er ging ins Geschäft. (1923)

Abends nach sechs

> Selig, wer sich vor der Welt
> Ohne Haß verschließt;
> Einen Freund am Busen hält
> Und mit dem genießt.
>
> Was von Menschen nicht gewußt
> Oder nicht bedacht,
> Durch das Labyrinth der Brust
> Wandelt in der Nacht.
>> Unbekannter Dichter

Abends nach sechs Uhr gehen im Berliner Tiergarten lauter Leute spazieren, untergefaßt und mit den Händen nochmals vorn eingeklammert – die haben alle recht. Das ist so:

Er holt sie vom Geschäft ab oder sie ihn. Das Paar vertritt sich noch ein bißchen die Beine, nach dem langen Sitzen im Büro tut die Abendluft gut. Die grauen Straßen entlang, durch das Brandenburger Tor zum Beispiel – und dann durch den Tiergarten. Was tut man unterwegs? Man erzählt sich, was es tagsüber gegeben hat. Und was hat es gegeben? Ärger.

Nun behauptet zwar die Sprache, man ‹schlucke den Ärger herunter› – aber das ist nicht wahr. Man schluckt nichts herunter. Im Augenblick darf man ja nicht antworten – dem Chef nicht, der Kollegin nicht, dem Portier nicht; es ist nicht ratsam, der andere bekommt mehr Gehalt, hat also recht. Aber alles kommt wieder – und zwar abends nach sechs.

Das Liebespaar durchwandelt die grünen Laubgänge des Tiergartens, und er erzählt ihr, wie es im Geschäft zugegangen ist. Zunächst der Bericht. Man hat vielleicht schon bemerkt, wie Schlachtberichte solcher Zusammenstöße erstattet werden: der Berichtende ist ein Muster an Ruhe und Güte, und nur der böse Feind ist ein tobsüchtig gewordener Indianer. Das klingt ungefähr folgendermaßen: «Ich sage, Herr Winkler, sage ich – das wird mit dem Ablegen so nicht gehn!» (Dies in ruhigstem Ton von der Welt, mild, abgeklärt und weise.) «Er sagt, erlauben Sie mal! sagt er – ich lege ab, wies mir paßt!» (Dies schnell, abgerissen und wild cholerisch.) Nun wieder die Oberste Heeresleitung: «Ich sage ganz ruhig, ich sage, Herr Winkler, sage ich – wir können aber nicht so ablegen, weil uns sonst die C-Post mit der D-Post durcheinanderkommt! Fängt er doch an zu brüllen! Ich hätte ihm gar nichts zu befehlen, und er täte überhaupt nicht, was ihm andere Leute sagten – finnste das –?» Dabei haben natürlich beide spektakelt wie die Marktschreier. Aber manchmal wars der Chef, und dem konnte man doch nicht antworten. Man hat also ‹heruntergeschluckt› – und jetzt entlädt es sich. «Finnste das?»

Lottchen findet es skandalös. «Hach! Na, weißt du!» Das tut wohl, es ist Balsam fürs leidende Herz – endlich darf man es alles heraussagen! – «Am liebsten hätte ich ihm gesagt: Machen Sie sich Ihren Kram allein, wenns Ihnen nicht paßt! Aber ich werde mich doch mit so einem ungebildeten Menschen nicht hinstellen! Der Kerl versteht überhaupt nichts, sage ich dir! Hat keine Ahnung! So, wie ers jetzt macht, kommt ihm natürlich die C-Post in die D-Post – das ist mal bombensicher! Na, mir kanns ja egal sein. Ich weiß jedenfalls, was ich zu tun habe: ich laß ihn ruhig machen – er wird ja sehen, wie weit er damit kommt . . .!» – Ein scheu bewundernder Blick streift den reisigen Helden. Er hat recht.

Aber auch sie hat zu berichten: «Was die Elli intrigiert, das kannst du dir überhaupt nicht vorstellen. Fräulein Friedland hat vorgestern eine neue Bluse angehabt, da hat sie am Telefon gesagt, wir habens abgehört –: Man weiß ja, wo manche Kolleginnen das Geld für neue Blusen herhaben! Wie findest du das? Dabei hat die Elli gar keinen Bräutigam mehr! Ihrer ist doch längst weg – nach Bromberg!» Krach, Kampf mit dem zweiten Stock auf der ganzen Linie – Schlachtgetümmel. «Ich hab ja nichts gesagt . . . aber ich dachte so bei mir: Na – dacht ich, wo du deine seidenen Strümpfe her hast, das wissen wir ja auch! Weißt du, sie wird nämlich jeden zweiten Abend abgeholt, sie läßt immer das Auto eine Ecke weiter warten . . . aber wir haben das gleich rausgekriegt! Eine ganz unverschämte Person ist das!» Da drückt er ihren Arm und sagt: «Na sowas!» Und nun hat sie recht.

So wandeln sie. So gehen sie dahin, die vielen, vielen Liebespaare im Tiergarten, erzählen sich gegenseitig, klagen sich ihr kleines Leid, und haben alle recht. Sie stellen das Gleichgewicht des Lebens wieder her. Es wäre einfach unhygienisch, so nach Hause zu gehen: mit dem gesamten aufgespeicherten Oppositionsärger der letzten neun Stunden. Es muß heraus. Falsche Abrechnungen, dumme Telefongespräche, verpaßte Antworten, verkniffene Grobheiten – es findet alles seinen Weg ins Freie. Es ist der Treppenwitz der Geschäftsgeschichte, der da seine Orgien feiert. Die blauen Schleier der Dämmerung senken sich auf Bäume und Sträucher, und auf den Wegen gehen die eingeklammerten Liebespaare und töten die Chefs, vernichten den Konkurrenten, treffen die Feindin mitten ins falsche Herz. Das Auditorium ist dankbar, aufmerksam und grenzenlos gutgläubig. Es applaudiert unaufhörlich. Es ruft: «Noch mal!» an den schönen Stellen. Es tötet, vernichtet und trifft mit. Es ist Bundesgenosse, Freund, Bruder und Publikum zu gleicher Zeit. Es ist schön, vor ihm aufzutreten.

Abends nach sechs werden Geschäfte umorganisiert, Angestellte befördert, Chefs abgesetzt und, vor allem, die Gehälter fixiert. Wer würde die Tarife anders regeln? Wer die Gehaltszulagen gerecht bemessen? Wer Urlaub mit Gratifikation erteilen? Die Liebespaare, abends nach sechs.

Am nächsten Morgen geht alles von frischem an. Schön ausgeglichen geht man an die Arbeit, die Erregung von gestern ist verzittert und dahin, Hut und Mantel hängen im Schrank, die Bücher werden zurechtgerückt – wohlan! der Krach kann beginnen. Pünktlich um drei Uhr ist er da – dieselbe Geschichte wie gestern: Herr Winkler will die Post nicht ablegen, Fräulein Friedland zieht eine krause Nase, die Urlaubsliste hat ein Loch, und die Gehaltszulage will nicht kommen. Ärger, dicker Kopf, spitze Unterhaltung am Telefon, dumpfes Schweigen im Büro. Es wetterleuchtet gelb. Der Donner grollt. Der erfrischende Regen aber setzt erst abends ein – mit ihr, mit ihm, untergefaßt im Tiergarten.

Da ist Friede auf Erden und den Paaren ein Wohlgefallen, der Angeklagte hat das letzte Wort – und da haben sie alle, alle recht.

(1924)

«'n Augenblick mal –!»

Daß der Berliner, an welchem Ort auch immer allein gelassen, nachdenklich dasitzt, den Boden fixiert und plötzlich, wie von der Tarantella gestochen, aufspringt: «Wo kann man denn hier mal telefonieren?» – das ist bekannt. Wenn es keine Berliner gäbe: das Telefon hätte sie erfunden. Es ist ihnen über, und sie sind seine Geschöpfe.

Man stelle sich einen kühnen jungen Mann vor, der einen ernsten Geschäftsmann während einer wichtigen Verhandlung stören will. Es wird ihm nicht gelingen. Hellebarden versperren den Weg, Privatsekretärinnen werfen sich vor die Schwelle, nur über ihre Weichteile geht der Weg, und jeder Angriff des noch so kühnen jungen Mannes muß mißlingen. Wenn er nicht antelefoniert.

Wenn er nämlich antelefoniert, dann kann er den Präsidenten bei der Regierung, den Chefredakteur bei den Druckfehlern, die gnädige Frau bei der Anprobe stören. Denn das berliner Telefon ist keine maschinelle Einrichtung: es ist eine Zwangsvorstellung.

Klopft das Volk drohend an die Türen, macht der Berliner noch lange nicht auf. Klingelt aber ein kleiner Apparat, so winkt er noch dem adligsten Besucher ab, murmelt mit jener Unterwürfigkeitsmiene, wie man sie sonst nur bei gläubigen Sektierern findet: «'n Augenblick mal –!» und wirft sich voll wilden Interesses in den schwarzen Trichter. Vergessen Geschäft, Hebamme, Börse und Vergleichsverhandlung. «Hallo? Ja, bitte? Hier da – wer dort –?»

Einen Berliner fünfzehn Minuten lang, ungestört von einem Telefon, zu sprechen, ist ein Ding der Unmöglichkeit. Wieviel Pointen verpuffen da! Wieviel angesammelte Energie raucht zum Fenster hinaus! Wie umsonst sind Verhandlungslist, Tücke und herrlich ausgeknobelte Hinterhältigkeit. Das Telefon ist keine Erfindung der Herren Bell und Reis – der V-Vischer hat die ganze Tücke des Objekts in diesen Kasten gelegt. Es klingelt nur, wenn man das gar nicht haben will.

Wie oft habe ich nun schon erlebt, daß die kräftige Rede eines Besuchers den ganzen Raum überzeugt, gleich ist er auf der Höhe, der Sieg ist nahe, hurra, noch ein Schritt . . . da klingelt das Telefon, und alles ist aus. Der dicke Mann am Schreibtisch, der eben noch, dreiviertel hypnotisiert, schon das Doppelkinn auf die Krawatte hat sinken lassen und friedlich die Unterlippe vorgeschoben hat, läßt eine eisige Maske über das gleiten, was er als Gesicht ausgibt. Die nervigte Hand am Telefonhörer, vergißt er Partner, Geschäft und sich selbst. «Hier Dinkelsbühler – wer dort –?» Emsig strudelt er im fremden Gewässer, völlig gefangen vom andern, untreu dem Partner der letzten Minute, ganz hingegeben in Betrug und Verrat.

Der andre ist der Dumme. Hohl und leer sitzt er dabei, das eben noch ausgesprochene pathetische Wort ragt ihm sinnlos aus dem Mund wie eine alte Fahne im Zeughaus, Flagge einer Truppe, die längst gestorben ist. Beschämt sitzt er da, haltlos und nackt, und in ihm kocht dumpf der unerfüllte Wille. Was nun –?

Nun redet der dicke Mann am Schreibtisch so lange, wie man eben in Berlin am Telefon spricht, und es gibt nur noch einen, der mehr redet: das ist der am andern Ende. Der muß wohl rauschen wie ein mittelgroßer Wasserfall: die Augen des Schreibtischmannes schauen gedankenvoll auf ein Löschpapier, wandern über das Tintenfaß, blicken irr und leer dem betrogenen Partner auf die Glatze, nun beginnt er gar Männerchen aufs Papier zu malen und Quadrate, und der andre scheint, wie die Membrane quakend verkündet, ganze Wörterbücher ins Telefon brausen zu lassen.

Schon ruckelt der Gast ungeduldig auf seinem Stühlchen, da nahen sich im unendlichen Gespräch die ersten Anzeichen des Schlusses. «Na denn . . .!» – «Also dann verbleiben wir so . . .» Dem Gast wirds freudig zumute: so eilt die Seele des Konzertbesuchers in die Garderobe vorauf, wenn es im Orchester bedrohlich laut wird, wenn das Flügelschlagen des Dirigenten Blech und immer mehr Blech ins Getöse wirft . . . aber es ist noch nicht so weit. Sie verbleiben noch eine ganze Weile so, setzen immer wieder zu Schlußwendungen an, der Schluß kommt nicht. Langsam steigt in dem Wartenden der Wunsch auf, dem Telefonierenden das Handelsgesetzbuch auf den Kopf zu schlagen . . . «Na dann – auf Wiedersehn!» sagt er endlich. Und legt den Hörer hin.»

Und das ist der schlimmste Augenblick von allen. In den Augen des Schreibtischmannes wechselt die Beleuchtung, man hört es förmlich knacken, wie er sich umstellt; mit etwas schwachsinnigem Ausdruck wendet er sich zwinkernd dem alten, verratenen Partner wieder zu. «Ja, also – wo waren wir stehengeblieben . . .?»

Nun fang du wieder von vorne an. Nun klaube die zerbrochenen Stücke deiner Rede wieder vom Boden zusammen, nun hole tief Atem, bemühe dich, wieder in Zug zu kommen . . . Gute Nacht. Der Schwung ist dahin, der Witz ist dahin, der Wille ist dahin. Lahm geht die Unterredung zu Ende. Nichts hast du erreicht. Das hat mit ihrem Singen die Lorelei getan.

Nun legt der Leser das Buch still und freundlich aus der Hand und denkt einen Augenblick nach. Dann springt er wie ein gejagter Hirsch auf, die ‹Mona Lisa› lächelt am Boden . . . Er eilt zum Telefon.

(1927)

Der Mann mit der Mappe

Der Nationalökonom Alfons Goldschmidt hat mir neulich die Augen geöffnet. «Das Kennzeichen Berlins», sagt er, «ist der Mann mit der Mappe.» Ich sah um mich, und dies war es, was ich sah:

Alle Männer auf der Straße tragen eine Mappe. Es ist nicht auszudenken, was in Berlin täglich für Papier herumgetragen wird: die ganze Stadt schleppt emsig Ballen Schreib- und Druckpapiers von einem Fleck zum andern. Was mag in den Mappen sein –?

Das Frühstück natürlich, dann Bindfaden, ein zerbrochener Füllfederhalter und etwas zum Lesen. Diese Lektüre wird kaum angefaßt, wie ja überhaupt alle Leute von dem Aberglauben besessen sind, gewisse Sachen ‹unterwegs erledigen zu können› – aber niemals wird etwas daraus. Abends zieht der Mappenmann seinen Kram genau so unberührt aus der Mappe, wie er ihn hineingelegt hat. Bei dem allgemein gültigen Bestreben, nicht unter acht Sachen zugleich zu tun, belastet diese Vorratsarbeit die Mappenträger, aber sie lassen nicht davon ab. Was ist aber noch in der Mappe?

In der Mappe ist das, was der Besucher nach den einleitenden Sätzen mit den Worten herauszieht: «Ich habe hier eine Sache . . .» und dann gehts los. Meist findet er sie nicht auf Anhieb, er sucht sie erst aus den Verträgen, Heiratspapieren, Korrespondenzen, Korrekturfahnen heraus, fischt im Papierteich, angelt – schwupp! Wenns gut geht, hat er sie zu Hause liegen lassen.

Mappe muß sein.

Die Mappe ziert den gemeinen Mann und deutet auf jeistige Arbeit – daher sie denn wohl auch der Schnorrer mit steifer Grandezza in der Hand baumeln läßt. Kümmerlich zusammengeschrumpft hängt die Verhungerte armselig neben seinem abgeschabten Überzieher . . . Es gibt aber auch wohlhabende Mappen; bis zum Platzen gefüllt, leuchten sie herrlich gelackt oder gewachst im Sonnenschein, die Nickelbeschläge protzen: «P! Wir! Uns kann keiner, und uns können sie alle –!» So feine Mappen sind das.

Manche Menschen mit gestörtem Empfindungsleben tragen zwei Mappen mit sich herum, aber das ist selten: ein besserer Herr ist in dieser Sache monomapp.

Warum tragen aber alle diese die Mappe mit sich –?

Weil sie Dienst haben, den ganzen Tag. Weil die Arbeit sie auffrißt, täglich, stündlich, weil sie «ze tun» haben – etwa in dem Tempo, in dem der Komiker Otto Wallburg spricht. Ginge es logisch zu in der Welt, so müßte ja der Mann in der Mappe liegen und sich nur gelegentlich, zu dienstlichen Zwecken, ans Tageslicht ziehen. Ja, die berliner Mappe hats in sich.

Sie regiert den Kerl, der sie trägt, sie bestimmt dessen Dasein, nicht umgekehrt. Er durchraschelt alle Papiere, die er schleppen muß – er durchstöbert ihren Wust, er rummelt darin umher, und wenn es hochgekommen ist, dann ist es Mühe und Arbeit gewesen, und es muß ja wohl Leute geben, die glauben, zu diesem Behufe auf der Welt zu sein. Mappe, du traurige Mappe, wie beschwerst du das Leben! Nie läßt du die Leute schlendern, mit den Händen in den

Taschen, ohne dich, frei! Was einer nicht im Kopf hat, das muß er in der Mappe haben.

Nikolassee trägt seine Weisheit in die innere Stadt, Moabit transportiert das Jus nach dem Osten, der Alexanderplatz wedelt mit der Mappe nach dem Westen, kein Papier darf da bleiben, wo es geboren ist – trage, Liebchen, trage!

Dabei sind die meisten Mappen unvollständig: sie müßten eine kleine Karthothek eingebaut haben, etwas Wasserspülung und einen zusammenklappbaren Pokertisch . . . Mappen sind lebensnotwendig: wie könnte die deutsche Wirtschaft funktionieren ohne die Mappe! In England sollen die Leute auch mit Mappen herumtraben, hat man mir erzählt; aber daß sie es in Paris nicht tun, das weiß ich ganz gewiß. Denn der Franzose . . . also, was ist denn das überhaupt für ein Mensch! Der glaubt, daß man die Arbeit in seinem Geschäft tut, und wenn er über die Schwelle hinausgetreten ist, dann ist es aus damit, und selbst im Café de Commerce, wo die bessern Sachen abgeschlossen werden, geht das ohne Mappe zu. Aber er schreibt wohl nicht immer das Nötige . . .

Wir schreiben. Denn sonst hätten wir nichts, was wir durch unsere Brillen ansehen können, und wohin kämen wir wohl ohne das –! Wenn einer geboren wird, und wenn einer stirbt, wenn ein Stück Drama von Unruh aus dem Fenster fällt, und wenn ein Filmband zerreißt, wenn Frau Helen uns mit den großen blauen Augen Ja zuwinkt und Nein meint, wenn einer einen Verkehrsturm umfährt, und wenn in einem nationalen Blatt eine Sicherung durchbrennt: wir schreiben. Und was wir geschrieben haben, das tun wir dann in die Mappe.

Und es ist nur schade, daß wir auf den Presseball ohne Mappe kommen – es würde das wesentlich zur Verschönerung des Bildes beitragen.

Schilt die Mappe nicht, Peter! Sie hat eine heilige Mission zu erfüllen hienieden – sie läßt ihren Träger an die Wichtigkeit seiner Arbeit glauben, und das ist mitunter gar nicht so einfach. Gott segne sie, die gute, treue, rindslederne; schier dreißig Jahre ist sie alt, hat manchen Sturm erlebt . . . Sieh ihr gefältetes Gesicht! Die zerfurchten Züge, die morschen Nähte! Was barg sie nicht schon alles in ihrem Bauche . . .?

Wenn aber einmal alles untergegangen ist von unserer Epoche, die Holzbarrieren auf den Straßen, die die Autos anlocken sollen, die Fußgänger zu hindern, den Fahrdamm zu passieren; wenn der Funkturm dahin ist und das letzte Sechs-Tage-Schieben und die Professorentitel unserer Theaterdirektoren: eines sollte übrigbleiben von dieser Zeit, als Denkmal aere perennius.

Ein Mann, aus Marmor, ordentlich in Stein ausgehauen, mit ernster Miene und sorgenvollen Nasenlöchern, eilig dahinschreitend, unter dem Arm sein geistiges Wickelkind, ganz der Papa aus Rindsleder.

Der Mann mit der Mappe.

(1927)

Berliner Geschäfte

Berliner Geschäfte gehen so vor sich:

Eines Tages klingelt dich eine Herrenstimme an. «Ja – Halloh? Ja, hier ist die Internationale Union-Zentrale – wir möchten Sie möglichst bald sprechen – aber möglichst bald! Wann dürfen wir Sie erwarten?» – Du sagst, sie können dich und möglichst bald erwarten. Gut. Und dann gehst du hin.

Es empfängt dich, mit allen Zeichen des Entzückens, ein außerordentlich freundlicher, dicker Mann. Er sagt, er habe schon viel von dir gehört, er sei begeistert, deine persönliche Bekanntschaft . . . ob du nicht Platz nehmen wollest, auch eine Zigarre . . . wie? . . . Ja, also zur Sache. Es handelte sich da um etwas ganz Neues. Um etwas absolut und völlig Neues, bei dem man gleich an dich gedacht habe – weil es ohne dich erstens nicht gehe, und weil du überhaupt der geeignetste Mann . . . Man wolle nämlich – aber das sei noch ganz vertraulich – man wolle nämlich eine neue Zeitschrift aufmachen. Ach, um Gottes willen! Aber du fällst nicht vom Stuhl, sondern siehst den kleinen, dicken Mann, gesellschaftlich wohl erzogen, wie man dich hat, freundlich an. Ja, sagt der, also eine neue Zeitschrift – und alle ersten Leute würden mitmachen, und du als Zeichner, du müßtest auch. Aber gleich! Aber sofort! Es seien nur noch ein paar kleine Modalitäten, ein paar Formalitätchen . . . Kleinigkeiten, nicht wahr . . .? Im übrigen pressierte es sehr. Ob du wohl schon morgen abliefern könntest –? Oder vielleicht vorgestern? Aber sofort müßtest du liefern. Sofort. Du verbeugst dich sehr fein und versprichst: Sofort. Gut. Stühlerücken. Händedruck. Mich sehr gefreut. Aus.

Aus.

Nun hörst du nämlich vier geschlagene Wochen nichts mehr von der Internationalen Union-Zentrale. Du hast dich gleich am nächsten Morgen hingesetzt und hast das schönste Mädchenbein unter deinen Modellen abgekonterfeit, den grünsten Wald und den blausten Baldachin überm Himmelbett hast du gemalen – und das Ganze hast du fein säuberlich verpackt und an die I. U. Z. (wie das klingt! so kapitalkräftig!) abgeschickt. Und dann ist es aus.

Vier Wochen hörst du nichts. Dann schreibst du einen zagen Brief.

Nichts. Alle. Zerplatzt. Dann schreibst du einen etwas weniger zagen. Aber gar nichts. Dann telefonierst du. Es meldet sich eine quäkige Kleinmädchenstimme und sagt, als du dein langes Anerbieten heruntergebetet hast, das, was alle Berliner nach einem unerklärlichen Naturgesetz am Telefon sagen: «Einen Augenblick mal!» – Und verschwindet. Und inzwischen trennt dich das Amt und verbindet dich mit der Hebammenanstalt in Neukölln. Und schließlich wird es dir zu dumm, und du machst hin. Zur I. U. Z.

Der kleine, dicke Herr empfängt dich und ist entzückt. Du bist es nicht, aber er ist es. Aber bitte! Und ob du eine Zigarre . . .? Nein, die Zigarre möchtest du nicht. Auskunft möchtest du. Auskunft, was aus deinen Bildern . . . und aus der Zeitschrift . . .? Ah – deine Bilder –? Und der kleine, dicke Mann zieht aus einem Wust verstaubter Akten deine hübschen Bilder mit dem entzückenden Baldachin hervor und mit dem schönen Modellmädchenbein und sagt: «Ja – ganz reizend! Genau das, was wir von Ihnen erwartet haben! Wissen Sie, ich muß noch mit meinem Sozius darüber sprechen – es sind da noch einige Schwierigkeiten – wir haben zur Zeit soviel zu tun – Nur noch mit meinem Sozius . . .!»

Soziusse kommen in Berlin wild vor. Socii sind ein gefährlicher Negerstamm. Man lernt immer nur einen kennen. Der andere ist stets der stärkere und die Seele vons Buttergeschäft. Immer beeinflußt der andere den einen. Deinen. Soziusse sind, was die Unruhe in der Uhr ist. Sie stoppen ab.

Derweil ist viel öliges Wasser den Landwehrkanal hinabgeflossen. Die Wochen schwinden. Du hast schon ganz vergessen, was mit deinen Bildern – Eines Tages gehst du wieder hin, zur I. U. Z.

Eigentlich mehr aus Neugier. Weise lächelnd und unendlich abgeklärt. Fern von allem Feuer der Jugend, steigst du die teppichbelegten Treppen hinan. Und der kleine, dicke Mann empfängt dich strahlend.

Was mit der Zeitschrift . . .? Ach, diesen Gedanken habe man längst aufgegeben. «Wissen Sie, die Konjunktur für Zeitschriften ist ja momentan – wie?» Nein, man wolle etwas ganz anders machen. Eine ganz große Sache. Aber eine ganz ungeheuer große Sache. Nämlich: eine Zentralmilchversorgungsanstalt. Und da ergreifst du resigniert deinen Deckel, gehst hinaus und weinest bitterlich.

Und denkst nach. Was ist das nur für eine Stadt? Jedermann läuft herum und ist voll großer Projekte und plant ganz große Dinge. Kein Theatermann, der nicht in der allernächsten Zeit – aber die Sache ist noch vertraulich! – eine neue große Theaterkiste aufziehen wird; kein Filmonkel, der nicht ein Riesenkonsortium an der Hand hat; kein Verleger, der nicht nächstens mal den Leuten zeigen wird, was eine Harke . . .

Und derweil geschieht gar nichts.

Berliner Geschäfte kommen nicht durch ihre Unternehmer, sondern trotz ihrer Unternehmer zustande.

Wird nicht wirklich in dieser gesegneten Stadt ein bißchen viel projektiert? Wird nicht ein bißchen viel hergemacht? Vorschußlorbeer? Wechsel auf die Zukunft? Wie –?

Wird nicht, überall, beim Theater, in den Zeitschriften, in der Kinobranche, etwas reichlich verschwenderisch mit der Kraft der andern, mit der Kraft junger Künstler umgegangen? Die älteren lassen sich das ja nicht gefallen – aber wenn einer *muß*? Wenn einer Geld braucht? Und ihr pumpt ihn voll Hoffnungen, und er liefert Entwürfe . . . Was sind Hoffnungen, was sind Entwürfe –! Übermorgen haben sie alles vergessen: euer Projekt, den Künstler und die Skizzen. Und frohen Herzens stürzen sie sich auf das nächste Ding . . .

«Ihr Gedächtnis reicht nämlich nicht von einem Tage zum andern. Sie haben niemals die Absicht, wirklich ein Unternehmen zu Ende zu bringen. Sie prahlen und schwatzen und machen viel Geschrei, daß sie ein großes Volk sind, und daß der ganze Dschungel demnächst von ihren Taten sprechen soll, aber das Fallen einer Nuß schreckt sie – sie brechen in ein dummes Gelächter aus oder rennen davon, und alles andere ist wieder vergessen.» Das sagt Kipling. Von den Affen.

Aber horch! Klingelts da nicht am Telefon? «Hier die Allgemeine Genossenschaftsvereinigung. Könnten Sie uns nicht vielleicht –?»

Und der Weise legt lächelnd den Hörer hin, hat alles schweigend mitangehört und glaubt kein Wort. Und denkt an Don Quichote, einen Ritter aus Spanien, der viele Heldentaten verrichten wollte.

(1920)

Persönlich

«Ich möchte Herrn Regierungsrat persönlich sprechen!» – «Herr Professor Gustav Roethe war persönlich anwesend.» – «Der Chef des Stabes der Reichswehr ist diesen Beschwerden persönlich nachgegangen.»

Was ist denn das? Haben alle diese zwei Persönlichkeiten: eine einfache und eine persönliche? Was bedeutet das?

Das bedeutet eine Wichtigmacherei, die auf derselben Etage wie das deutsche Vorzimmer wohnt (am Telefon: «Hier Vorzimmer von Herrn Portier Knetschke!»); wie der Apparat, ohne den es keiner mehr tut («Ich werde das mit meinen Herren besprechen!» – hat aber nur einen); wie das ganze mißverstandene Brimborium des so gern kopierten überorganisierten Militärbetriebes, der es allen Deutschen zum erstenmal vor die Augen geführt hat, wie man auf möglichst geräuschvolle und kostspielige Weise nichts tun kann. Der Divisionskommandeur arbeitete nicht allzuviel. Aber das Wenige, was er tat, tat er durch seinen Adjutanten, durch seine Unterorgane, und nur Orden und Rotwein nahm er persönlich in Empfang. Die privaten Gruppen aller Sorten ahmen ihn selig nach. Der Chef des Betriebes hat den soziologisch umstrittenen Gedanken der Delegierung auf die Spitze getrieben und seine Machtvollkommenheit so aufgeteilt, daß man ihn schon manchmal, wenns unten gar zu dumm wird, ‹persönlich› in Anspruch nehmen muß. Die Männer der Öffentlichkeit kopieren es überglücklich. Sie kommen nicht selbst, sie telefonieren nicht selbst, sie unterschreiben nicht selbst. Daher denn keiner mehr sagt: Ich möchte den Herrn Reichstagsabgeordneten sprechen! – sondern: Ich möchte ihn persönlich sprechen! Immer voller Angst, daß sonst seine Waschfrau käme. Mit der sicherlich oft besser zu verhandeln wäre.

Diese aufgeblasene Eitelkeit, die immer mehr bei uns einreißt, diese Sucht, dem gemeinen Haufen nur ja den Aspekt eines zu geben, der über den Wolken schwebt – wie dumm, wie hohl und vor allem: wie unpraktisch ist dies Theater! In Amerika hat jeder für jeden Zeit, solange sich der kurz faßt; in Frankreich ist es nicht gar so schwer, zu den maßgebenden Männern Zutritt zu bekommen; in England denken die Leute an ihre Sache und nicht immer an ihre Person und bestimmt nicht an eine Hahnenwürde; bei uns zu Lande ist es wunder was für eine Geschichte, mit einem besser bezahlten Mann ‹persönlich› zu sprechen. Ist die Audienz beendet, so bleibt ein Abglanz des Unerhörten auf dem Empfangenen haften, der strahlend nach Hause stelzt. «Ich habe heute früh mit dem Oberbürgermeister persönlich gesprochen . . .» (Du armer Hund hast natürlich nur seinen Sekretär sprechen dürfen oder seinen Portier – ich aber habe ihn persönlich zu fassen bekommen!) Tief wurzelt der Knecht im Deutschen – leise kitzelt es im Rücken und tiefer: Kommt der Fußtritt? kommt er nicht? Er kommt nicht! Heil! Er hat mit mir persönlich gesprochen und nicht durch einen alten Trichter aus dem Nebenzimmer! Ich bin erhöht.

Es gibt Menschen, mit denen möchte ich um keinen Preis sprechen, dienstlich nicht und privat nicht und persönlich schon gar nicht: mit Strafkammervorsitzenden, alten Bataillonskommandeuren, Kriegsgerichtsräten und ähnlichen persönlichen Persönlichkeiten.

Lieber Gott! Nimm doch den deutschen Kaufleuten und Beamten diese dumme Sucht, sich als gar so kostbar hinzustellen und sich mit etwas dicke zu tun, was meist gar nicht da ist: mit einer Persönlichkeit! Den Soldaten kannst du es lassen, sie haben ja selten etwas anderes! Tu es doch, lieber Gott, ja –?

Dieses Gebet werde ich mal dem lieben Gott persönlich unterbreiten.

(1925)

Der Fremde

Wenn Frau Kulicke auf der Treppe einem Chinesen begegnet, dann kommt sie ganz aufgeregt nach Hause und erzählt: «Wohnt eigentlich ein Chinese im Haus? Eben bin ich auf der Treppe . . .» Da klingelt es. Sie öffnet: der Chinese. Um Gottes willen! Was –? Der Chinese möchte ein Zimmer mieten. Etwas mißtrauisch läßt sie ihn herein, der Chinese sieht das Zimmer an, es gefällt ihm (er hat noch nicht das berliner Guckauge für solche Dinge; wäre ich dabei gewesen, hätte ich ihm einiges zeigen können) – er mietet, er zieht ein. Der Chinese wird ein unerschöpfliches Gesprächsthema.

Der Chinese vertritt für Frau Kulicke China. Ungeahnte Möglichkeiten erwägt sie in ihrem Hirn, Opiumhöllen, ausgerissene Seeräuberzöpfe, kleine Geishas (die liegen bei Frau Kulicke in der chinesischen Schublade); aber inmitten dieses asiatischen Brodelns ist eines sicher: China und dieser Chinese – das ist ein und dasselbe.

Und Frau Kulicke ist nur eines von hunderttausend Exemplaren: jeder Fremde vertritt für die meisten Menschen sein ganzes Land, seine Regierung und seinen Fürsten. Die Franzosen in Deutschland haben bekanntlich alle noch vor kurzer Zeit Privat- und Spezialaufträge von Herrn Poincaré gehabt; die Deutschen vor dem Kriege waren Abgesandte des Kaisers; auf jedem Russen lag früher der Abglanz des Zaren (den er vielleicht nie gesehen hatte) – der Fremde vertritt für die meisten Leute immer noch seinen Staat.

Und keiner kommt auf den naheliegenden Gedanken, daß der Fremde zu Hause genau so ein unnützes, beiseite geschobenes Ding sein könnte wie der Betrachter; daß sich sein Staat so wenig aus ihm macht wie der unsre aus uns (neulich war in einem Erlaß über die Befreier dieser Verfassung zu lesen: «Es sind auch Kreise der Bevölkerung hinzuzuziehen . . .»); jeder tut immer noch so, als käme der mächtige Volksgenosse eines völlig geschlossenen fremden Stammes zu uns – und nicht der kümmerliche Bestandteil einer anachronistischen Gesellschaftsform. Und je ohnmächtiger die Einheimischen sind, desto größere Fähigkeiten trauen sie dem fremden Mann zu.

Europa hat noch nie so viel Nationen und Staaten gesehen wie heute. Innerhalb der Staaten geht das Spiel weiter – oder wollen etwa die Franken dulden, daß die Stammeseigenart der Mittelfranken bei ihnen unterdrückt werde? ‹Die thüringischen Belange› (was man am besten wie ‹Melange› ausspricht); die Pfälzer verlangen; die Hannoveraner drohen – je eine halbe Million, wenns viel ist. Europa spielt. Es scheint die Idee kurz vor dem Höhepunkt ihres Umkippens in das Gegenteil zu sein, wie zu hoffen steht. Statt wirklich zu sehen, wie die Schichtgrenzen laufen, amüsieren sie sich mit Fahnen, Grenzpfählen, Ministerpräsidenten – und spielen ‹fremd›.

Gott segne diesen Erdteil! Er hat es nicht anders verdient.

(1924)

Zeitungsdeutsch und Briefstil

Es ist schon einmal besser gewesen: vor dem Kriege. Das heißt nicht etwa, die gute, alte Zeit heraufbeschwören – man blättere nach, und man wird von damals zu heute einen bösen Verfall der deutschen Sprache feststellen. In zwei Sparten ist das am schlimmsten: in der Presse und in den Briefen, die die Leute so schreiben.

Was in den Zeitungen aller Parteien auffällt, ist ein von Wichtigkeit triefender und von Fachwörtern schäumender Stil. Die Unart, in alle Sätze ein Fachadverbium hineinzustopfen, ist nunmehr allgemein geworden. Man sagt nicht: «Der Tisch ist rund.» Das wäre viel zu einfach. Es heißt: «Rein möbeltechnisch hat der Tisch schon irgendwie eine kreisrunde Gestalt.» So heißt das. Sie schwappen über von ‹militärwissenschaftlich›, ‹städtebaupolizeilich› und ‹pädagogisch-kulturell›. Gesagt ist mit diesem Zeug nicht viel: man weiß ja ohnehin, daß in einem Aufsatz über das Fußballspiel nicht von Kochkunst die Rede ist. Aber der betreffende Fachmann will dem Laien imponieren und ihm zeigen, wie entsetzlich schwer dieses Fach da sei . . . Die meisten Zeitungsartikel gleichen gestopften Würsten.

In den Briefen ist es etwas andres. Da regiert die Nachahmung des flegelhaften Beamtenstils.

Es ist rätselhaft, wie dieses Volk, das angeblich so unter seinen Beamten leidet, sich nicht genug tun kann, ihnen nachzueifern – im Bösen, versteht sich. Ist es denn nicht möglich, höflich zu schreiben? Aber jede Speditionsfirma sieht ihre Ehre darin, Briefe herauszuschicken, die wie ‹Verfügungen› anmuten. Da wird ehern ‹festgestellt› (damit es nicht mehr wackelt); da wird dem Briefempfänger eins auf den Kopf gehaun, daß es nur so knallt, und das ist nun nicht etwa ‹sachlich›, wie diese Trampeltiere meinen, die da glauben, Glattheit lenke von der Sache ab – es ist einfach ungezogen. Sie haben vor allem von den Beamten gelernt, jeden Zweifel von

vornherein auszuschalten. Liest man die Briefe, so sieht man immer
vor dem geistigen Auge:

Tagesbefehl

1. Es stehen bereit: 8.30 Uhr vormittags Abteilung Löckeritz auf
   der Chaussee Mansfeld-Siebigerode . . .
2. Ich befinde mich im Schloß
und so fort –
als ob man nicht auch in einem Geschäftsbrief an den entscheidenen
Stellen leicht mildern könnte. Aber nein: sie regieren.

In erotisch-kultureller Beziehung denke ich mir den Liebesbrief
eines solchen Korrespondenten so:

Geheim! Tagebuch-Nr. 69/218.

Hierorts, den heutigen

1. Meine Neigung zu Dir ist unverändert.
2. Du stehst heute abend, 7½ Uhr, am zweiten Ausgang des
   Zoologischen Gartens, wie gehabt.
3. Anzug: Grünes Kleid, grüner Hut, braune Schuhe. Die Mit-
   nahme eines Regenschirms empfiehlt sich.
4. Abendessen im Gambrinus, 8.10 Uhr.
5. Es wird nachher in meiner Wohnung voraussichtlich zu Zärt-
   lichkeiten kommen.

(gez.) Bosch, Oberbuchhalter

«An einer Seite Prosa wie an einer Bildsäule arbeiten . . .» schrieb
Nietzsche. So siehst du aus.

(1929)

An Lucianos

Freund! Vetter! Bruder! Kampfgenosse!
Zweitausend Jahre – welche Zeit!
Du wandelst im Fürstentrosse,
du kanntest die Athenergosse
und pfiffst auf alle Ehrbarkeit.

Du strichst beschwingt, graziös und eilig
durch euern kleinen Erdenrund –
Und Gott sei Dank: nichts war dir heilig,
    du frecher Hund!

Du lebst, Lucian! Was da: Kulissen!
Wir haben zwar die Schwebebahn –
doch auch dieselben Hurenkissen,
dieselbe Seele, jäh zerrissen
von Geld und Geist – du lebst, Lucian!
Noch heut: das Pathos als Gewerbe
verdeckt die Flecke auf dem Kleid.
Wir brauchen dich. Und ist dein Erbe
noch frei, wirfs in die große Zeit.

Du warst nicht von den sanften Schreibern.
Du zogst sie splitternackend aus
und zeigtest flink an ihren Leibern:
es sieht bei Göttern und bei Weibern
noch allemal der Bürger raus.
Weil der, Lucian, weil der sie machte.
So schenk mir deinen Spöttermund!
Die Flamme gib, die sturmentfachte!
Heiß ich auch, weil ich immer lachte,
    ein frecher Hund!

                                        (1918)

Deine Welt

Trudele dahin! Verkehre bei Ingenieuren!
Laß dich als Redakteur von Staatsanwälten verhören!
Sei eingeladen bei Snobs, die wichtigtuende Diplomaten
schnurrend umschleichen, besonders die aus den kleineren Staaten!
    Entflieh der Familie! Rutsch die soziale Leiter hinauf und hinab –:
    es spielt sich alles unter zweihundert Menschen ab.

Wohn an der Weser, der Oder, der Weichsel, der Elbe –
deine Gesellschaft bleibt immer, immer dieselbe.

Immer dieselben Fahrt- und Leidensgenossen,
wie mit Gittern sind dir die andern Gärten verschlossen.
  Freunde sind Schicksal, aber nicht zu knapp.
  Es spielt sich alles unter zweihundert Menschen ab.

Fahr nach Amerika! Wer steht im Hotel auf den Herrentoiletten?
Rosenfeld. Und er spricht: «Was machen Sie in Manhattan?»
Flieh zu den Eskimos, in des Eises kreischende Masse:
der Dicke im Pelz ist bestimmt ein Kind deiner Klasse.
  Jag durch die Welt vom nördlichen bis zum südlichen Kap –:
  es spielt sich alles unter zweihundert Menschen ab.

Unsere Welt ist so klein. Dies mußt du wissen:
Ganze Klassen und Völker sind nur deines Lebens Kulissen;
du weißt, daß sie sind. Aber sei nicht verwundert:
du lebst ja doch nur inmitten deiner zweihundert.
Und hörst du auch fremde Länder und Kontinente erklingen:
du kannst ja gar nicht aus deinem Kreise springen!
  Von Stund an, wo sie dich pudern, bis zum gemieteten Grab
  spielt sich alles und alles und alles unter zweihundert Menschen
ab.

(1928)

Südfrüchte

Wenn einer und er ißt Mittach –
        feine Leute nennen diß «friehsticken» –
also: wenn er friehstickt un bestellt sich zum Schluß
wat Sießet: Appelsinenauflauf mit Guß,
und nu wird ihm der Kellner eine Gurke bringen –
        so sagt der: «Nehm Sie das wieder fott!
Denn, lieber Herr Ober:
        Saure Jurke ist keen Kompott!»

So auch im Leben.
        Da glauben Biederbrillen und Fortschrittskneifer,
das deutsche politische Leben würde immer reifer und reifer.

Und sprechen davon, bei Tage, abends und in der Nacht,
wie wir es doch so herrlich weit gebracht.
Und wir hätten eine Republik und eine Verfassung
    und ein freies Wahlrecht dazu –
wat sagste nu? –
    Ich sage: Das Schild hat gewechselt, sag ich – im Laden der alte
Trott:
                Saure Jurke is keen Kompott!

Und ich sage: Wenn ich so abends die Herrn Ministersch seh,
und die Herren Staatssekatäre im Frack, im Bristoll und Theata
pareh –
wie sie doch so gern möchten mongdän sein mit ihre Damens
und vor jeden fremden Dippelmaten zusammenknicken,
    wegen des Namens;
wie sie Fettlebe machen bei Rechtsanwälte und bei Bankiers,
wie die so rumscharwenzeln auf die feinsten Modetees –
selig, wenn einer hinter sie herzischelt: «Diß is Geßler! Das ist Koch!»
wie manche fressen und spinkulieren noch und noch –
wenn ich das so sehe und denke: Die bilden sich nu ein,
große, internationale, politische Welt zu sein . . .
    Dann sag ich bei mir: Die –? Ach, du lieber Gott . . .
        Lauter saure Jurken. Und kein Kompott.

(1926)

Ideal und Wirklichkeit

In stiller Nacht und monogamen Betten
denkst du dir aus, was dir am Leben fehlt.
Die Nerven knistern. Wenn wir das doch hätten,
was uns, weil es nicht da ist, leise quält.

Du präparierst dir im Gedankengange
das, was du willst – und nachher kriegst dus nie . . .
Man möchte immer eine große Lange,
und dann bekommt man eine kleine Dicke –
        C'est la vie –!

Sie muß sich wie in einem Kugellager
in ihren Hüften biegen, groß und blond.
Ein Pfund zu wenig – und sie wäre mager,
wer je in diesen Haaren sich gesonnt . . .
    Nachher erliegst du dem verfluchten Hange,
    der Eile und der Phantasie.
    Man möchte immer eine große Lange,
    und dann bekommt man eine kleine Dicke –
        Ssälawih –!

Man möchte eine helle Pfeife kaufen
und kauft die dunkle – andere sind nicht da.
Man möchte jeden Morgen dauerlaufen
und tut es nicht. Beinah . . . beinah . .
    Wir dachten unter kaiserlichem Zwange
    an eine Republik . . . und nun ists die!
    Man möchte immer eine große Lange,
    und dann bekommt man eine kleine Dicke –
        Ssälawih –!   (1929)

Auf ein Kind

Du lebst noch nicht.
Ich seh dich so lebendig:
ein kleiner gelber Schopf, die Augen blau;
ich seh dich an und such beständig
die Züge einer lieben Frau.

Du kreischst und jauchzst schon laut in deinen Kissen;
du bist so frisch und klar und erdenhaft.
Du brauchst es nicht wie ich zu wissen,
was Zwiespalt ist, der Leiden schafft.

Der ist dahin. Schrei du aus voller Lunge
und schüttle deine runde, kleine Faust!
Sei froh! Sieh auf die Mutter, Junge –
sie ist so hell, auch wenn ein Sturmwind braust.

Hör ihre Stimme nur: gleich wehts gelinder.
Setz du sie fort. Was bin denn ich allein?
Wir Menschen sind doch stets die alten Kinder:
ich war es nicht – mein Sohn, der soll es sein.

Du sollst es sein!
Und kommst du einst zum Leben:
Du sollst es sein! Ich hab es nicht gekonnt.
Gib du, was deiner Mutter Arme geben:
Leucht uns voran!
        Du bist so blond.

                    (1920)

Hier ein Stuhl – da ein Stuhl
und wir immer dazwischen

Worauf man in Europa stolz ist

Dieser Erdteil ist stolz auf sich,
und er kann auch stolz auf sich sein.
Man ist stolz in Europa:

*

Deutscher zu sein

*

Franzose zu sein

*

Engländer zu sein

*

Kein Deutscher zu sein

*

Kein Franzose zu sein

*

Kein Engländer zu sein

Ein älterer, aber leicht besoffener Herr

– Wie Sie mich hier sehn, bin ick nämlich aust Fensta jefalln. Wir wohn Hochpachterr, da kann sowat vorkomm. Es ist wejn den Jleichjewicht. Bleihm Se ruhich stehn, lieber Herr, ick tu Sie nischt – wenn Se mir wolln mah aufhehm . . . so . . . hopla . . . na, nu jeht et ja schon. Ick wees jahnich, wat mir is: ick muß wat jejessen ham . . .!

Jetrunken? Ja, det auch . . . aber mit Maßen, immer mit Maßen. Es wah – ham Sie 'n Auhrenblick Sseit? – es handelt sich nämlich bessüchlich der Wahlen. Hips . . . ick bin sossusahrn ein Opfer von unse Parteisserrissenheit. Deutschland kann nich untajehn; solange es einich is, wird es nie bebesiecht! Ach, diß wah ausn vorjn Kriech . . . na, is aber auch janz schön! Wenn ick Sie n' Sticksken bejleiten dürf . . . stützen Sie Ihnen ruhig auf mir, denn jehn Sie sicherer!

Jestern morjen sach ick zu Elfriede, wat meine Jattin is, ick sahre: «Elfriede!» sahr ick, «heute is Sonntach, ick wer man bißken rumhörn, wat die Leite so wählen dhun, man muß sich auf den laufenden halten», sahr ick – «es is eine patt . . . patriotische Flicht!» sahr ick. Ick ha nämlich 'n selbständjen Jemieseladn. Jut. Sie packt ma 'n paar Stulln in, und ick ßottel los.

Es wücht ein ja viel jebotn, ssur Sseit . . . so ville Vasammlungen! Erscht war ich bei die Nazzenahlsosjalisten. Feine Leute. Mensch, die sind valleicht uffn Kien! Die janze Straße wah schwarz . . . un jrien . . . von de Schupo . . . un denn hatten da manche vabotene Hemden an . . . dies dürfen die doch nich! «Runta mit det braune Hemde!» sachte der Wachtmeister zu ein. «Diß iss ein weißes Hemde!» sachte der. «Det is braun!» sachte der Jriene. Der Mann hat ja um sich jejampelt mit Hände und Fieße; er sacht, seine weißen Hemden sehn imma so aus, saubrer kann a nich, sacht a. Da ham sen denn laufen lassen. Na, nu ick rin in den Saal. Da jabs Brauselimmenade mit Schnaps. Da ham se erscht jeübt. Aufstehn! Hinsetzn! Aufstehn! Hinsetzn! weil sie denn nämlich Märsche jespielt ham, und die Führers sind rinjekomm – un der Jöbbels ooch. Kenn Sie Jöbbels? Sie! Son Mann ist det! Knorke. Da ham die jerufen: «Juden raus!» un da habe ick jerufen: «Den Anwesenden nadhierlich ausjenomm!» un denn jing det los: Freiheit und Brot! ham die jesacht. Die Freiheit konnte man jleich mitnehm – det Brot hatten se noch

nich da, det kommt erscht, wenn die ihr drittes Reich uffjemacht
ham. Ja. Und scheene Lieda ham die –!

> Als die liebe Morjensonne
> schien auf Muttans Jänseklein,
> zoch ein Rejiment von Hitla
> in ein kleines Städtchen ein . . .!

Na, wat denn, wat denn . . . man witt doch noch singen dürfn! Ick
bin ja schon stille – ja doch. Und der Jöbbels, der hat ja nich schlecht
jedonnert! Un der hat eine Wut auf den Thälmann! «Is denn kein
Haufen da?» sacht er – «ick willn iebern Haufn schießen!» Und wir
sind alle younge Schklavn, hat der jesacht, und da hat er ooch janz
recht. Und da war ooch een Kommenist, den ham se Redefreiheit
jejehm. Ja. Wie sen nachher vabundn ham, war det linke Oohre
wech. Nee, alles wat recht is: ick werde die Leute wahrscheinlich
wähln. Wie ick rauskam, sachte ick mir: Anton, sachte ick zu mir,
du wählst nazzenahlsosjalistisch. Heil!

Denn bin ick bei die Katholschen jewesen. Da wollt ick erscht
jahnich rin . . . ick weeß nich, wie ick da rinjekomm bin. Da hat son
fromma Mann am Einjang jestandn, der hatte sich vor lauter
Fremmichkeit den Krahrn vakehrt rum umjebunden, der sacht zu
mir: «Sind Sie katholischen Jlaubens?» sacht er. Ick sahre: «Nich, daß
ick wüßte . . .» – «Na», sacht der, «wat wollen Sie denn hier?» –
«Jott», sahre ick, «ick will mir mal informieren», sahre ick. «Diß is
meine Flicht des Staatsbirjers.» Ick sahre: «Einmal, alle vier Jahre, da
tun wa so, als ob wa täten . . . diß is ein scheenet Jefiehl!» – «Na ja»,
sacht der fromme Mann, «diß is ja alles jut und scheen . . . aber wir
brauchen Sie hier nich!» – «Nanu . . .!» sahre ick, «sammeln Sie denn
keene Stimm? Wörben Sie denn nich um die Stimm der Stimmbe-
rechtichten?» sahre ick. Da sacht er: «Wir sind bloß eine bescheidene
katholische Minderheit», sacht er. «Und ob Sie wähln oder nich»,
sacht er, «desderwejn wird Deutschland soch von uns rejiert. In
Rom», sacht er, «is et ja schwierijer . . . aber in Deutschland . . .»
sacht er. Ick raus. Vier Molln hak uff den Schreck jetrunken.

Denn wak bei die Demokratn. Nee, also . . . ick hab se jesucht . . . durch janz Berlin hak se jesucht. «Jibbs denn hier keene
Demokraten?» frahr ick eenen. «Mensch!» sacht der. «Du lebst wohl
uffn Mond! Die hats doch nie jejehm! Und nu jippse iebahaupt nich

mehr! Jeh mal hier rin», sacht er, «da tacht die Deutsche Staatspach-
tei – da is et richtich.» Ick rin. Da wah ja so viel Jugend . . . wie ick
det jesehn habe, mußt ick vor Schreck erscht mal 'n Asbach Uralt
trinken. Aber die Leute sinn richtich. Sie – det wa jroßachtich! An
Einjang hattn se lauter Projamms zu liejn . . . da konnt sich jeder
eins aussuchen. Ick sahre: «Jehm Sie mir . . . jehm Sie mia ein
scheenet Projamm für einen selbständigen Jemieseladen, fier die
Interessen des arbeitenden Volkes», sahre ick, «mit etwas Juden raus,
aber hinten wieder rin, und fier die Aufrechterhaltung der wohler-
worbenen Steuern!» – «Bütte sehr», sacht det Frollein, wat da stand,
«da nehm Sie unsa Projramm Numma siemundfürrssich – da ist det
allens drin. Wenn et Sie nicht jefällt», sacht se, «denn kenn Siet ja
umtauschn. Wir sind jahnich so!» Diß is eine kulante Pachtei, sahre
ick Ihn! Ick werde die Leute wahrscheinlich wähln. Falls et sie bei
der Wahl noch jibbt.

Denn wak bei die Sozis. Na, also ick bin ja eijentlich, bei Licht
besehn, ein alter, jeiebter Sosjaldemokrat. Sehn Se mah, mein Vata
war aktiva Untroffssier . . . da liecht die Disseplin in de Familie. Ja.
Ick rin in de Vasammlung. Lauta klassenbewußte Arbeita wahn da:
Fräser un Maschinenschlosser un denn ooch der alte Schweißer, der
Rudi Breitscheid. Der is so lang, der kann aus de Dachrinne saufn.
Det hat er aba nich jetan – er hat eine Rede jehalten. Währenddem
daß die Leute schliefen, sahr ick zu ein Pachteigenossn, ick sahre:
«Jenosse», sahre ick, «woso wählst du eijentlich SPD –?» Ick dachte,
der Mann kippt mir vom Stuhl! «Donnerwetter», sacht er, «nu wähl
ick schon ssweiunsswanssich Jahre lang diese Pachtei», sacht er, «aber
warum det ick det dhue, det hak ma noch nie iebalecht! – Sieh mal»,
sachte der, «ick bin in mein Bessirk ssweita Schriftfiehra, un uff unse
Ssahlahmde is det imma so jemietlich; wir kenn nu schon die
Kneipe, un det Bier is auch jut, un am erschten Mai, da machen wir
denn 'n Ausfluch mit Kind und Kejel und den janzen Vaein . . . und
denn ahms is Fackelssuch . . . es ist alles so scheen einjeschaukelt»,
sacht er. «Wat brauchst du Jrundsätze», sacht er, «wenn dun Apparat
hast!» Und da hat der Mann janz recht. Ick werde wahrscheinlich
diese Pachtei wähln – es ist so ein beruhjendes Jefiehl. Man tut wat
for de Revolutzjon, aber man weeß janz jenau: mit diese Pachtei
kommt se nicht. Und das ist sehr wichtig fier einen selbständigen
Jemieseladen!

Denn wah ick bei Huchenberjn. Sie . . . det hat ma nich jefalln.

Wer den Pachteisplitter nich ehrt, is det Janze nich wert – sahr ick doch imma. Huchenberch perseenlich konnte nich komm . . . der hat sich jrade jespaltn. Da hak inzwischen 'n Kimmel jetrunken.

Denn wak noch bei die kleinern Pachteien. Ick wah bei den Alljemeinen Deutschen Mietabund, da jabs hellet Bia; und denn bei den Tannenberchbund, wo Ludendorff mitmacht, da jabs Schwedenpunsch; und denn bei die Häußerpachtei, die wähln bloß in Badehosn, un da wah ooch Justaf Nahrl, der is natürlicher Naturmensch von Beruf; und denn wak bei die Wüchtschaftspachtei, die sind fier die Aufrechterhaltung der pollnschen Wüchtschaft – und denn wark blau . . . blau wien Ritter. Ick wollt noch bei de Kommenistn jehn . . . aber ick konnte bloß noch von eene Laterne zur andern Laterne . . . Na, so bink denn nach Hause jekomm.

Sie – Mutta hat valleicht 'n Theater jemacht! «Besoffn wie son oller Iiiijel –!» Hat se jesacht. Ick sahre: «Muttacken», sahre ick, «ick ha det deutsche Volk bei de Wahlvorbereitung studiert.» – «Besoffn biste!» sacht se. Ick sahre: «Det auch . . .» sahre ick. «Aber nur nehmbei. Ick ha staatspolitische Einsichten jewonn!» sahre ick. «Wat wißte denn nu wähln, du oller Suffkopp?» sacht se. Ich sahre: «Ick wähle eine Pachtei, die uns den schtarkn Mann jibt, sowie unsan jeliebtn Kaiser und auch den Präsidenten Hindenburch!» sahr ick. «Sowie bei aller Aufrechterhaltung der verfassungsjemäßichten Rechte», sahr ick. «Wir brauchen einen Diktator wie Maxe Schmeling oder unsan Eckner», sahre ick. «Nieda mit den Milletär!» sahre ick, «un hoch mit de Reichswehr! Und der Korridor witt ooch abjeschafft», sahre ick. «So?» sacht se. «Der Korridor witt abjeschafft? Wie wißte denn denn int Schlafzimmer komm, du oller Süffel?» sacht se. Ick sahre: «Der Reichstach muß uffjelöst wern, das Volk muß rejiern, denn alle Rechte jehn vom Volke aus. Na, un wenn eener ausjejang is, denn kommt a ja sobald nich wieda!» sahre ick. «Wir brauchen eine Zoffjett-Republik mit ein unumschränkten Offsier an die Spitze», sahre ick. «Und in diesen Sinne werk ick wähln.» Und denn bin ick aust Fensta jefalln.

Mutta hat ohm jestanden und hat jeschimpft . . .! «Komm du mir man ruff», hat se jebrillt. «Dir wer ick! Du krist noch mal Ausjang! Eine Schande is es –! Komm man ja ruff!» Ick bin aba nich ruff. Ick als selbstänjdja Jemieseladen weeß, wat ick mir schuldich bin. Wolln wa noch ne kleene Molle nehm? Nee? Na ja . . . Sie missn jewiß ooch ze Hause – die Fraun sind ja komisch mit uns Männa! Denn winsch ick Sie ooch ne vajniechte Wahl! Halten Sie die Fahne hoch! Hie alleweje! Un ick wer Sie mal wat sahrn: Uffjelöst wern wa doch . . . rejiert wern wa doch . . .

Die Wahl is der Rummelplatz des kleinen Mannes! Det sacht Ihn ein Mann, der det Lehm kennt! Jute Nacht –!

(1930)

Der Platz im Paradiese

Die Bretagne ist das Bayern Frankreichs. (Protest der Bretagne, Protest Bayerns, schwere internationale Verwicklung der beiden Staaten –.) Denn man will auch dort schon wieder immer wie die Geistlichkeit.

Daß Plouézec nirgends anders als in der Bretagne liegen kann, ist für den Kenner außer Zweifel.

In Plouézec wohnt ein Kerl, der war einmal Leuchtturmwächter in Algerien gewesen, il a fait les colonies, ist also ein weitgereister Mann. Weil er denselben dicken Kopf wie die umwohnende Landbevölkerung hatte, ihren harten Geiz, ihre Geschäftstüchtigkeit, aber flinker war als sie, gerissner, schneller dachte, brachte er es bald zu viel Geld. Dieser Bursche nun erzählte neulich eine absonderliche Geschichte. Die Bretagne trinkt Cidre. Cidre macht betrunken. Aber in vino veritas, in der Lüge auch.

Der Leuchtturmwärter a. D. hatte einen Vetter, der war Priester. Zu dem kam eines Tages ein gutes altes Frauchen und ließ in der geistlichen Unterhaltung so nebenbei fallen: «Jaja . . . Die Zeiten sind schwer . . . Jung bin ich auch nicht mehr: ich möchte mir gern einen Platz im Paradiese sichern, aber ich hörte, das ist sehr teuer. Sehr teuer soll das ja sein.» Der Priester spitzte die Ohren. Meinte sie das symbolisch? Eine Seelenmesse? Geistliche Tröstung? Nein, nein, sie meinte es ganz wörtlich. Sie wollte wirklich und wahrhaftig einen Platz im Paradiese. Das fiel dem Priester auf.

Es begannen nun durchaus ernste Verhandlungen, der Priester bedang sich einige Tage Zeit aus, um sich mit den zuständigen Stellen in Verbindung zu setzen, und kam nach einer Woche mit dem Bescheid an: ein Platz koste 60 000 (sechzigtausend) Francs. Die Frau setzte sich schweratmend auf einen Stuhl.

Zur größten Überraschung des Priesters, der ja allerhand gewöhnt war, dergleichen aber denn doch noch nicht erlebt hatte, rückte sie nach ein paar Wochen an, hatte Geld flüssig gemacht und händigte dem frommen Mann Gottes 60 000 Francs ein. Für einen Platz im Paradiese. Die Sache schien in Ordnung zu sein.

Der Priester aber konnte nicht mehr schlafen. Es waren weniger Gewissensbisse, die ihn plagten, als der tödliche Zweifel: Habe ich auch genug gefordert? Solch ein Lamm hätte doch ganz anders geschoren werden können! Warum – bei Gott in der Höhe – warum habe ich nicht 80 000 gesagt? Achtzigtausend . . . Und da brachte ihm der frische Meerwind eine Idee, einen Gedanken, unmittelbar von seiner himmlischen Behörde inspiriert. Er ging hin – das war im Jahre 1924 –, er ging wirklich hin, stellte die Frau und sprach:

«Liebe Frau. Ihr Platz im Paradiese ist Ihnen sicher. Für 60 000 Francs. Betrag dankend erhalten. Aber – damit Sie sich keinen Illusionen hingeben und mir etwa im Jenseits Vorwürfe machen: es ist ein Stehplatz!»

Die Frau setzte sich abermals. Was . . . was man denn da tun könne? Ja, sagte achselzuckend der Priester, man könne ja vielleicht einen Sitzplatz kaufen – obgleich die sehr, sehr gesucht seien. Es sei fast ausverkauft. Aber er habe Beziehungen . . . Übrigens koste ein Sitzplatz 80 000 Francs. Und da beschloß die Frau, auch noch die 20 000 flüssig zu machen, und sie begründete das auch. Cidre macht trunken – aber keine Dichter. Diese Antwort kann nicht erfunden sein. Sie sagte:

«Ich werde Ihnen auch noch die 20 000 geben. Denn ich möchte einen Sitzplatz, parce que c'est pour l'éternité!» – Weil es doch für die Ewigkeit ist . . .

Nun aber griff der liebe Gott ein, seines Zeichens bekanntlich langsam, aber sicher mahlender Mühlenbesitzer. Die gute Frau hatte Verwandte, denen die Wirtschaft in den Renten- und Aktienbeständen ihrer Tante, Großmutter und Schwester nicht unbekannt blieb, sie forschten nach, die Sache wurde ruchbar, es gab einen mächtigen, aber lautlosen Skandal – und der Priester wurde exkommuniziert. Alle frommen Seelen durften aufatmen. Aber nicht lange.

Der verjagte Priester gab das Geld nicht her. Er begründete vielmehr damit – wer wollte es ihm verübeln! – eine Milchwirtschaft und reiste im Lande umher; übrigens immer noch in der Soutane, weil das mehr zog, er hatte die modernsten Milchmaschinen und verdiente in kürzester Zeit einen gehörigen Haufen Geld. Da saß er nun.

Seinen Vetter, den Leuchtturmwächter, sah er oft; beide waren gewaltige Fresser und Säufer, und sie setzten sich häufig um. eine mächtige Seezunge und die erforderlichen Bouteillen Weines. Bei einer solchen Zusammenkunft nun geschah es, daß dem Priester der Kragen zu eng wurde, die Augen quollen ihm heraus, ein kleiner Schlaganfall meldete sich, er begann zu röcheln ... Der Vetter fühlte seine Stunde gekommen. (In der Erzählung äußerte er: «Maintenant je savais: il est à moi!») Und er sprach zu dem Sünder: «Das ist die Strafe Gottes! Da hast du es!»

Dem Ex-Priester wurde mulmig um die Brust. Er begann nachdenklich umherzugehen, sonderbares Zeug vor sich hinzumurmeln, und eines Tages kam er recht klein zu seinem Cousin: ob ihm der nicht zum Wiedereintritt in die Alleinseligmachende verhelfen könne ... Selbstverständlich. Der Vetter ging ans Werk.

Zunächst machte er einen Besuch bei dem zuständigen Erzbischof. Der flammte auf. Nie. Niemals! Als sich das geistliche Gewitter ausgetobt hatte, zog der Vetter ganz leise und vorsichtig seinen Trumpf aus dem Hosensack. Der Ex-Priester besäße eine halbe Million ...

Dumpf grollte es noch einmal aus dem Bischof – dann dachte auch er nach. Und sprach, um sich ganz zu vergewissern, die geflügelten Worte: «Est-ce que la bête est bien morte –?» Ist der Kerl auch ganz und gar auf dem Aussterbeetat? Dafür könne er garantieren, sagte der Vetter eifrig. «Ça je vous le garantie, Monseigneur!» Sieg auf der ganzen Linie. Und zehn Prozent für den Leuchtturmmann – für freundliche Vermittlung.

Der Priester durfte sich demütig der Kirche nahen, er wurde in ein Kloster für reuige Mönche gesteckt, in eine strenge und härene Sache. Und da bereut er nun noch und hat sein Geld der Kirche vermacht.

Es ist aber zu erwägen, ob das Mütterchen aus Plouézec nicht zeit ihres Lebens glücklicher gewesen wäre, wenn sie einen Platz im Paradiese ihr eigen geglaubt hätte. Einen Sitzplatz, versteht sich. Einen Sitzplatz.

1925)

Zur soziologischen Psychologie
der Löcher

Daß die wichtigsten Dinge durch Röhren
gethan werden. Beweise: erstlich die
Zeugungsglieder, die Schreibfeder und
unser Schießgewehr.   Lichtenberg

Ein Loch ist da, wo etwas nicht ist.

Das Loch ist ein ewiger Kompagnon des Nicht-Lochs: Loch allein kommt nicht vor, so leid es mir tut. Wäre überall etwas, dann gäbe es kein Loch, aber auch keine Philosophie und erst recht keine Religion, als welche aus dem Loch kommt. Die Maus könnte nicht leben ohne es, der Mensch auch nicht: es ist beider letzte Rettung, wenn sie von der Materie bedrängt werden. Loch ist immer gut.

Wenn der Mensch ‹Loch› hört, bekommt er Assoziationen: manche denken an Zündloch, manche an Knopfloch und manche an Goebbels.

Das Loch ist der Grundpfeiler dieser Gesellschaftsordnung, und so ist sie auch. Die Arbeiter wohnen in einem finstern, stecken immer eins zurück, und wenn sie aufmucken, zeigt man ihnen, wo der Zimmermann es gelassen hat, sie werden hineingesteckt, und zum Schluß überblicken sie die Reihe dieser Löcher und pfeifen auf den letzten. In der Ackerstraße ist Geburt Fluch; warum sind diese Kinder auch grade aus diesem gekommen? Ein paar Löcher weiter, und das Assessorexamen wäre ihnen sicher gewesen.

Das Merkwürdigste an einem Loch ist der Rand. Er gehört noch zum Etwas, sieht aber beständig in das Nichts, eine Grenzwache der Materie. Das Nichts hat keine Grenzwache: während den Molekülen am Rande eines Lochs schwindlig wird, weil sie das Loch sehen, wird den Molekülen des Lochs . . . festlig? Dafür gibt es kein Wort. Denn unsre Sprache ist von den Etwas-Leuten gemacht; die Loch-Leute sprechen ihre eigne.

Das Loch ist statisch; Löcher auf Reisen gibt es nicht. Fast nicht.

Löcher, die sich vermählen, werden ein Eines, einer der sonderbarsten Vorgänge unter denen, die sich nicht denken lassen. Trenne die Scheidewand zwischen zwei Löchern: gehört dann der rechte Rand zum linken Loch? oder der linke zum rechten? oder jeder zu sich? oder beide zu beiden? Meine Sorgen möcht ich haben.

Wenn ein Loch zugestopft wird: wo bleibt es dann? Drückt es sich seitwärts in die Materie? oder läuft es zu einem andern Loch, um ihm sein Leid zu klagen – wo bleibt das zugestopfte Loch? Niemand weiß das: unser Wissen hat hier eines.

Wo ein Ding ist, kann kein andres sein. Wo schon ein Loch ist: kann da noch ein andres sein?

Und warum gibt es keine halben Löcher?

Manche Gegenstände werden durch ein einziges Löchlein entwertet; weil an einer Stelle von ihnen etwas nicht ist, gilt nun das ganze übrige nichts mehr. Beispiele: ein Fahrschein, eine Jungfrau und ein Luftballon.

Das Ding an sich muß noch gesucht werden; das Loch ist schon an sich. Wer mit einem Bein im Loch stäke und mit dem andern bei uns: der allein wäre wahrhaft weise. Doch soll dies noch keinem gelungen sein. Größenwahnsinnige behaupten, das Loch sei etwas Negatives. Das ist nicht richtig: der Mensch ist ein Nicht-Loch, und das Loch ist das Primäre. Lochen Sie nicht; das Loch ist die einzige Vorahnung des Paradieses, die es hienieden gibt. Wenn Sie tot sind, werden Sie erst merken, was leben ist. Verzeihen Sie diesen Abschnitt; ich hatte nur zwischen dem vorigen Stück und dem nächsten ein Loch ausfüllen wollen.

(1931)

Koffer auspacken

In der Fremde den Koffer auspacken, der etwas später gekommen ist, weil er sich unterwegs mit andern Koffern noch unterhalten mußte: das ist recht eigentümlich.

Du hast dich schon ein bißchen eingelebt, der Türgriff wird leise Freund in deiner Hand, unten das Café fängt schon an, dein Café zu sein, schon sind kleine Gewohnheiten entstanden . . . da kommt der Koffer. Du schließt auf –

Eine Woge von Heimat fährt dir entgegen.

Zeitungspapier raschelt, und auf einmal ist alles wieder da, dem du entrinnen wolltest. Man kann nicht entrinnen. Ein Stiefel guckt hervor, Taschentücher, sie bringen alles mit, fast peinlich vertraut sind sie dir, schämst du dich ihrer? Wie zu nahe Verwandte, denen du in einer fremden Gesellschaft begegnest; alle siezen dich, sie aber sagen dir: Du —! und drohen am Ende noch, sprichst du mit einer Frau, schelmisch mit dem Finger. Das mag man nicht.

Wer hat den Koffer gepackt? Sie? Eine warme Welle steigt dir zum Herzen empor. So viel Liebe, so viel Sorge, so viel Mühe und Arbeit! Hast du ihr das gedankt? Wenn sie jetzt da wäre . . . Sie ist aber nicht da. Und wenn sie da sein wird, wirst du es ihr nicht danken.

Die Sachen im Koffer sprechen nicht die Sprache des Landes, nicht die Sprache der Stadt, in der du dich befindest. Ihre stumme Ordnung, ihre sachliche Sauberkeit im engen Raum sind noch von da drüben. Da liegen sie und sprechen schweigend. Mit etwas abwesenden Augen stehst du im Hotelzimmer und erinnerst dich nicht . . . nein, du bist gar nicht da – du bist da, wo sie herkommen, atmest die alte Luft und hörst die alten, vertrauten Geräusche . . . Zwei Leben lebst du in diesem Augenblick: eines körperlich, hier, das ist unwahrhaftig; ein andres seelisch, das ist ganz wahr.

Ein Mann, der sich lyrisch Hosen in den Schrank hängt! Schämen solltest du dich was! Tuts ein Junggeselle, dann geht es noch an; mit sachlich geübten Händen baut er auf und packt fort, glättet hier und bürstet da . . . Ein Verheirateter, das ist immer ein bißchen lächerlich; wie ein plötzlich selbständiges Wickelkind ist er, ohne Muttern, etwas allein gelassen in der weiten Welt.

Der Bademantel erinnert nicht nur; in seinen Falten liegen Stücke jener andern Welt, aus der du kamst. Das ist schon so. Aber faltest du ihn auseinander, dann fallen die Stücke heraus, verflüchtigen sich, auf einmal hängt er vertraut und doch fremd da, ein gleichgültiger Bademantel, den das Ganze nicht so sehr viel angeht . . . Und da ist etwas praktisch zusammengerollt, hier ist ein besonderer Trick des Packens zu sehn, hast du die Krawatten gestreichelt, alter Junge? Als ob du noch nie gereist wärst!

Leicht irr stehst du im Zimmer, in der einen Hand einen Leisten, in der andern zwei Paar Socken, und stierst vor dich hin. Gut, daß dich keiner sieht. Um dich ist Bäumerauschen, ein Klang, Schmettern dreier Kanarienvögel und eine Intensität des fremden Lebens, die du dort niemals gefühlt hast. Tropfen quillen aus einem Schwamm, den du nie, nie richtig ausgepreßt hast. So saftig war er? Hast du das nicht gewußt? Zu selbstverständlich war es, du warst undankbar – das weißt du jetzt, wo es zu spät ist.

Eine Parfumflasche ist zerbrochen, das gute Laken hat einen grünlichen Fleck, ein Geruch steigt auf, und jetzt erinnert sich die Nase. Die hat das beste Gedächtnis von allen! Sie bewahrt Tage auf und ganze Lebenszeiten; Personen, Standbilder, Lieder, Verse, an die du nie mehr gedacht hast, sind auf einmal da, sind ganz lebendig, guten Tag! Guten Tag, sagst du überrascht, ziehst den alten Geruch noch einmal ein, aber nach dem ersten Aufblitzen der Erinnerung kommt dann nicht mehr viel, denn was nicht gleich wieder da ist, kommt nie mehr. Schade um das Parfum, übrigens. Die Flasche hat unten ein häßlich gezacktes Loch, es sieht so aus, wie etwas, daraus das Leben entwichen ist . . . Also das ist dummer Aberglaube, es ist ganz einfach eine zerbrochene Flasche.

Unten, auf dem Boden des Koffers, liegen noch ein paar Krümel, Reisekrümel, Meteorstaub fremder Länder. Jetzt ist der Koffer leer.

Und da liegen deine Siebensachen auf den Stühlen und auf dem Bett, und nun räumst du sie endgültig ein. Jetzt ist das Zimmer satt und voll, fast schon ein kleines Zuhause, und alle Erinnerungen sind zerweht, verteilt und dahin. Noch ein kleines – und wirst dich auf deiner nächsten Station zurücksehnen: nach diesem Zimmer, nach diesem dummen Hotelzimmer.

(1927)

Chef-Erotik

«. . . und dann hat er seine Sekretärin geheiratet.» Wie war das möglich?

Als sie eintrat, war da gar nicht viel – er hat das Mädchen kaum beachtet. Die Diktatprobe hatte genügt, die Referenzen waren gut, das Äußere soweit in Ordnung. Auch spielte damals die Geschichte mit Lux, und er hatte, weiß Gott, den Kopf viel zu voll . . . «Überhaupt: im eignen Betrieb! nicht rühr an. Lieber Freund, wenn ich das will, kündige ich und fange mit ihr später was an! Ja.»

Monatelang war gar nichts; sie tat ihre Arbeit, und er ließ sie tun. Die Gewöhnung kam leise und langsam, ganz langsam. Sie war eben immer da, gehörte zum Mobiliar; er merkte das erst, als sie einmal krank wurde, da fehlte etwas im Büro, er konnte gar nicht arbeiten in diesen Tagen. Das fremde Gesicht der Aushilfe . . . Er atmete auf, als sie wieder da war.

Er genierte sich gar nicht vor ihr; er telefonierte in ihrer Gegen-wart mit Hanna und auch einmal mit dem dänischen Fratz, der sich damals in Berlin herumtrieb. Sie hörte das unbewegten Angesichts mit an. Das war kein Stenogramm; das ging sie nichts an. Aber auf dem Schreibtisch war noch ihre Hand spürbar, die Art, wie sie die Bleistifte hinlegte, die sanfte Ruhe, mit der sie ihn betreute. Und dann wuchsen die Leiber zusammen. Es lag einfach daran, daß er eines Tages sachte zu fühlen begann, wie auch dies eine Frau sei, mit Beinen, Schenkeln, Oberarmen. Es war nichts, aber auch nichts als die Nähe, die ihn dahin trieb; man kann doch nicht dauernd neben einer Quelle liegen, ohne zum mindesten einmal spielerisch die Hand ins Wasser zu stecken. Durst? Nein. Es war nur eine Quelle da.

Befehlen können und hier nicht befehlen können – Chef sein und Mann zugleich wie jeder andre; und eben die leise Gewöhnung. Der spielerische Drang vergessener Knabenjahre war wieder da, den andern einmal genau anzusehen, aus Neugier, aus Langeweile, aus tastendem Grauen . . . Einmal, einmal muß man hinter jeden ge-schlossenen Vorhang sehen – das ist so. Und dann hat sie nicht mehr losgelassen.

Übrigens hat er es nicht bereut; sie ist ihm eine gute Hausfrau und brave Mutter der Kinder geworden, und in der großen Stadt im Rheinland weiß niemand von der Vergangenheit der Frau, die ja nicht schändet, nein, gewiß nicht, aber es ist ja nicht nötig, nicht wahr? Die Ehe blieb, was sie war: eine Arbeitsgemeinschaft. Ohne die bunten Stunden, aber mit viel Erinnerungen an gemeinsame Kampagnen, Geschäftsfreunde, Betriebskollegen . . . Er hat jetzt einen Sekretär. Oder eine kleine käsige Tipse.

Zur Zeit ist er sterblich verliebt in die Inhaberin eines Mode-salons; ein strammes Prachtweib mit weißen, blitzenden Zähnen und schwarz angelacktem Haar. Im allgemeinen ist er seiner Frau treu, ein anständiger Familienvater. Aber er ist so neugierig; er möchte nur ein einziges Mal den Vorhang jenes Kleides heben. Und das wird er ja wohl auch tun.

(1927)

Die Deplacierten

Uns haben sie, glaub ich, falsch geboren.
Von wegen Ort und wegen Zeit
sind wir vertattert und verloren
und fluchen unsrer Einsamkeit.

Warum, Mama, grad an der Panke?
Warum nicht fünfzig Jahr zurück?
Wie schlecht placiert wuchs der Gedanke
zu euerm jungen Liebesglück!

Warum nicht lieber auf den Sunda-
Eiländchen 1810?
Doch hier und heut? Das ist kein Wunder –
das kann ja nicht in Ordnung gehn!

Warum nicht in Australien hausend?
Warum nicht Fürst von Erzerum?
Warum nicht erst im Jahr Zweitausend?
Weshalb? Wieso? Woher? Warum?

Der Weltkrieg. Lebensgroße Zeiten.
Der Bankkommis als Offizier.
Brotkarten. Morde. Grenzen. Pleiten.
Und alles ausgerechnet wir.

Schraub hoch dein Karma wie die Inder.
Bleibt auch für uns nur noch Verzicht:
Wenn meine und sie kriegt mal Kinder –
in Deutschland darf sie nicht.

(1924)

Zwei Seelen

Ich, Herr Tiger, bestehe zu meinem Heil
aus einem Oberteil und einem Unterteil.

Das Oberteil fühlt seine bescheidene Kleinheit,
ihm ist nur wohl in völliger Reinheit;
es ist tapfer, wahr, anständig und
bis in seine tiefsten Tiefen klar und gesund.
Das Oberteil ist auch durchaus befugt, Ratschläge zu erteilen
und die Verbrechen von andern Oberteilen
zu geißeln – es darf sich über die Menschen lustig machen,
und wenn andre den Naseninhalt hochziehn, darf es lachen.

Soweit das.
        Aber, Dunnerkeil,
das Unterteil!
Feige, unentschlossen, heuchlerisch, wollüstig und verlogen;
zu den pfinstersten Pfreuden des Pfleisches fühlt es sich hingezogen –
dabei dumpf, kalt, zwergig, ein greuliches
pessimistisches Ding: etwas ganz und gar Abscheuliches.

Nun wäre aber auch einer denkbar – sehr bemerkenswert! –,
der umgekehrt.

Der in seinen untern Teilen nichts zu scheuen hätte,
keinen seiner diesbezüglichen Schritte zu bereuen hätte –
ein sauberes Triebwesen, ein ganzer Mann und
bis in seine tiefsten Tiefen klar und gesund.

Und es wäre zu denken, daß er am gleichen Skelette
eine Seele mit Maukbeene hätte.

Was er nur andenkt, wird faulig-verschmiert;
sein Verstand läuft nie offen, sondern stets maskiert;
sogar wenn er lügt, lügt er; glaubt sich nichts, redet sichs aber ein –
und ist oben herum überhaupt ein Schwein.

Vor solchem Menschen müssen ja alle, die ihn begucken,
vor Ekel mitten in die nächste Gosse spucken!
Da striche auch ich mein doppelkollriges Kinn
und betete ergriffen: «Ich danke dir, Gott, daß ich bin, wie ich bin!»

Was aber Menschen aus einem Gusse betrifft in der schönsten der
        Welten –:
der Fall ist äußerst selten.

                                                        (1926)

Confessio

Wir Männer aus Berlin und Neukölln,
wir wissen leider nicht, was wir wölln.
                                        Mal . . .

Mal konzentrieren wir uns auf die eine,
spielen mit ihr: die oder keine,
legen uns fest, ohne Bedenken,
wollen auch einem Söhnlein das Leben schenken,
verlegen den Sitz der Seele, als Gatte,
oberhalb des Tisches Platte –
Und sind überhaupt sehr monogam.

Wie das so kam . . .

Da lockten die andern. Ihrer sind viele.
Sie lockten zu kindlichem Zimmerspiele
– Bewegung lächerlich, Preis bedeutend –
Immer nur eine Glocke läutend?
Immer an eine Frau gebunden?
So sollen uns alle Lebensstunden
verrinnen? Ohne boshafte Feste?
Liegt nicht draußen das Allerbeste?
Mädchen, Freiheit? Frauen nach Wahl –?

Gesagt, getan.
                                        Mal . . .

Mal trudeln wir durch bläuliche Stunden,
tun scheinbar an fröhlichem Wechsel gesunden;
können es manchmal gar nicht fassen,
welch feine Damen bei uns arbeiten lassen.
Und jede Seele, die eine hatte,
liegt unterhalb des Tisches Platte.
Und sind überhaupt sehr polygam.

Wie das so kam . . .

So herumwirtschaften? Lebenslänglich?
Plötzlich werden wir recht bedenklich.
Sehnen uns beinah fiebrig zurück
nach Einsamkeit und Familienglück.
Und fangen als ein ganzer Mann
die Geschichte wieder von vorne an.

Wir Männer aus Berlin und Neukölln,
wir wissen leider nicht, was wir wölln.
Wir piesacken uns und unsre Fraun;
uns sollten sie mal den Hintern aushaun.
  Bileams Esel, ich und du.
  Gott schenke uns allen die ewige Ruh.
      Amen.

                                      (1927)

Liebliche Veilchen im März

Ich reiste im Traum nach Kottbus und ließ
dort meine Handtasche stehen. Jetzt muß ich
zurückträumen und sie holen.

Der Brief

Das war, als Walter Mehring zum fünfundzwanzigstenmal nach Paris kam, und der dortige Herr Polizeipräsident sann grade nach, ob man den Mann zur Ehrenlegion oder zur Fremdenlegion vorschlagen sollte . . . da schrieben wir uns ‹kleine Blaue› (sprich: ptieh blöhs). Das sind diese winzigen Rohrpostbriefe, die sich die Pariser deshalb schreiben, weil sie ein Telefon haben, aber sonst vernünftige Leute sind, es also nicht benutzen. Denn das Pariser Telefon . . . (bricht in Schluchzen aus; wird mit Brom gelabt, will kein Brom, bekommt Whisky, atmet auf und fährt fort):

Wir schrieben uns also kleine blaue Briefe, in denen wir uns die bessern Sachen mitteilten, und schon nach dem dritten oder vierten fing diese Korrespondenz an, leicht auszurutschen. Die Anreden stimmten nicht so recht . . . «Sehr geehrter Herr Oberforstrat» und «Lieber Amtsbruder», und die Unterschriften waren auch nicht in Ordnung . . . «Ihr sehr ergebener Peter Panter, unmittelbares Mitglied des Reichsverbandes» oder «Walter Mehring, Festdichtungen für alle Bekenntnisse» – kurz, es war ein rechter Unfug.

Bis dahin war der Inhalt meist noch einigermaßen vernünftig. Dann aber begann Mehring, auch diesen Inhalt umzudichten; bald stand in den Briefen nun überhaupt nicht mehr das drin, weshalb er sie eigentlich geschrieben hatte, sondern es wurden Briefe an und für sich. Ich eiferte ihm, so gut ich konnte, nach, und wenn wir mal tot sein werden, werden sich die Herausgeber unsrer gesammelten Werke beim achtzehnten Band sehr wundern . . . Und einen der schönsten Briefe Mehrings habe ich aufbewahrt, weil er mir immer als ein Typus seiner Gattung erschienen ist. Hier ist er:

«Lieber Kurt!

Die Familie ist sehr betrübt, daß Du Onkels Privatbrief veröffentlicht hast! Wenn Du in den Kreisen nicht so verhärtest wärst, wo Du Dich nun mal wohlfühlst, so müßte es Dir zu denken geben, daß Tante Hannchen vor Schreck Durchfall bekommen hat, als sie das gelesen hat, aber da heißt es immer Humanetät, mit jedem dreckigen Arbeiter habt ihr Mitleid, und die Familie kann sehn, wo sie bleibt! Dein Vater war ja wohl auch ein geistiger Mann und so hat er nie was in die Zeitung geschrieben und möchten wir wissen, von wem Du das eigentlich hast, von unserer Seite bestimmt nicht, eher von Deiner lieben Mutter, die war auch so ein bißchen – (seinerzeit in Posen mit dem verrückten Redakteur! Aber wir wollen das nicht wieder aufrühren).

Mariechen hat die Masern und Erich ist mit einem Mahnzettel nach Hause gekommen, daß er in Römische Geschichte nicht vorwärts kommt!

Ich habe ihn aber ins Gebet genommen und bist Du ihm ein warnendes Beispiel! etcetera!

Schreib doch mal! Vielleicht fahren Mosers zu Ostern rüber, dann wirst Du ihnen Paris zeigen. Du weißt ja, was wir ihnen wegen Großvati schuldig sind! Also tu das nicht wieder und bleib gesund!

Dein Vetter Mehring

Zerreiß den Brief gefälligst!»

Wahrlich, das hat einer geschrieben, der kein Familiengefühl hat. «In meinem Wörterbuch steht das Wort Familie nicht!» sagt er. Ich sage: Da sehen wir mal unter M nach! sage ich. Und er sah nach. Und schrieb den obigen Brief.

(1930)

Die Katz

Neulich saß ich vor dem kleinen Theaterchen Ambassadeurs in den Champs Elysées, unter grünen Bäumen. Um meine Bank strich mehrere Male eine große, gut genährte Katze, grau mit schwarzen Flecken. Wir kamen so ins Gespräch – sie fragte mich, wieviel Uhr es sei –, und da stellte sich heraus, daß sie aus Insterburg stammte. Nun kenne ich Insterburg sehr genau – ich habe da seinerzeit gedient –, und wir waren gleich im richtigen Fahrwasser. Sie kannte erstaunlich viele Leute, und wir hatten auch gemeinsame Bekannte: eine Verwandte von ihr war bei meinem Feldwebel Lemke Katze gewesen, sie wußte gut Bescheid. Meine Stammkneipe kannte sie und das Theater und die Kaserne und alle möglichen Orte. Ja, es ist sogar möglich, daß wir uns einmal gesehen hatten, im Schützenhaus zu Palmnicken, aber da hatte ich natürlich nicht so darauf geachtet. Wie es ihr denn so in Paris gefiele, fragte ich sie.

«Näi, hier jefällts mir nich!» sagte sie. «Ich wäiß nich, die Leite sinn ja soweit janz natt – aber, wissen Se, mit die Verfläijung, das is doch nichts. Ja. 's jibbt ja Fläisch un so – aber Fischkeppe – wissen Se – son richtichen Kopp von nem Zanderchen oder Hachtchen – das hätt ich doch jar zu jern mal jajassen. Aber: Pustekuchen!» Das fand ich auch sehr bedauerlich.

«Gott, man erlebt ja allerhand hiä», sagte die Katze. «Da haben se mich näilich einem alten Madamche ins Bett jestochen, wissen Se, die konnt keine Katzen läiden. Erbarmung! hat se jebrillt. Ei, seht doch! seht doch! hat se immer jerufen – das heißt, ich denk mä das so – denn sie hat ja franzeesch jebrillt! Dabei hab ich se nuscht jetan! Und se hat all immer jemacht: ‹Pusch! Pusch! Willste da raus!› – Aber ich bin ruhig liegen jeblieben, wissen Se – und da hat se mit all ihre Koddern aufn Pianino jeschlafen – ja. Und am friehen Morjen hat se mer denn ein Tellerche Schmant hinjehalten, das hab ich auch jenomm, und denn bin ich los. Es war ne janz nette Frau soweit. Se war all janz bedammelt von den Unjlik.» Aha. Und diese große Schramme da über dem Auge? was wäre denn dies?

«I», sagte die Katze, «da hat mir neulich son Kater anjesprochen – aber ich wollt nich – wissen Se, ich wer mer doch mit die franzeeschen Kater nicht abjehm! De Frau in Insterburch hat auch immer jesacht, mehr als dräimal im Jahr soll ne ordentliche Katz nich – na, und meine Portion war all voll. Ja – ich wollt eben nich. Da hat mir doch das Biest anjesprungen! Was sagen Se –! Ich hab 'n aber ordentlich äine jelangt – sobald jeht der an käine ostpräische Katz mehr ran, der Lorbas!»

«Kinder haben Sie also auch?» fragte ich. «Ja», sagte sie. «Es sinn alles orntliche Katzen jeworn – bis auf äine. Die streicht da aufn Monmartä rum bei die Franzosen –, und wenn mal 'n Tanzvergniejen is, denn macht se sich an die Fremden an. Näilich dacht ich: I, dacht ich, wirst mal hinjehn, sehn, was se da macht. Wissen Se – ich hab mir rein die Augen ausn Kopp jeschämt – lauter halbnackte Marjellen – und meine Tochter immer dabäi! Sone Krät –! Ich sach: ‹Was machst du denn hier?› sach ich. Se sagt: ‹Ah – Mama!› und dann redt se doch franzeesch mit mir! mit die äijene Mutter –! Ich sach: ‹Schabber nich so dammlich!› sach ich und jeb ihr eins mit de Pfot. Da haben se uns rausjeschmissen ausm Lokal, alle bäide – und draußen auf de Straß wollt ich mer nich mit se hinstelln. Und – rietz! war es denn auch jläich wech. Ach, wissen Se, heutzutach, mit

55

die Kindä . . .!» ja, da konnte ich nur zustimmen. Na – und sonst? Paris und so?

«Manchmal», sagte die Katz, «krie ich doch mächtig Heimweh. Kenn Se Keenichsbarch? Das is ne Stadt – wissen Se – da kann Paris jahnich mit! Da war ich mal auf Besuch – man is ja in de Welt rumjekomm, Gott sei Dank – und da war ich bei de Frau Schulz. Kenn Se die? Die Mutter von Lottchen Schulz, die immer so brillt? De Tochter hat jetzt jehäirat.» Halt! Lottchen Schulz kannte ich. Diese etwas bejahrte, schielende und hinkende Dame hatte geheiratet? Ich äußerte Bedenken. «Och», sagte die Katze, «sehn Se mal: Nu hat se doch das lahme Bein, und ordentlich gucken kann se auch nicht mehr – was soll Se –!» Dagegen war nichts einzuwenden – Heirat schien in solchem Fall das beste. «Ja, da war ich auf Besuch», fuhr die Katze fort, «ach, wenn ich daran noch denk! Inne Ofeneck saßn die bäiden Jungens Schulz und schlabberten ein Tulpchen Biä nachn andern, de Frau trank Kaffee, und ich kriecht ab un zu 'n Stickche Spack – aber, wissen Se, son richtchen, ostpräißschen Kernspack – nich wie hier! Ja. Nur äin Malhör is mich in Keenichsbarch passiert: ich bin da in den Hiehnerstall jejangen und hab da jefriehstickt, und nachher hab ich es all jemerkt: alle die kläinen Kaichel, die hatten dem Pips! Dräi Tach war mir janz iebel!»

Eine feine Dame ging vorüber und sagte zu ihrer Begleiterin: «Vous savez, il n'y à que des étrangers à Paris!» Die Katze sagte:

«Wissen Se, hier mit die Katzen, da versteh ich mir janich! Se sind auch so janz anders als bäi uns – manche sind direkt kindisch – wissen Se . . .! Na, denn wer ich man bißchen jehn, auf Mäise . . .!»

Und lief seitwärts, in die Büsche. Ich wollte noch etwas sagen, sie nach ihrer Adresse fragen –, aber sie war schon weg. Und ich stand noch lange vor dem Busch und, ohne daran zu denken, daß es ja eine Katze war, rief ich: «Landsmann! Landsmann!» – Aber es antwortete keiner. Wir haben uns nicht mehr wiedergesehen.

(1924)

Ein Ferngespräch

«Hier ist nochmals das Fernamt. Ich möchte Sie darauf aufmerksam machen, daß Sie möglichst langsam und möglichst dialektfrei sprechen müssen; der Telefonverkehr für solche Gespräche, wie Sie eins angemeldet haben, ist zwar freigegeben – aber nur unter der Bedingung, daß der dortige Überwachungsbeamte den Gesprächen folgen kann. Wir haben nun die Erfahrung gemacht, daß regelmäßig getrennt wird, wenn die Teilnehmer Dialekte oder fremde Sprachen sprechen. Wir weisen Sie in Ihrem Interesse darauf hin.»

«Ja doch. Allemal. Na jewiß doch.»

«Au Backe! Et klingelt. Det is det Fernjespräch! Emma, sperr ma die Jehrn in die Kiche, det sie nich so brillen!

Jaaa –? Emil, bist du da? Emil! Wat sacht der? Emil, Emil! Bist du da? 'n Tach, Emil! Hier is Pauel! Ja! Ick spreche nehmlich jewählt, damit daß die Beamten heern solln, det wir nischt Vabotnes sprechen! Heer ma, Emil! Wie jehts dir denn? Jut, ja? Saufst du noch so viel? Det mußte nich! Det jreift die Nieren an – die Nieren! die Nieren! – liecht det an die Vaständjung, oda haste dir de Ohrn nich jewaschen? Emil! Paß ma uff! Ick rufe wejen Minnan an! Paß ma uff:

Minna wollt doch nu heiratn, weißte, wa? Nu will sie ihrer aber nich heiraten – neien! Er will nich! Er sacht, det dritte Kind wär nu auch nich von ihn – er sacht, ßweemal hätt er sich det mitanjesehn, aber det dritte Mal, sachta, akennt er det nich an! Er wär keene Kleen-Kinder-Bewahranstalt! Emil! Bist du noch da? Nu hat Erwin sein Schwager, ja, der Dusslige, der imma beit Billjardspiel so mohrelt – ehmderselbige! Ja, der hat ihr doch nu die Wohnungseinrichtung besorcht, det Bett und die Kommode und den Schrank – allens aus Mahachoni – nu sitzt sie damit da. Emil! Bist du noch da? Wat sachste du? Klahren? Dir ham se woll mitn Klammerbeutel jepudert? Wat denn – klahren? Der laß ihr hochjehn, det weeßte doch janz jenau! Natierlich – det wirst du mir nicht lernen, wie man diß macht! Ochse! Een Ochse bist du – allemal! Nein. Neien! Mensch, wenn du so lang wärst wie de dumm bist, könntste aus der Dachrinne saufen! Ick bleibe bei mein Wort. Also paß ma uff:

Nu sitzt se da mit den Amöblemang. Nu hatten wir jestan bei Schippanowsky ieber die Sache jeredt – Lottchen wah ooch da und der dicke Mattberg, der immer den Stolzen markiert, und denn Hejemann. Also ick bringe det Jespräch so janz pee a pee uff sehr feine Art uff die Sache . . . ick ha se erscht 'n bisken wat injejehm, na, nich Medessin . . . Emil? Emil! Bist du noch da? Und nach ne halbe Stunde wahn se denn so weit. Ja. Hejemann wah jleich fett . . .

mit die andern konnt ick noch redn. Ick habe sie det anjebotn . . .
und bei die Jelegenheit hat sich noch 'n andret Jeschäft ajehm . . .
Emil? Emil – hättste Lust, deine olle Laube jejen einen Rennkahn
umzutauschen – det heeßt – den nimmt dir der Mattberch wieda ab,
det is bloß die Form wejen: Er nimmt die Laube, und denn jibt er
dir den Kahn . . . det heeßt: der Kahn jeheert 'n jahnich . . . er jibbt
'n bloß so lange aß seinen aus, bis daß er die Forderung beijetriehm
hat . . . von Hejemann junior! Den kennste doch, wa? Emil? Emil!
Wat hältst du von die Sache? Wacht ma! Emma rummelt hier so mit
die Meebel! Emma! Wißte jleich stille sind! Na, laß mir man hier
fechtig sein – denn kriste aba von Vatan eene jeklebt, dette dir um
dir selber trieselst! Emil! Emil – wat hälst du von die Sache? Wat?
Det willste nich machen? Woso nich? Warum willste det nich
machen? Det is 'n dodsichres Jeschäft! Wat? Na, Mensch, du mußt
da aba orntlich eenen jehohm haben – du saufst ooch, bis daß dir der
Schnaps aus de Ohren looft. Warum wißte denn det nich machen?
Mattberg tritt die Forderung ab, wattn, wattn . . . Sicherheit? Wir
sind hier nich bei de Reichsbank, do! Wat sachste? Det willste nich?
Det willste nich? Na, denn werk dir mah wat sahrn:

Du bist eene janz dusslige Rotzneese, wo nich in de Zeit paßt! Ja,
nu – wos mit die Dollaren aus ist, da paßt er! Na, vor dir machen se
keene neue Inflation! Vor dir nich! Na, jeh doch! Na, mach doch!
Du wirst den Zaun nich pinseln! Du nich! Aber det wick dir noch
sahren – ick wer dir mal sahren, wat du mir kannst – du kannst
mir –

Emil! Emil! Emil! Ja? Ick plauderte jrade mit den Herrn! Wat
sacht er –? Na, is dett die Menschenmeeglichkeit!

Jetzt hat er jetrennt, weil ich ihm nich hochdeutsch jenuch
jesprochen habe! Fernamt! Frollein, ick habe jesprochen wie unsa
Pastor in de Kirche, und der trennt?

So wie ick hier spreche – ach wat, Dialekt! Dialekt! Ick spreche
keen Dialekt – ich spreche Deutsch, vastehn Se mir? So wie ick
spreche: mir vastehn ja die Nejer. N wie Nathan . . . Wech.

So, Emma, nu kriste dein Fett von Vatan!»

(1927)

Meine Freundin Grete Walfisch hat mir aus dem völkerversöhnenden Locarno einen Notizkalender geschickt, den man in die Tasche stecken kann. Ich habe darin geblättert und sogleich des alten, Berliner Liedes gedacht:

> Ich gucke einmal,
> ich gucke zweimal –
> Ich denk: Nanu?
> da hat doch einer dran gedreht . . .?

Das Ding ist in deutscher Sprache verfaßt, unzweifelhaft – aber irgend etwas in der Druckerei muß feucht geworden sein: der Verfasser, das Papier oder der Setzer . . . es ist eine Art Privatdeutsch. So:

Über «Angaben und Rezepten über einfache Tierarzneikunde», wobei zu bemerken: «Zur Vernichtung der Lause» und «Zur Entfernung der Fliegen» treten wir in den Jahreskalender, der durch allgemein belehrende Angaben und fromme Sprüche geziert ist. Da hätten wir im Januar die «Sieben Wunder der Welt», unter denen an erster Stelle die «Längenden Görten von Semiramis» hängen, an fünfter aber der «Koloss von Rhodus, der in dem Hafen als Leuchtturm diente». Der Koloß schillert in allen Artikeln. «Er war zirka 40 Meter hoch. Durch ihre Beine fuhren die größten Schiffe mit vollen Segeln.» Durch den Koloß seine.

Die eingestreuten Sentenzen sind unbestreitbar richtig, wenn auch nicht immer zur Gänze verständlich. «Wer bitter im Munde hat, kann nicht süsspricken» – wie wahr! und weil schön dunkel, so doppelt beachtenswert . . . Auch: «Die Rosen fallen ab, die Dörner bleiben» enthält eine schwermütige Lebensweisheit, die uns überall weiterhilft, nur nicht in der Küche. In der Küche helfen Kochrezepte. Zum Beispiel dieses: «Würste mit Eiern.»

«Nehmet die Würste eine nach der andern, schneidet sie in der länge und setzt sie zum Kochen in eine ungeschmierte Brandpfanne; sind dieselben zu mager, so kann man sie mit einem bißchen Butter kochen. Sobald die Würste gekocht sind, wirft darauf die geschüttelten Eier und nachdem diese gerinnt sein werden, schickt die Speise ganz warm auf den Eßtisch.» Das war ein merkwürdiger Vorgang.

Der ist aber gar nichts gegen das am Bratspieß geröstete Lamm.

«Der am Bratspieß geröstete Lamm. Nimmt ein ¼ Lamm» (man

beachte die Subtilität der Gewichtsangabe!); «laßt ihm einige Stunden lang mit Öhl, Pfeffer, Salz oder einem Tropfen Essig ausruhen. Durchbohrt ihm da und dort mit einer Messerspitze. Zieht ihm auf den Brandspieß mit einem Ästchen Rosmarin, und schmiert ihm öfters mit der obgenannten Flüssigkeit, bis er gekocht ist. Bevor ihn zu servieren nimmt das Ästchen Rosmarin weg.» Ob es Hammelbraten wird, was da herauskommt, ist eine andere Frage; aber es ist sicherlich die tierfreundlichste Art, ein Lamm zu braten. Nie noch hat ein Koch daran gedacht, ein Lamm bei solcher Prozedur ausruhen zu lassen.

So blättere ich und lerne die «Embleme der Farbe», zum Beispiel: «Dunkelpomeranzenfarbig: Genugtuung, Ruhmlieben»; kluge Sätze allgemein gültiger Lebenserfahrung: «Der Mensch spinnt an, der Zufall webt», und am allerschönsten ist es, wenn ich überhaupt nicht mehr weiß, was gemeint ist. Dann leuchtet die deutsche Sprache wie der Mond hinter den Wolken hervor, und ich denke darüber nach, ob wir Vollmond haben oder Mittelmond oder Jungmond; es gibt ein Deutsch wie frisch aus dem Lexikon, die einzelnen Wörter gibt es, aber es ist keine Sprache. Nun, laßt uns hier nicht von der modernen und mondänen Literatur sprechen, sondern im bescheidenen Kalender aus Locarno blättern – denk du an deine Liebe, ich denk an meine, und beherzigen wir den Spruch auf Seite 22, links unten:

«Liebe ist nicht ohne bitter.» Wem sagt der Kalender das!

(1928)

Plötzensee

Ach, nicht das von heute. Das ist genauso traurig, wie alles andere auf dieser gottverflucht preußischen Welt. Nein, ‹Plötzensee› ist der Titel eines kleinen, anonym erschienenen Bändchens, das heute vergriffen ist und das die Verbrecherwelt aus dem vorigen Frieden gemütlich-bürgerlich schildert. Natürlich nicht richtig – Gott bewahre. Alles, was in dem Buch ernst sein soll, ist rettungslos verkitscht, die sozialen Zusammenhänge zwischen Wirtschaft und Gefängnis sind dem Verfasser unbekannt, und so nett und freundlich, wie in dem kleinen Buche, wird es ja auch wahrscheinlich im vorigen Frieden da nicht zugegangen sein. Aber, aber . . .

Aber Berlin ist in dem Buche. Es muß einer geschrieben haben, der sonst überhaupt nicht schreibt, und diese Leute treffen manchmal den Lokalton am besten, viel besser als irgendeiner von uns. (Ich habe später von dem Verfasser des Bändchens andre Geschichten gelesen, bei denen er sich als ‹Verfasser von Plötzensee› angab – die waren scheußlich, weil erfunden.) Dieses hier aber hat er alles gesehen – der Mann hat offenbar wegen irgendeiner Kleinigkeit gesessen, was bei der lotterieartigen Austeilung von Strafen hierzulande leicht vor sich gehen kann – und nun hat er notiert.

Das Ernste also gestatte man mir zu übergehen – aber wie das Lustige wiedergegeben ist, das wirft einen um. Wundervoll die berlinische Diktion in den Reden – der Berliner redet gern und viel –; das hat nur noch Hyan in seinen besten Zeiten so gehört. Am schönsten sind die Passagen, in denen die Herrschaften philosophisch werden und das Fazit eines Krachs, des Gefängnisses oder des Lebens überhaupt ziehen. «Ja», sagte dieser, «so sind nu die Leite. Draußen, da sind sie froh, wenn sie ne Bleibe haben und können 'n Kaffeestamm machen bei Knitschken, und hier drin haben sie zu ‹beanspruchen›!» Oder die historischen Geschichten. «Als einmal ein vollkommener Neuling einen Zellengenossen und alten Ehrenbürger nach der Qualität des Essens fragte, führte dieser ihn schweigend in eine Ecke der Zelle, wo ein kleines Loch im Fußboden war und sagte: ‹Das sind die Erbsen.› Und als der andre ihn erstaunt ansah, fügte er hinzu: ‹Da hat mal einer ne Erbse vons Mittagessen ausgespuckt, und davon is das Loch in die Diele.› Dann zeigte er ihm einen großen Schmutzfleck an der Wand und sagte wieder: ‹Das ist der Käse.› Diesen geheimnisvollen Ausspruch erklärte er also: ‹Jede Woche gibt es einmal abends 'n Sechserkäse, und damit wird immer Zentrum an die Wand jeschmissen. Meistens bleibt er kleben.›»

Jedes Wort ist eine Erbauung. Denn namentlich der Berliner ältern Stils setzt seine Worte mit einem gewissen Bedacht, und das wirkt am komischsten, wenn er jemand beschimpft, wobei sich das gebildete Dativ-E besonders hübsch ausnimmt. Am schönsten aber ist die Geschichte von dem Käse-Karl, der alles «immer mit die Ruhe» macht. «Immer mit die Ruhe . . .» – «Wissen Sie», sagte er zu einem Neuling, einem ‹Zugang›, «det muß man erst lernen, mit die Leite hier umzujehn. Die meisten haben son mächtigen Vogel, daß es wirklich unverantwortlich von die Polizei wäre, wenn man sie draußen frei rumloofen ließe. Die rejen sich über alles uff: wat et morjen zu essen jibt, wat eener für ne Jacke anhat und lauter son Quatsch. Det darf 'n vernünftiger Mensch jarnich. Hier muß eener ne Ruhe haben. Sehn Se, da war mein Freund Orje Bergmann, mit die acht Jahre. Wie er ankam – da war ick ooch zufällig hier – da sage ick: ‹Na, Orje›, sage ick, ‹wie lange bringste denn mit?› – ‹Et jeht, Karl›, sagte er, ‹acht Jahre sind et.› – ‹Na›, sage ick mit meine Ruhe, ‹denn jehst du ja bald!›» Immer mit die Ruhe.

Das ist der Verbrecher aus der Bürgerperspektive. Es ist der Schlumps, der von dem Schutzmann, dem Vertreter der guten Ordnung, in das Loch gestoßen wird, und der immer ein bißchen besoffen ist und immer was verbricht. Aber schließlich ist viel Echtes drin. Und wie fehlen uns solche Bücher –! Im Englischen und auch bei den Amerikanern gibts das viel mehr: Bücher, die ganz unliterarisch schildern, wie die Fischer leben oder die Heizer auf den großen Dampfern, ihren Humor und ihr Tagewerk, ihre Keilereien und ihre Frauen. Aber das hat mit Kunst nichts zu tun. Bei uns bemächtigen sich dieser Dinge die Feuilletonisten, und dann ist es aus. Lest mal dies kleine Büchlein ‹Plötzensee›, und ihr werdet starken Hunger nach mehr der Art bekommen. Aber es ist ja vergriffen. Und weil es vergriffen ist, habe ich es hier erzählt.

(1920)

Der Floh

Im Departement du Gard – ganz richtig, da, wo Nîmes liegt und der Pont du Gard: im südlichen Frankreich – da saß in einem Postbüro ein älteres Fräulein als Beamtin, die hatte eine böse Angewohnheit: sie machte ein bißchen die Briefe auf und las sie. Das wußte alle Welt. Aber wie das so in Frankreich geht: Concierge, Telefon und Post, das sind geheiligte Institutionen, und daran kann man schon rühren, aber daran darf man nicht rühren, und so tut es denn auch keiner.

Das Fräulein also las die Briefe und bereitete mit ihren Indiskretionen den Leuten manchen Kummer.

Im Departement wohnte auf einem schönen Schlosse ein kluger Graf. Grafen sind manchmal klug, in Frankreich. Und dieser Graf tat eines Tages folgendes:

Er bestellte sich einen Gerichtsvollzieher auf das Schloß und schrieb in seiner Gegenwart an einen Freund:

Lieber Freund!
Da ich weiß, daß das Postfräulein Emilie Dupont dauernd unsre Briefe öffnet und sie liest, weil sie vor lauter Neugier platzt, so sende ich Dir anliegend, um ihr einmal das Handwerk zu legen, einen lebendigen Floh.
Mit vielen schönen Grüßen   Graf Koks

Und diesen Brief verschloß er in Gegenwart des Gerichtsvollziehers. Er legte aber keinen Floh hinein.
Als der Brief ankam, war einer drin.

(1932)

Märchen

Es war einmal ein Kaiser, der über ein unermeßlich großes, reiches und schönes Land herrschte. Und er besaß wie jeder andere Kaiser auch eine Schatzkammer, in der inmitten all der glänzenden und glitzernden Juwelen auch eine Flöte lag. Das war aber ein merkwürdiges Instrument. Wenn man nämlich durch eins der vier Löcher in die Flöte hineinsah – oh! was gab es da alles zu sehen! Da war eine Landschaft darin, klein, aber voll Leben: Eine Thomasche Landschaft mit Böcklinschen Wolken und Leistikowschen Seen. Rezniceksche Dämchen rümpften die Nasen über Zillesche Gestalten, und eine Bauerndirne Meuniers trug einen Arm voll Blumen Orliks – kurz, die ganze moderne Richtung war in der Flöte.
Und was machte der Kaiser damit? Er pfiff drauf.

(1907)

Französischer Witz

Der Sommer hat auf die französischen Bahnhofskioske einen Hagel von Anekdotenbüchern herunterprasseln lassen: Neuauflagen, Neuerscheinungen . . . Als da sind: ‹T.S.V.P.› von Bienstock und Curnonsky (Crès, 21 rue Hautefeuille, Paris). Von denselben Autoren im selben Verlag ‹*Le Wagon des Fumeurs*›. – ‹*Joyeuses Anecdotes*› von Max Frantel (Éditions Montaigne, Impasse de Conti 2, Paris VI). ‹*Histoires Marseillaises*› gesammelt von Edouard Ramond (Les Éditions de France, 20 Avenue Rapp, Paris). Im selben Verlag ‹*Histoires Gasconnes*› gesammelt von Edouard Dulac. – ‹*Histoires de Vacances*› gesammelt von Léon Treich (Librairie Gallimard, 3 rue de Grenelle, Paris VI) – uff!

Der Titel des ersten Buches ‹*T.S.V.P.*› ist gleichlautend mit der Inschrift an manchen Türknöpfen, an denen keine Klinken befestigt sind, und sie heißt ausgeschrieben: ‹Tournez, s'il vous plaît!› Nun, da laßt uns einmal an diesem Knopf drehn.

Der französische Witz und die französischen Witze sind nicht immer gleichbedeutend. Er ist stärker als sie, denn der Witz im Bühnendialog, in der Salonunterhaltung, in dem ‹mot›, das selbst der kleine Mann häufig blitzschnell und mit der äußersten Schlagfertigkeit in den Straßenlärm wirft, dieser Witz wird nicht immer in Witzen aufgefangen.

Daher denn auch die französischen Witzblätter nicht grade zwerchfellerschütternd sind: das Niveau der eingegangenen ‹*Assiette au Beurre*› ist bisher nie wieder erreicht worden, und man muß sich schon aus einem ganzen Wust von Scherzen die guten herauspicken. Das bezieht sich auf ‹*Le Rire*›, auf ‹*Canard Enchaîné*›, auf ‹*Le Merle Blanc*›, unterschiedlich an Wert, ungleich.

Die vorhin zitierten Sammlungen sind bedeutend besser, besonders ‹*T.S.V.P.*› und ‹*Le Wagon des Fumeurs*›. Wie sehn nun die französischen Witze von heute aus?

Zunächst muß man oft genug den Hut abnehmen, weil da so viel alte Bekannte vorüberziehn. Für den noch stattlichen Rest ergibt sich für den fremden Leser das Hemmnis, daß er die sachlichen Voraussetzungen des Witzes nicht in Fleisch und Blut hat. Ein Witz, den man erst erklären muß, ist keiner mehr, und es genügt auch nicht, jene Voraussetzungen zu wissen – man muß sie fühlen.

Das Spezifische des französischen Witzes sind seine Leichtigkeit, seine Delikatesse, seine Eleganz. Da schreibt etwa der zurückgetretene Minister an den Staatssekretär des Post- und Telegrafenwesens eine Stunde nach seinem Sturz: «Sehr verehrter Herr Kollege! Ich weiß nicht, ob Sie sich meiner noch erinnern . . .» Die Handbewegung, mit der eine Formulierung herausgebracht wird, ist ganz locker. Es wird von den Schrecknissen des Krieges gesprochen.

Macht unsre Bücher billiger! . . .

... forderte Tucholsky einst, 1932, in einem «Avis an meinen Verleger». Die Forderung ist inzwischen eingelöst.

Man spart viel Geld beim Kauf von Taschenbüchern. Und wird das Eingesparte gut gespart, dann zahlt die Bank oder Sparkasse den weiteren Bucherwerb: Für die Jahreszinsen eines 100-Mark-Pfandbriefs kann man sich schon ein Taschenbuch kaufen.

Darauf sagt ein Diplomat von Quai d'Orsay: «Der Krieg? Ich kann das nicht so schrecklich finden! Der Tod eines Menschen: das ist eine Katastrophe. Hunderttausend Tote: das ist eine Statistik!» Die Sprache der Diplomaten ist eben die französische, und die Definition des Berufes heißt so: «Ein Diplomat, mein liebes Kind, ist ein Mann, der das Geburtsdatum einer Frau kennt und ihr Alter vergessen hat!» Und so klingt in dieser Sprache vieles leiser und zarter als anderswo. Eine alte Dame empfängt den Besuch eines ihrer Freunde, der die vier Treppen zu ihrer Wohnung mit Mühe und Not heraufklettert. Noch pustend sagt er bei der Begrüßung: «Vier Treppen sind keine Kleinigkeit, gnädige Frau!» – «Lieber Freund», sagt die Dame, «das ist das einzige Mittel, das ich noch habe, um bei den Männern Herzklopfen hervorzurufen!»

Diese Sprache hat die feinsten Zahnräder, mit denen sie alles ergreift, was ihr zu nahe kommt. Albumeintragung von Jean Cocteau: «Italiener und Deutsche lieben es, wenn Musik gemacht wird. Die Franzosen haben nichts dagegen.»

Und selbst der leichte Tadel bekommt eine liebenswürdige Melodie, wenn er so ausgesprochen wird, wie es jener Curé tat, der am Weihbecken seiner Kirche eine bis zur Grenze der Unmöglichkeit dekolletierte Dame antraf. «Wenn Sie nur zwei Finger hineintauchen wollen, gnädige Frau», sagte er, «hätten Sie sich nicht auszuziehen brauchen!»

Selbst, wenn der Witz etwas delikat wird, bleibt er doch in dieser Form erträglich. Der Schaffner zum Reisenden, der aufgeregt auf der kleinen Station herumläuft: «Suchen Sie das Restaurant?» – «Nein, im Gegenteil», sagt der Reisende.

Wie konzis diese Sprache manchmal eine verworrene Situation erhellt, zeige dieses Beispiel: Gespräch durch die Tür. Die Männerstimme: «Ist Herr Paul da?» Die Frauenstimme von drinnen: «Nein, er ist nicht da. Sie können nicht hereinkommen, ich liege im Bett.» Die Männerstimme: «Das schadet doch nichts; machen Sie doch ein bißchen auf.» Die Frauenstimme: «Aber das geht nicht – es ist schon jemand bei mir!»

Es gibt unter diesen französischen Witzen natürlich viele, die überhaupt nicht zu übersetzen sind. So zum Beispiel der Ausspruch jener betagten Frau, der man Vorwürfe wegen der allzu großen Einfachheit ihrer Toilette gemacht hat. «A mon âge on ne s'habille plus, on se couvre.» Oder jener bezaubernd schöne Ausspruch eines marseiller Malers: «Quand on a mangé de l'ail (Knoblauch), il ne faut parler qu'à la troisième personne.»

Ich sprach vorhin von den vielen alten Bekannten, die man in diesen Anekdotensammlungen antrifft: ‹Der rechte Barbier› von Chamisso, der ja auch bei Hebel dem cholerischen Kunden um ein Barthaar den Hals abgeschnitten hätte, ist da, und es gibt nicht nur Volkswitze, die durch alle Literaturen wandern, sondern sogar eine scheinbar sprachlich so begrenzte Geschichte, wie die von der telefonierenden Dame, die das Wort Fackel buchstabiert: «F wie Fioline, A wie Ankpir, C wie zum Beispiel . . .» selbst zu dieser Geschichte finden wir die französische Analogie. Es handelt sich um das Hôtel de l'Ourcq. «Was für ein Hotel?» – «L'Ourcq! L'Ourcq!

O comme Auguste
U comme Ugène (Eugen)
R comme Ernest
C comme Serge
et Q comme toi.»

Nun ist ja der französische Witz für die ganze Welt stofflich abgestempelt, und hier muß ich zu meinem großen Bedauern etwas bremsen, denn in dem Augenblick, wo man diese gewagten Scherze übersetzt, vergröbern sie sich meist unerträglich. Eine kleine Geschichte aber habe ich gefunden, die ist auf Deutsch möglich. Frida, geh mal solange raus!

Große Hochzeit in der Madeleine zu Paris. Vor der Kirchentür die übliche Schar der Gaffer: Midinettes, kleine Angestellte, Straßenjungen, Neugierige aller Art. Der Hochzeitszug! Er: sehr feierlich, ernst, in bestem, allerbestem, aber schon aller-allerbestem Alter, offenbar sehr reich. Sie . . . allgemeines Ah! Eine entzückende kleine Brünette, sehr pikant, mit vollen Lippen, temperamentvoll, ein reizendes Kind. Der Zug hält einen Augenblick. Die Herrschaften werden fotografiert. Als sich das Brautpaar wieder in Bewegung setzt, löst sich das Brautbukett und fällt auf den Teppich. Eine kleine Midinette, die das bemerkt hat, stürzt gefällig hinzu, hebt die Blumen auf und übergibt sie der jungen Braut. Dabei kann sie sich nicht verkneifen, ganz schnell und ganz leise zu flüstern: «So viel Klimbim habe ich bei meiner Premiere nicht gemacht . . .» Die beiden sehen sich einen Augenblick an und sind einen Augenblick Kameradinnen. Dann flüstert die Braut zurück: «Ich auch nicht!»

Frida, du kannst wieder reinkommen. Nächstes Mal erzählt der Onkel weiter.

Die französischen Witze haben viel mehr feststehende Figuren als die unseren. Da ist in erster Linie der ‹cocu›.

Das Wort ist nicht zu übersetzen. ‹Hahnrei› ist ein Wort, für das selbst der alles wissende Doktor Wasserzieher in seinem *Ableitenden Wörterbuch der deutschen Sprache* keine Erklärung gibt und das ein gesunder Mensch wohl nur ausspricht, wenn man ihn fragt, was ‹cocu› auf deutsch heißt. Und ‹betrogener Ehemann› ist eine kriechende Schildkröte für einen Schwalbenflug. (Daß das Wort, der Begriff und die Witzfigur die außerordentlich bürgerlich veranlagte Französin gänzlich verzerrt wiedergeben, sei nur nebenbei erwähnt.)

Da ist ferner der Geistliche, ein unerschöpfliches Thema französischer Witze, und wie jeder weiß, der einmal in katholischen Ländern gelebt hat, ist der Witz, der auf Kosten des Geistlichen gemacht wird, nur ganz selten eine Verhöhnung der Kirche: der Witz bemächtigt sich eben einfach aller zum täglichen Leben gehörenden Personen. Zunächst ist es sehr häufig der Mann der Kirche, der in dem Witz obsiegt, so zum Beispiel in dem gesalzenen Wort des Monseigneur Duchesne über den Tango: «Dieser Tanz ist wirklich sehr reizend anzusehen, mais je me demande, pourquoi elle se danse debout.» Manchmal geht es auch umgekehrt. Der Bischof hat Besuch vom Abt und bittet ihn zum Frühstück. «Nein, danke sehr.» – «Aber ich bitte Sie . . .» – «Monseigneur», sagt der Abt, «erstens habe ich schon zweimal gefrühstückt, und zweitens ist heute Fasttag.» Dann gibt es auch im Französischen jene Scherze, in denen die verschiedenen Konfessionen sich necken. So in der Morgenunterhaltung eines Rabbiners und eines Curés im Schlafwagen. «Ich habe heute nacht», sagt der Curé, «geträumt, ich sei im jüdischen Paradies. Ein Gestank! Und ein Schmutz! Und Lumpen in allen Ecken! Und ein Haufen Leute . . . entsetzlich!» – «Wie sich das trifft», sagt der Rabbiner. «Ich habe heute nacht geträumt, ich sei im christlichen Paradies. Wunderschöne Düfte umflossen mich, überall Blumen, herrliche Bäume – und kein Mensch.»

Auch hat der französische Witz selbstverständlich seine Berufswitze. Unvermeidlich die Ärzte. Der Doktor Z. begegnet auf dem Pont des Arts einem seiner Patienten. Kurzes Gespräch. «Nun, wie gehts . . .?» – «Aber, lieber Freund», sagt der Doktor, «Sie werden einen mächtigen Schnupfen bekommen; knöpfen Sie sich doch Ihren Mantel zu!» – «Da haben Sie eigentlich recht», sagte der andre. «Na und sonst . . . Kennen Sie schon die Geschichte von dem . . .» Sie plaudern noch eine Weile, der Doktor und sein Patient, dann gehn sie auseinander. Nach drei Tagen schickt der Doktor folgende Liquidation:

Eine Konsultation	20 Francs

Der Brückenpatient schickt auch eine:

Herrn Doktor Z. einen Witz erzählt	20 Francs
Gewartet, bis er ihn verstanden hat	20 Francs
Summe	40 Francs
Davon gehen ab für die Konsultation	20 Francs
Meine Restfordcrung an Herrn Doktor Z.	20 Francs

Einen ganz großen Raum in Frankreich nimmt der regionale Witz ein, und da ist es vor allem der Süden, Marseille und die Gascogne, die den Haupttribut bezahlen. Wer Gelegenheit gehabt hat, den für deutsche Ohren schauerlichen ‹accent du midi›, den ‹assent›, einmal zu hören, der wird verstehn, daß aus dem französischen Sächseln eine Fülle von Komik herauszuholen ist. Kommt dazu, daß die Leute aus dem Süden für kolossale Aufschneider gelten und wohl auch tatsächlich im Überschwang ihres Temperaments ganz heitere Dinge von sich geben – die Kette dieser Geschichten reißt jedenfalls nie ab. Der Lokalton geht natürlich für uns verloren. «Vorigen Winter», erzählt der Mann aus Marseille, der immer Marius oder Olive heißt, «hat es bei uns geschneit, und da ist mehr als ein Meter Schnee gefallen.» – «Ein Meter breit?» fragt jemand.

«Est-ce que tu vois la mouche au sommet de la Tour d'Eiffel?» fragt ein Gascogner einen Marseiller. «Non! Mais je l'entends!» erwidert der. Es ist viel Bauernschlauheit in diesen Geschichten.

Eine Pflanze, die gar nicht im Französischen gedeihen will, ist der jüdische Witz. Es gibt sie alle, es gibt eine ‹Collection d'Histoires Juives› im Verlag der ‹Nouvelle Revue Française›, sie fehlen in kaum einer Sammlung. Aber sie sind nicht nach Vorschrift zubereitet; so etwas wie das Jiddish im Englischen gibt es im Französischen nicht, und der elsässische Akzent, der übrigens in der jungen Generation vielfach schwindet, ist ein kümmerlicher Ersatz.

Aber die Franzosen brauchen keine Anleihen bei Fremden zu machen, sie haben eigne gute Witze genug. Ganz besonders drollig sind die Kindermünder. «Großpapa, kommen die Löwen in den Himmel?» – «Nein, mein Kind.» – «Großpapa, kommen die Curés in den Himmel?» – «Ja, natürlich, mein Kind». – «Großpapa, wenn nun aber der Löwe einen Curé frißt . . .?»

Die folgende Geschichte hinwiederum muß man ins Berlinische übertragen, um ihre ganze Würze abzuschmecken. Da ist ein junger Rechtsanwalt, der seit vierzehn Tagen in seinem neuen Büro sitzt und auf seinen ersten Klienten wartet. Endlich, endlich klingelt es, das Mädchen öffnet. Der Rechtsanwalt hört eine Männerstimme und sagt zu dem Mädchen, ohne sie anzuhören: «Lassen Sie den Herrn warten!» Denn das ist er sich aus Prestigegründen schuldig. Nach zehn Minuten klingelt er, ergreift das Telefon, läßt den Besucher eintreten und sich in einer dringenden und hochwichtigen Unterhaltung überraschen. Er gestikuliert in den Hörer: «Selbstverständlich, Herr Oberregierungsrat! Das kann ich nicht versprechen, Herr Oberregierungsrat! Ich bin derartig beschäftigt . . . Unter neunhunderttausend Mark kann ich für meinen Klienten nicht abschließen! Gewiß. Also dann auf Wiedersehen, Herr Oberregierungsrat! – Was wünschen Sie?» sagt er dann zu dem Mann. Darauf der Besucher: «Ick komme wejen det Telefong. Det ist kaputt.»

Ganz französisch ist auch diese kleine Geschichte, in der die kleine sechsjährige Tochter einer Femme entretenue das Wort ‹demimondaine› aufschnappt und nun ihre Mama fragt: «Mama, wenn ich groß werde, darf ich dann auch demi-mondaine werden?» – «Ja», sagt die Mama, «wenn du artig bist!»

Zahllos sind die Witze über den ‹Nepp› der Restaurants, allwelches Wort auf französisch ‹coup de fusil› heißt. In einem sehr eleganten Lokal in Vichy moniert ein Gast die Rechnung. «Sie haben mir da für Keks fünf Francs aufgeschrieben, ich habe aber gar keine gehabt!» – «Verzeihung!» sagt der Ober, «darf ich um die Rechnung bitten? Ich werde das gleich in Ordnung bringen.» Auf der verbesserten Rechnung steht: Keks vier Francs.

Etwas fehlt dem französischen Witz fast völlig. Das ist die exzentrische Überkugelung, wie wir sie in amerikanischen und irischen Witzen antreffen. Findet man in den Anekdotensammlungen dergleichen, so kann man darauf schwören, daß die Geschichte aus dem Englischen übersetzt ist. So diese von dem weltberühmten Zwerg Tom Puce, der eines Tages in London zufällig im selben Hotel abgestiegen war wie der berühmte französische Sänger Lablache, ein Hüne von etwa zwei Meter Höhe. Da war nun eine neugierige londoner Dame, die wollte die kleine Weltattraktion einmal besichtigen, ließ sich im Hotel die Zimmernummer geben, irrte sich in der Tür und stand nun fassungslos vor diesem Gaurisankar. «Ich . . . ich wollte den Zwerg Tom Puce sehen!» – «Der bin ich, gnädige Frau!» – «Sie? Sie und der Zwerg Tom Puce?» – «Nur im Theater, gnädige Frau; zu Hause mach ich es mir bequem!»

Ein Kind beider Welten, der französischen und der englischen, scheint dieses Zwiegespräch zu sein: Der Kontrolleur: «Sie haben ein Billett dritter Klasse, werte Dame, und hier ist erste Klasse!» – «Entschuldigen Sie», sagt die Dame, «ich dachte, ich wäre in der zweiten.»

So. Nun sind da noch viele schöne Geschichten, die ich nicht erzählt habe, wegen Unpassendlichkeit derselben. Aber es dürfte nun genug sein. Und wenn ich durch diese Zeilen nur das Repertoire einiger Conférenciers bereichert habe, so fühle ich mich für meine gesamte Arbeit reichlich belohnt.

(1925)

Eine kleine Geburt

Ich lebte mit Frau Sobernheimer;
sie war so lieb, sie war so nett.
Wir wuschen uns im selben Eimer,
wir schliefen in demselben Bett.
    So trieben wir es manches Jahr . . .
    Bis sie den Knaben mir gebar.

Doch dieser Knabe war kein Knabe.
Wir hatten in der dunklen Nacht
als Zeitvertreib und Liebesgabe
uns dieses Wesen ausgedacht.
    Frau S. war jeden Kindes bar.
    Der Knabe, der hieß Waldemar.

Und war so klug! – Nach fünfzehn Tagen,
gelebt im Kinderparadies,
da konnte er schon Scheibe sagen,
bis man ihm solches leicht verwies.
    Er setzte sich aufs Tintenfaß
    und machte meinen Schreibtisch naß.

Er wuchs heran, der Eltern Freude,
ein braves, aufgewecktes Kind.
Wir merkten an ihm alle beude,
wie süß der Liebe Früchte sind.
    Da fragte Mutti ganz real:
    «Was wird der Junge denn nun mal –?»

Hebamme? General? Direktor?
Bootlegger? Hirt? Ein Schiffsbarbier?
Verlorner Mädchenheim-Inspektor?
Biographist? Gerichtsvollziehr?
    Ein Freudenmännchen? Jubilar –?
    Uneinig war das Elternpaar.

Ein Krach stieg auf, bis zu den Sternen!
Frau S., die krisch. Die Türe knallt.
Sie wollt ihn lassen Bildung lernen,
ich aber war für Staatsanwalt.
    Ein Kompromiß nahm sie nicht an:
    im Kino, als Bedürfnismann.

Der Lümmel grölte in der Küche
und fand den Krach ganz wunderbar.
So ging die Liebe in die Brüche –
und alles wegen Waldemar?
    Da sprach ich fest: «Mein trautes Glück!
    Wir geben dieses Jör zurück!»

Gemacht.
        Nun ist Frau Sobernheimer
wie ehedem so lieb und nett.

Wir waschen uns im selben Eimer,
wir schlafen in demselben Bett.
   Und denken nur noch hier und dar
   mal an den seligen Waldemar.

(1931)

Malwine

Ich habe mich deinetwegen
gewaschen und rasiert.
Ich wollte mich zu dir legen
   mit einem Viertelchen,
   mit einem Achtelchen –
      Malwine!
Doch du hast dich geziert.

Der Kuckuck hat geschrien
auf deiner Schwarzwalduhr.
Ich lag vor deinen Knien:
   «Gib mir ein Viertelchen!
   Gib mir ein Achtelchen!
      Malwine!
Ein kleines Stückchen nur!»

Dein Bräutigam war prosaisch.
Demselben hat gefehlt,
dieweilen er mosaisch,
   ein kleines Viertelchen
   ein kleines Achtelchen . . .
das hätt dich sehr gequält!

Du hast mir nichts gegeben
und sahst mich prüfend an.
Das, was du brauchst im Leben,
   sei nicht ein Viertelchen,
   und nicht ein Achtelchen . . .
das sei ein ganzer Mann –!

Mich hat das tief betroffen.
Dein Blick hat mich gefragt . . .
Ich ließ die Frage offen
und habe nichts gesagt.

Daß wir uns nicht besaßen!
So aalglatt war mein Kinn.
Nun irr ich durch die Straßen . . .
             Malwine –!
und weine vor mich hin.

(1930)

Wenn die Igel in der Abendstunde

Für achtstimmigen Männerchor

Wenn die Igel in der Abendstunde
still nach ihren Mäusen gehn,
hing auch ich verzückt an deinem Munde,
und es war um mich geschehn –
        Anna-Luise –!

Dein Papa ist kühn und Geometer,
er hat zwei Kanarienvögelein;
auf den Sonnabend aber geht er
gern zum Pilsner in'n Gesangverein –
        Anna-Luise –!

Sagt' ich: «Wirst die meine du in Bälde?»,
blicktest du voll süßer Träumerei
auf das grüne Vandervelde,
und du dachtest dir dein Teil dabei,
        Anna-Luise –!

Und du gabst dich mir im Unterholze
einmal hin und einmal her,
und du fragtest mich mit deutschem Stolze,
ob ich auch im Krieg gewesen wär . . .
        Anna-Luise –!

Ach, ich habe dich ja so belogen!
Hab gesagt, mir wär ein Kreuz von Eisen wert,
als Gefreiter wär ich ausgezogen,
und als Hauptmann wär ich heimgekehrt –
    Anna-Luise –!

Als wir standen bei der Eberesche,
Wo der Kronprinz einst gepflanzet hat,
raschelte ganz leise deine Wäsche,
und du strichst dir deine Röcke glatt,
    Anna-Luise –!

Möchtest nie wo andershin du strichen!
Siehst du dort die ersten Sterne gehn?
Habe Dank für alle unvergesserlichen
Stunden und auf Wiedersehn!
    Anna-Luise –!

Denn der schönste Platz, der hier auf Erden mein,
das ist Heidelberg in Wien am Rhein,
    Seemannslos.
Keine, die wie du die Flöte bliese . . .!
Lebe wohl! Leb wohl.
    Anna-Luise –!

(1928)

Geplappertes A–B–C
bei den alten Semestern

Wenn man einen Menschen richtig beurteilen
will, so frage man sich immer: «Möchtest du
den zum Vorgesetzten haben –?»

Interview mit sich selbst

«Herr Panter lassen bitten!» sagte der Diener.

Ich trat näher.

Die hohe Tür zum Arbeitszimmer des Meisters öffnete sich, der Diener schlug die Portiere zurück – ich ging hinein, die Tür schloß sich hinter mir.

Da saß der Meister massig am Schreibtisch: ein fast dick zu nennender Mann, er trug ein gepflegtes Cäsarenprofil zur Schau, an dem nur die Doppelkinne etwas störten. Borstig stachen die Haare in die Luft, in den blanken Knopfaugen lag wohlig-zufriedenes Behagen. Er erhob sich.

«Ich begrüße Sie, junger Mann», sagte er zu mir. «Nehmen Sie Platz und erörtern Sie mir Ihren merkwürdigen Brief!»

Befangen setzte ich mich.

«Sie fragen mich da», sagte der Meister und legte seine dicke Hand mit den blankpolierten Nagelschildchen so, daß ich sie sehen mußte, «ob ich Ihnen einen Rat für Ihre Zukunft zu geben vermag. Sie fügen hinzu, Sie seien von dem hohen Streben nach einem Ideal durchdrungen. Sie stießen sich am Leben, das Ihnen kantig erscheine – das war Ihr Wort –, und Sie wollten sich bei mir Rats holen. Nun, junger Mann, der kann Ihnen werden!»

Ich verbeugte mich dankend.

«Zunächst», sprach der Meister, «was sind Sie von Beruf?»

«Ich bin gar nichts», sagte ich und schämte mich.

«Hm –» machte der Meister und wiegte bedenklich das Haupt. «Wozu brauchen Sie da noch Rat? Nun, immerhin . . . ich bin zu Ihrer Verfügung.»

«Meister», sagte ich und faßte mir ein Herz, «lehren Sie mich, wie man zu Erfolg kommt. Wie haben Sie Erfolg gehabt? Diesen Erfolg?» Und ich wies auf das komfortabel hergerichtete Gemach: Bücher mit goldverzierten Pergamentrücken standen in wuchtigen Regalen, eine bronzene Stehlampe strahlte behaglich gedämpftes Licht aus, und der breit ausladende Aschbecher, der vor mir stand, war aus schwarzgeädertem Marmor. «Woher das alles?» sagte ich fragend.

Der Meister lächelte seltsam.

«Erfolg? Sie wollen wissen, wie ich Erfolg gehabt habe, junger Mann? Junger, junger Brausekopf! Nun: ich habe mich gebeugt.»

«Nie täte ich das. Nie!» sagte ich emphatisch.

«Sie müssen es tun», sagte er. «Sie werden es tun. Was taten Sie im Krieg?»

«Ich war», sagte ich und sah auf meine Stiefelspitzen, «Schipper.»

«Falsch!» sagte er. «Wären Sie ein tüchtiger Kerl und lebensklug, so hätten Sie anderswo sitzen müssen: in einer Presseabteilung, bei der politischen Polizei, was weiß ich. Wissen Sie, was ein Kompromiß ist? Können Sie Konzessionen machen?»

«Niemals!» rief ich.

«Sie müssen sie machen. Sie werden sie machen. Sehen Sie mich an: ich bin die nahrhafte Frucht der Kompromisse. Man muß im Leben vorwärtskommen, junger Freund!»

«Aber die Wahrheit? Aber die Ideale?» rief ich lauter, als schicklich war. «Aber das, wofür zu leben sich verlohnt? Noch bin ich ein Stürmer und Dränger, und das will ich bleiben! Mord Mord heißen, auch wenn eine Fahne darüber weht, einen Streber einen Streber, auch wenn er Geheimer Regierungsrat ist, eine Clique eine Clique, und stände eine ganze Stadt dahinter! Das ist es, was ich will! Helfen Sie mir! Weisen Sie mir den Weg, wie ich meine Pläne verwirklichen kann, zu meinem Heile, und, wie ich glaube, zum Heile der Menschen!»

Ich hatte mich in Begeisterung gesprochen; meine Wangen glühten, meine Lippen waren geöffnet und zitterten leise.

Der Meister lächelte. Der große Meister Peter Panter lächelte.

«Mein lieber junger Freund», hob er an, «hören Sie mir genau zu. Auch ich begreife Ihre edle Gesinnung, die Ihnen alle Ehre macht. Auch ich wünsche, daß die Menschheit so edel wäre, wie Sie sie machen möchten. Auch ich bin, ich kann es wohl sagen, ein Vertreter des Guten, Wahren und Schönen. Ich liebe das Gute, Wahre und Schöne, ja, ich verehre es. Aber, mein lieber junger Freund, hart im Raume stoßen sich die Sachen! Man muß mit der Realität rechnen, sich klug beugen, wenns not tut . . .»

«Ich mag mich nicht beugen», unterbrach ich ihn trotzig.

«Sie werden sich beugen. Sie müssen sich beugen. Eines Tages werden Sie auch Ihrerseits Geld verdienen wollen, und Sie beugen sich. Es ist so leicht. Es ist so süß; ein kleines Nachgeben, ein leichtes Wiegen des Kopfes, ein winziges Verleugnen der Grundsätzchen, und Sie sind ein beliebter, angesehener, überall freundlich aufgenommener junger Mann! Wollen Sie das?»

Ich schüttelte verächtlich den Kopf.

«Aber, aber!» begütigte der Meister. «Bedenken Sie, was Sie machen! Sie werden heiraten wollen, eine Familie gründen, einen Hausstand – und Sie werden sich beugen. Was haben Sie und alle andern von diesen Prinzipien, von diesem starren Festhalten an der Wahrheit oder was Sie so nennen! Da sehen Sie hingegen: was kostet es mich denn? Ich bin freundlich zu allen Leuten, ich sage zu allem Ja, wo Sie vielleicht entrüstet Nein sagen würden, und ich kann schweigen. Schweigen kostet gar nichts. Schweigen ist die Perle in der Krone der menschlichen Künste. Schweigen Sie!»

«Ich muß sprechen!» sagte ich laut.

«Sie müssen nicht. I, wer wird denn müssen! Schweigen Sie, beugen Sie sich! Beugen Sie sich vor dem Geld und beugen Sie sich vor dem Ruhm, beugen Sie sich vor der Macht – vor der zu allererst – und beugen Sie sich vor den Frauen – und was wird Ihr Lohn sein?»

Er lehnte sich zurück und lächelte satt.

«Ich lebe», fuhr er fort, «wie Sie sehen, auf gutem Fuß, und ich bin recht zufrieden. In meinem Haus verkehren Priester und Ärzte, Offiziere und Künstler – und keinem tue ich je etwas in meinen Schriften zuleide, und jeder bekommt eine gute Flasche Rotwein. Glauben Sie, ich sehe nicht, was dahintersteckt? Aber es kümmert mich nicht. Sie lesen meine Werke, sie kaufen meine Bücher – was will ich mehr? Bin ich angestellt, ihnen die Wahrheit zu sagen, die unbequeme, harte Wahrheit?»

«Wir alle sind angestellt, den Menschen die Wahrheit zu sagen!» sagte ich.

«Ich nicht», sagte der Meister, «ich nicht. Ich habe diese Anstellung gekündigt, und seitdem geht es mir sehr gut. Und seitdem habe ich was ich brauche, mehr als ich brauche; meine Tochter heiratet demnächst einen Fabrikbesitzer. Ja.»

«Soll ich heiraten?» fragte ich.

«Die, die Sie lieben, nicht – denn ich ahne: sie hat kein Geld. Heiraten Sie die Tochter eines reichen Mannes; Raum ist in der kleinsten Villa – aber eine Villa muß es sein. Rauchen Sie?»

«Nein», sagte ich, «ich rauche nicht. Ich . . .»

«Rauchen Sie!» sagte er freundlich. «Es dämpft ab. Und hören Sie auf mich, der ich oben auf der Leiter stehe, die Sie zu besteigen im Begriff sind. Der Erfolg ist alles. Sie erwerben ihn durch viererlei:

durch den Kompromiß, durch Schweigen; durch Zuhören und durch Schmeichelei bei den alten Leuten. Verstehn Sie das, dann sind Sie ein gemachter Mann! Und es ist so angenehm, ein gemachter Mann zu sein!»

Er strahlte fett und sah aus wie ein Mime nach dem Applaus.

Ich erhob mich und blickte ihn fragend und erhitzt an.

«Sie werden mir heute noch widersprechen», sagte Peter Panter. «In dreißig Jahren tun Sie es nicht mehr. Sorgen Sie, daß es dann nicht zu spät ist! Gehaben Sie sich wohl, und lassen Sie es sich gut gehn!»

Ich nahm die dargebotene Hand und stürzte hinaus.

Drinnen saß der Meister an seinem prunkvollen Diplomaten-schreibtisch und schüttelte lächelnd den Kopf. «Diese jungen Leute», sagte er. «Das will mit dem Kopf durch die Wand und schlauer sein als unsereiner. Nun, jede Erfahrung muß jeder an sich selbst machen! Aber nun will ich ein wenig Tee trinken! Franz!»

Und er schellte.

Draußen aber am Gitter stand ich, die gußeiserne Türklinke des Parktors in der Hand, von Haß geschüttelt, von Wut verzerrt, ohnmächtig, giftig-böse und im Innern fühlend, daß der andre zum mindesten für sich recht hatte.

Und ich sagte: «Ein ekelhafter Kerl.»

(1919)

Die Zentrale

Die Zentrale weiß alles besser. Die Zentrale hat die Übersicht, den Glauben an die Übersicht und eine Kartothek. In der Zentrale sind die Männer mit unendlichem Stunk untereinander beschäftigt, aber sie klopfen dir auf die Schulter und sagen: «Lieber Freund, Sie können das von Ihrem Einzelposten nicht so beurteilen! Wir in der Zentrale . . .»

Die Zentrale hat zunächst eine Hauptsorge: Zentrale zu bleiben. Gnade Gott dem untergeordneten Organ, das wagte, etwas selb-ständig zu tun! Ob es vernünftig war oder nicht, ob es nötig war oder nicht, ob es da gebrannt hat oder nicht –: erst muß die Zentrale gefragt werden. Wofür wäre sie denn sonst Zentrale! Dafür, daß sie

Zentrale ist! merken Sie sich das. Mögen die draußen sehen, wie sie fertigwerden!

In der Zentrale sitzen nicht die Klugen, sondern die Schlauen. Wer nämlich seine kleine Arbeit macht, der mag klug sein – schlau ist er nicht. Denn wäre ers, er würde sich darum drücken, und hier gibt es nur ein Mittel: das ist der Reformvorschlag. Der Reformvorschlag führt zur Bildung einer neuen Abteilung, die – selbstverständlich – der Zentrale unterstellt, angegliedert, beigegeben wird . . . Einer hackt Holz, und dreiunddreißig stehen herum – die bilden die Zentrale.

Die Zentrale ist eine Einrichtung, die dazu dient, Ansätze von Energie und Tatkraft der Unterstellten zu deppen. Der Zentrale fällt nichts ein, und die andern müssen es ausführen. Die Zentrale ist eine Kleinigkeit unfehlbarer als der Papst, sieht aber lange nicht so gut aus.

Der Mann der Praxis hats demgemäß nicht leicht. Er schimpft furchtbar auf die Zentrale, zerreißt alle ihre Ukase in kleine Stücke und wischt sich damit die Augen aus. Dies getan, heiratet er die Tochter eines Obermimen, avanciert und rückt in die Zentrale auf, denn es ist ein Avancement, in die Kartothek zu kommen. Dortselbst angelangt, räuspert er sich, rückt an der Krawatte, zieht die Manschetten grade und beginnt, zu regieren: als durchaus gotteingesetzte Zentrale, voll tiefer Verachtung für die einfachen Männer der Praxis, tief im unendlichen Stunk mit den Zentralkollegen – so sitzt er da wie die Spinne im Netz, das die andern gebaut haben, verhindert gescheite Arbeit, gebietet unvernünftige und weiß alles besser.

(Diese Diagnose gilt für Kleinkinderbewahranstalten, Außenministerien, Zeitungen, Krankenkassen, Forstverwaltungen und Banksekretariate, und ist selbstverständlich eine schmerzhafte Übertreibung, die für einen Betrieb nicht zutrifft: für deinen.)

(1925)

Gesicht

Für George Grosz,
der uns diese sehen lehrte

Ein ziemlich gedrungener Kopf, keine allzu hohe Stirn, kühle kleine Augen, eine Nase, die gern in Gläser sich senkt, ein Mund, der kalt befiehlt, und eine unangenehme Zahnbürste, die den Schnurrbart macht: so sieht dieses Gesicht aus. Ein gut fundierter schwarzer Rock, eine mäßig geschlungene Krawatte mit einer Art Perle darin, ein immer sauberer Kragen – das ist auch noch zu sehen. Das Haar ist an den Ohren kurzgeschnitten; der ganze Mann ist reinlich, putzt sich morgens die Fingernägel, rasiert sich oder läßt sich rasieren.

Schon als junger Mensch drängelte er sich, nicht allzu interessiert, durch die Türen der Kollegsäle; seine Mama sagte: «Hubert, wann kommst du heute nach Hause?» – und er gab nicht allzu freundlich Auskunft. Büffelte. Bestand Examina. Wurde aufgerufen: «Hubert Soundso . . .» Und dann erhob er sich, ein bißchen unterwürfig, ein bißchen angstvoll, nicht sehr aufgeregt, kalt eigentlich. Trat in den Staatsdienst, rückte rasch auf.

Lange Vormittage mit schwierigen Aktenarbeiten, mit leeren Pausen, wo das Frühstück aus der Aktentasche genommen wurde – darin lag auch ein Brief, der ärgerlich war, und einer, der für den Abend eine kleine außerdienstliche Freude verhieß. Im übrigen: kalt bis ans Herz hinan. Ab und zu mal ein Buch gelesen, das nicht zur Sache gehörte, einmal Spengler versucht, dolles Zeugs –, mit der Briefschreiberin zu Hardts ‹Tantris› gegangen. Sehr poetisch. In der Pause: «Möglicherweise werde ich in diesen Tagen in die andere Abteilung versetzt. Na, Gott sei Dank . . .»

Im Kriege Kompanieführer. Unerbittlich, kalt. Kalt zu den Kanzleidienern, die sich nicht wehren konnten, kalt zu den jungen Assessoren – «Habe das auch mal durchmachen müssen!» –, kalt zur Welt, kalt zu Gott. Verheiratet. Hat zwei Kinder. Liebt sie auf seine Weise. Lacht gern mal, abends, über einen dicken Witz, weiß noch drei Wirtinnenverse, die andern leider vergessen. Ist felsenfest von der Richtigkeit des Staatsgefüges, der Rechtsprechung, der Kirche und der allgemeinen sittlichen Grundlagen überzeugt. Hat auch weiter nicht darüber nachgedacht. Sieht gar nicht schlecht aus, wenn er am Schreibtisch sitzt und sich, beim Ordnen der vielen Aktenstücke, einmal kurz räuspert . . . Ist doch wer. Fühlt sich in völliger Harmonie mit Land, Majorität und Volksgemeinschaft. Liebt den preußischen Adel nicht übermäßig –: ist ihm unangenehm. Ist aber tadellos korrekt und höflich, nach oben durchaus kleiner Bürgerlicher. Nach unten: selber Adel.

Repräsentiert. Macht Karriere. Wird wohl nächstens irgendein großes Tier werden, Gesandter, Ministerialdirektor, Staatssekretär, was weiß ich. Deutschland? Deutschland.

(1924)

Unart der Richter

Eine der unangenehmsten Peinlichkeiten in deutschen Gerichtssälen ist die Überheblichkeit der Vorsitzenden im Ton den Angeklagten gegenüber. Diese Sechser-Ironie, verübt an Wehrlosen, diese banalen Belehrungen, diese Flut von provozierenden, beleidigenden und höhnischen Trivialitäten sind unerträglich.

Da haben sie neulich einige Fürsorgezöglinge am Kanthaken gehabt, weil die ihren Vorsteher verdroschen hatten, und es ist natürlich ohne genaue Kenntnis der Vorgänge nicht möglich, über das Materiell-Rechtliche etwas auszusagen; wir wissen nicht, ob die Erziehungsanstalt Berlinchen anständig und sauber geleitet worden ist oder nicht. Was wir aber wissen, ist, wie sich deutsche Richter und besonders die Vorsitzenden im Gerichtssaal betragen. Dieser – ein Herr Barsch aus Landsberg an der Warthe – zum Beispiel so:

«Das Essen», so ungefähr sagt der Hauptangeklagte, «war unzureichend. Es gab zwar genug zu essen, aber es wurde sehr schlecht gekocht.» Mit diesem Satz will sich der junge Mensch verteidigen, und das ist sein Recht. Darauf der Vorsitzende:

«Es gab wohl nicht genügend Delikatessen?»

Dieser Satz ist eine Ungehörigkeit. Was soll das? Soll diese Bemerkung ein Witz sein? Für wen wird der gemacht? Für den beifällig lächelnden Beisitzer? Für die Presse? Für den Zuschauerraum? Nein, das charakterisiert nur die Dienstauffassung dieser Juristen, die einen unheilbaren Größenwahn in sich tragen. Sie sind das Maß aller Dinge, sie wissen alles, sie haben für alles Verständnis, und sie belehren und erziehen mit solch ungezogenen Bemerkungen, die ihnen nicht zustehen, ein ganzes Volk, das sich zuviel gefallen läßt.

Ein Zeuge, der unmittelbar beteiligte Anstaltsleiter Hoffmann, der das größte Interesse daran hat, mit einer guten Nummer aus diesem für ihn peinlichen Prozeß herauszukommen, zählt auf, was es alles zu essen gegeben habe. Wir kennen diese offiziellen Küchenberichte vom Militär her, wo kein Diebstahl, begangen durch die Offizierskasinos, jemals ans Tageslicht gekommen ist. Der Zeuge verliest die Liste der Gerichte, die er angeblich hat kochen lassen.

Der Vorsitzende: «Nun hören Sie aber auf, sonst erlebt die Fürsorge noch einen Ansturm!»

Was soll das? Wozu auf den Angeklagten, die die Richter ja sowieso in ihrer Macht haben, herumtrommeln? Um sie zu ducken? Zweifellos.

Keine Verteidigung kann dagegen remonstrieren – es ist als sicher anzunehmen, daß sich eine Zurechtweisung des Richters wegen solcher Ungehörigkeiten bestimmt in einem Strafzuschlag bemerkbar machte. Also hält der Angeklagte den Kopf gesenkt und schweigt. Nur der einzige Max Hölz und ein paar andre tapfre Proletarier haben den Juristen die Meinung gegeigt.

Wenn der deutsche Richterstand sich das verlorene Vertrauen wieder erringen will, dann soll er, ganz abgesehen von den Sprüchen der Justiz, zunächst einmal darauf halten, daß die Vorsitzenden das elementare Gebot einfachsten Anstands beachten und einen Unglücklichen nicht noch durch Beleidigungen demütigen, die in ihren Kreisen prompt mit einer Forderung bedacht werden.

(1927)

Die Herren Belohner

Der Staatsanwalt Rombrecht hat in einem Mordprozeß (Ulbrich) gesagt:

«Die Angeklagte Neumann hat trotz ihres körperlichen Zustandes (sie ist in andern Umständen) sich tapfer während der ganzen Verhandlung gehalten. Das muß mildernd belohnt werden.»

Ist denn kein Justizminister da, der diese Staatsanwälte und Richter auf das erste und oberste Gesetz jeder Verhandlungsführung aufmerksam macht: es gibt keinen Paragraphen im Strafrecht, der gutes Verhalten vor Gericht vorschreibt! Eine Handlung kann nur dann mit einer Strafe belegt werden, wenn der Tatbestand für eine Bestrafung gesetzlich bestimmt ist. Was bilden sich denn diese größenwahnsinnigen Funktionäre ein?

Belohnen . . .? Rombrecht hat nichts zu belohnen. Das Gericht ist dazu da, um mit seinem Urteil die Gesellschaft vor Rechtsbrechern zu schützen – weiter nichts. Das elende und schmachvolle Spiel, das jedesmal anhebt, wenn um das Strafmaß gefeilscht wird, kennt zweierlei Gewichte: schwarze und weiße. Diese mildern, jene verschärfen das Strafmaß.

Aber ich verpflichte mich, jedem Angeklagten beizubringen, in zwei Strafverhandlungen vor verschiedenen Richtern (ohne Ungebühr vor Gericht und ohne doppelten Boden), das eine Mal so aufzutreten, daß die Richter sagen: «Na . . . es muß dem Angeklagten strafmildernd zugute gehalten werden . . .» und das andre Mal so, daß er die dickste Strafe aufgebrummt bekommt, die möglich ist. Wie man das macht? Es ist sehr einfach – so grauenerregend einfach wie die Psychologie der Unabsetzbaren. Denn auf diese Psychologie kommt es viel mehr an als auf die der Verbrecher. Über diese wird zu viel geschrieben – über jene zu wenig.

Wie es also mein Schüler machen soll? Ich ließe ihn den Soldaten markieren, das nützt immer: den strammen Soldaten. Nicht übertrieben, aber doch mit den Händen an der seelischen Hosennaht –, die gibts eigentlich nicht, in Moabit gibt es sie. Immer: «Jawohl, Herr Vorsitzender!» – «Nein, Herr Vorsitzender!» Und immer antworten: kurz, damit die Herren nicht so lange sitzen müssen, einfach, damit das Gesagte nachher als Belastung dienen kann, und simpel, damit die Akademiker ihre Überlegung fühlen. Und keine langen Verteidigungen. Und eine Spur unterwürfig, aber nicht zu sehr. Und immer dem vorgesetzten Richter ins Auge sehn. Und nicht um Mitleid flennen, sondern etwa wie der Sohn jenes bebarteten Oberlehrers bei Curt Goetz: «Ich habe eine Strafe verdient und bitte um eine gehörige solche.» Dann wird mein Schüler so etwas Ähnliches wie Gnade finden. Denn diese Richter bilden sich wirklich ein, über dem Angeklagten zu stehn, der ihnen da vorgeworfen wird; ein frostiges Hohngelächter würde erschallen, wenn man ihnen das ausreden wollte. Unheilbar.

Und das andre Mal ließe ich meinen Schüler widersprechen, nicht frech, aber fest. Von allen Möglichkeiten der Verteidigung müßte er Gebrauch machen, ruhig, aber durchaus gegen den ewig redenden Richter. Und dann werde ich den Schüler wohl lange Jahre nicht mehr wiedersehn.

Wer sich dem Gericht unterwirft, ist ein guter Angeklagter. Wer aber Widerstand leistet, in der Form, in der Sache, im nicht genügenden Geständnis oder gar politisch: der ist ein böser Angeklagter.

Reue, Reue ... Man klappe die Hirnschale eines mittlern Staatsanwalts auf, die irgendeines kleinen Landgerichtsdirektors, und man wird darin Anschauungen über Seelenkunde finden, die museal sind. Nein: die nie gut gewesen sind. Man muß wissen, was darüber an Universitäten gelehrt wird, und in welche Kollegs Juristen zu gehen pflegen, und man weiß genug. Nicht, als ob sie sich von falschen Krokodilstränen erweichen ließen, so dumm sind sie wieder nicht. Aber was sie da pro reo und contra reum in die Waagschale legen, das ist lächerlich. Und ungehörig.

Niemand hat den Staatsanwalt gefragt, was er über das Verhalten des Angeklagten vor Gericht denkt. Straftaten soll der Richter aburteilen, und wenn er sich schon an den Täter macht: dann müßte er ihn zuvor verstehn. Aber davon kann bei dieser Praxis keine Rede sein.

Man lehre die Richter und die Staatsanwälte die Grundbegriffe des Strafrechts, wenn sie schon keine Seelenkunde betreiben.

(1931)

Die Laternenanzünder

Schon mancher wird sich gefragt haben, wie denn die Laternen, die abends und nachts die Großstadt erhellen, in Betrieb gesetzt werden. Nun Komma die Antwort auf diese Frage ist nicht eben schwer. Hat doch der Frager sicherlich schon abends in unsrer Stadt Männer mit langen Stangen in Trupps von zweien oder dreien die Straße entlang ziehen sehen – Laternenanzünder sinds, die dort ihr schweres Amt ausüben. Wer sind diese Leute, und was treiben sie zu so später Stunde auf den dunkeln Straßen, welches sind die Voraussetzungen ihres Berufs, und wie ist ihre Vorbildung? Darüber den Leser aufzuklären, soll der Zweck der nachfolgenden Zeilen sein.

Der Trupp der Laternenanzünder setzt sich gewöhnlich aus drei

Männern zusammen: Dem Chef-Laternenanzünder, seinem Adjutanten und dem Hilfs-Laternenanzünder.

Der Chef-Laternenanzünder hat die Leitung der Abteilung. Er trägt die Verantwortung sowie eine lange Stange und bestimmt, welche Laternen zu entzünden sind. Nachdem er mit dem Lichtmesser in der Hand die Lichtstärke der betreffenden Straße ‹ausgeleuchtet› hat, wie der Fachausdruck heißt, setzt er seine Mannschaft an. Das geschieht folgendermaßen: Hält der Chef die Zeit für angemessen, so nähert sich der Trupp der Laterne, der Chef gibt erst den sogenannten ‹Vorbefehl›: «Achtung!», der Adjutant nimmt die lange Stange in die Hand und wartet. Der Chef befiehlt: «Anleuchten!» und der Adjutant reißt oben an der Laterne den Hebel mit sachkundigem Griff herum. Während dieser Zeit hat der Hilfs-Laternenanzünder ständig seine Geräte in Bereitschaft zu halten, denn dem Hilfs-Laternenanzünder untersteht der technische Dienst; er ist es, der die Geräte beaufsichtigt: Hammer, Zange, Bohrer, Kabel, Ersatzkohlen – alles das hat er unter sich.

Der Laie wird sich nur schwer in der Fülle der Fachausdrücke der Laternenanzünder zurechtfinden. Ist eine Straße ganz erleuchtet, so spricht man von ‹Voll-Licht›; beileibe ‹zündet› der Laternenanzünder keine Laterne ‹an›, sondern er ‹gibt Licht› – gegen Morgen wird ‹abgelichtet›, der betreffende Befehl heißt: «Ableuchten!» Werden die Leuchthebel, gewöhnlich gegen Ende des Monats, durchgeölt, so geschieht das aus einem Öltopf. Auch diesen Topf hat der Hilfs-Laternenanzünder unter sich.

Die Ausbildung der Laternenanzünder, mit Ausnahme des nur fachtechnisch geschulten Hilfspersonals, ist eine rein wissenschaftliche. Die Anforderungen an den Beruf sind hohe: der Mann, der sich als Aspirant vorstellt, muß über tadellose Papiere verfügen, aus politisch unbelasteter Familie stammen, eine freiwillige Übung bei einer Reichswehrbrigade mitgemacht haben und die Primarreife eines Oberrealgymnasiums besitzen. Die Ausbildung erfolgt auf den Technischen Hochschulen, die Teilnahme an den dortigen Leibesübungen ist für den künftigen Verwaltungsbeamten absolut unerläßlich (Rumpfbeugen, Geschmeidigkeit des Körpers). Die Vorlesungen umfassen: Wesen und Begriff der Lichtwissenschaft; Geschichte des Beleuchtungswesens, unter besonderer Berücksichtigung des betreffenden Bundesstaates; Theorie der Lichtgebung; Ablicht und Anlicht; zur Soziologie der Beleuchtungswissenschaft.

Dem Studium folgt ein Staatsexamen. Nach zehn bis zwölf Jahren Wartezeit erfolgt gewöhnlich die Ernennung zum Laternenanzünder, nach weiteren zwanzig bis dreißig Jahren die Beförderung (nicht: Ernennung) zum Chef-Laternenanzünder.

Man sieht: es sind alte, zünftige Beamte, die da in Wind und Wetter ihren schweren Dienst versehen. Es ist ihnen gelungen, sich in dem Halbjahrhundert ihrer Amtstätigkeit die allgemeine Achtung und Beachtung zu erwerben. Zusammengeschlossen sind sie in dem Reichsverband Deutscher Laternenanzünder (R. D. L. mit den selbständigen Sektionen: Bayern, Thüringen-Nord und Hamburg), sowie in Lokalgruppen; die bedeutendste davon ist der in Brandenburg zentralisierte Laternenverband Märkischer Anzünder (L. M. A.).

Die Beamten bilden sich dauernd fachwissenschaftlich, bevölkerungspolitisch, städtebautechnisch und verkehrshistorisch fort – in diesem Jahr ist es ihnen endlich gelungen, die Schaffung eines ‹Dr. lux› bei den Landesuniversitäten durchzusetzen. Die Fortbildung der Beamten geschieht auf den Laternenanzünder-Fortbildungsschulen und -Seminaren; die Lehrer sind zu einem ‹Reichsverband Deutscher Laternen-Anzünder-Fortbildungsschul-Fachlehrer› zusammengeschlossen. Ihr Dienst ist nicht ohne Gefahr; bei den praktischen Übungen kommt es wohl vor, daß eine zu heiße Laboratoriumslaterne platzt; sämtliche Lehrer sind versichert. (Das Nähere siehe in den ‹Mitteilungen Deutscher Laternen-Anzünder-Fortbildungsschul-Fachlehrer-Versicherungs-Gesellschaften›.)

Die jetzigen Angehörigen der Lucifaktoren, wie sie sich gern nennen, gehören fast durchweg den bessern Gesellschaftsschichten an: 65 Prozent der Chef-Lucifaktoren bzw. 45 Prozent der Adjutanten sind ehemalige Reserveoffiziere. Damit allein schon ist ihre politische Zuverlässigkeit gewährleistet. In manchen Familien ist die Liebe zum Licht sozusagen erblich: es gibt Beamte, die bereits in der dritten und sogar vierten Generation ihr Amt innehaben. Die Mehrzahl der Hilfs-Laternenanzünder rekrutiert sich naturgemäß gleichfalls aus gedienten Leuten, da diesen die für den Lucifaktorenberuf notwendige ‹Sturheit›, wie der Fachausdruck heißt, besonders eigen ist.

Die einzelnen Verwaltungszweige interessieren sich außerordentlich für die Dienstgepflogenheiten der Lucifaktoren: so hat erst jüngst Exzellenz Lewald vom Reichsausschuß für Leibesübungen dem Fünften Deutschen Reichs-Licht-Bund-Tag beigewohnt, obgleich ihn doch seine andern Verpflichtungen gegenüber allen in Deutschland stattfindenden Tagungen gewiß stark in Anspruch nehmen. Auch der Reichswehrminister hat in einem Erlaß auf den ganz ausgezeichneten Dienst der Laternenanzünder hingewiesen und ihnen den alten, guten Sedan-Geist gewünscht. Die Vertretung der Lucifaktoren im Parlament ist nunmehr auch gesichert; wie man sich erinnert, ist bei den letzten Wahlen der Abgeordnete Dr. Hohsen (Wahlkreis: Boden) von der Deutschen Volkspartei ins Parlament aufgerückt, ein Lucifaktor, der den Dienst von der Pike auf kennt und die Interessen seiner Kollegen im echten, rechten Laternenanzündergeist wahrnehmen wird. Er ist es auch, der zusammen mit einem Herrn vom Reichswehrministerium und dem Admiral Stenker von der Reichsmarineverwaltung die Einweihung des Laternenanzünder-Kriegerdenkmals vorgenommen hat; haben doch die Laternenanzünder ihren starken Anteil an den Opfern des Weltkrieges und somit an der Gesundung des Vaterlandes. Auch in die Literatur sind die Männer des Lichts bereits eingedrungen: wir erinnern hier nur an Rudolf Herzogs Roman ‹*Mehr Licht!*›

In der Dunkelmannstraße zu Berlin erhebt sich das schmucke Reichsverbandshaus des R. D. L. Nach der letzten großen Oppositionskrise im Verband ist Ordnung und Ruhe geschaffen; die damaligen Verbandsinteressen verwaltete ein Rechtsanwalt Löwenstein, jüdisch, aber dumm, also national – jetzt ist an seine Stelle als Syndikus Dr. v. Falkenhayn getreten, ein Großneffe des bekannten Siegers von Verdun. An dieser Stelle sei besonders der Presseabteilung und ihrem verdienten Pressechef, Herrn Karl Rosner, gedankt, der dem Schreiber dieses mit so liebenswürdigen Auskünften warm unter den Arm gegriffen hat.

Fürwahr, ein echtes Sinnbild deutscher Kraft und deutschen Fleißes, deutscher Tatkraft und deutscher Treue –: das kleine Trüpplein, das da, fast unbeachtet, abends durch die Straßen zieht, seinem harten Beruf entgegen. Hier und da kam es wohl einmal vor, daß die Beamten, besonders in den Arbeitergegenden, von halbwüchsigen kommunistisch verhetzten Burschen mit dem Ruf ‹Nachtwächter! Nachtwächter!› belästigt wurden – doch ist da sofort scharf durchgegriffen worden. Polizei und Richter haben ihre Pflicht getan: die Übeltäter wurden stets mit hohen Strafen wegen Vergehens gegen das Gesetz zum Schutze der Republik bestraft; in alter Objektivität hat hier die deutsche Justiz wieder einmal gezeigt, wessen sie fähig ist.

Man siehts dem unscheinbaren Auftreten der schlichten Männer nicht an, wieviel deutsche Tätigkeit in ihnen und ihrem Werk steckt. Hoffen wir, daß sie, immer weiter aufstrebend, es zur Volkswohlfahrt und zum Nutzen des deutschen Staates ausüben, bis einmal bessere Zeiten kommen, da deutsches Licht auch in Straßburg, Danzig, Wien, Budapest und New York erstrahlen möge.

In diesem Sinne: «Gut Licht –!»

Man kann Laternen auch von der Zentrale aus einschalten.

(1925)

Die kleinen Parlamente

«Zur Geschäftsordnung!»

Achtzig intelligente Deutsche: das kann, wenn man sie einzeln vor sich hat, eine herrliche Sache sein. Sie sind nicht so sprunghaft gescheit, wie es wohl viele andere Rassen sind, in ihren Köpfen herrscht Ordnung, die Schubfächer sind aufgeräumt, und es ist eine helle Freude, sich mit ihnen zu unterhalten. Wenn aber dieselben intelligenten achtzig Leute zu einer Sitzung zusammenkommen, dann geschieht etwas ganz Furchtbares.

Hat man einmal beobachtet, daß achtzig Leute, wenn sie vom Teufel der Kollektivität besessen sind, nicht mehr achtzig Leute sind? Daß sie zu einem neuen, unfaßbar schrecklichen Ding werden, das viele Köpfe, aber kein Gehirn hat, das ungestalt, schwerfällig, träge, sich und den andern das Leben schwer macht? Da müssen Sie hineingetreten sein – das müssen Sie gesehen haben.

Die achtzig Mann setzen sich also in einem mittelgroßen Raum zusammen und werden nun, denkt der Unbefangene, ihre Sache durch gemeinschaftliche Aussprache fördern und weitertreiben. Wie? Aber gar nicht. Aber ganz im Gegenteil. Diese achtzig Leute bilden ein kleines Parlament, und das ist der Anfang vom Ende.

Sie sind behext. Sie sind gar nicht mehr sie selbst. Sie sind verwandelt. Was vorher, noch eben, in einer kleinen klugen Privatunterhaltung, klar und faßlich erschien, das wird nun auf unerklärliche Weise verwirrt, wolkig, kompliziert und von einer unauflöslichen Verkettung. Hier ist ein Wunder, glaubet nur!

Der Vorsitzende erhebt sich, ein braver und guter Mann, sein Bauch liegt an einer Uhrkette; aber kaum hat er drei Sätze gesprochen, so erhebt sich eine dünne Fistel: «Zur Geschäftsordnung, zur Geschäftsordnung!» – Nein, die Fistel bekommt jetzt das Wort nicht. Aber dann wird sie eine Abstimmung darüber herbeiführen, ob nach § 17 Absatz 5 der Satzungen der Vorsitzende in der Lage sein dürfte – he? Über diese zu veranstaltende Abstimmung erhebt sich eine Debatte. Schlußantrag zur Debatte. Dringlichkeitsantrag vor dem Schlußantrag. Gegenantrag. Und wenn sie nicht gestorben sind, dann debattieren sie heute noch.

Und die Sache? Und die Sache, um derentwillen man doch immerhin, entschuldigen Sie, zusammengekommen ist? Aber pfeif doch auf die Sache! Aber wer denkt denn jetzt hier an die Sache! Hier gehts um wichtigere Dinge. Hier geht es darum, ob die Vorkommission, die damals von den Vertretern der Ausschußkommission gewählt worden war, auch wirklich legitimiert ist, der Vollversammlung diejenigen Vorschläge zu machen, die . . . «Mir auch ein Bier! Der Herr Vorredner . . .»

Meine Lieben, ihr lacht. Lacht nicht. Man muß das gesehen haben, wie Schornsteinfegermeister und Wäschefabrikanten und Schriftsteller und Kegelbrüder aller Arten – wie alle hierzulande in einen eigentümlichen, fast psychopathischen Zustand verfallen, wenn sie vom Parlamentsteufel besessen sind. Es muß da etwas ganz Eigenartiges in den Gehirnen vorgehen: der Stolz, nun einmal endlich nicht als Privatperson, sondern gewissermaßen als öffentliche Person zu sprechen, die kleine, rührende und unendlich gefährliche Freude, den schlichten Bürger auszuziehen und als Cicero, Mann des Staates und Bevollmächtigter dazustehen: das ist es wohl, was so viel positive Arbeit in einem lächerlichen Wust von Kleinkram untergehen läßt.

«Herr Kollege Karschunke hat das Wort!» – «Ich habe vorher zur Geschäftsordnung sprechen wollen!» – «Herr Kollege Karschunke . . .» – «Satzungsbruch! Unmöglich! Ja! Nein!» (Beifall rechts. Links Zischen. Zuruf aus der Mitte: «Falsche Fuffzijer!» Glocke des Präsidenten.)

Nun hat die Sache neben der komischen Seite eine verdammt ernste. Der gesamte Betrieb ist tief unehrlich und verlogen. Man sagt: «Zur Geschäftsordnung!» und meint: «Herr Pannemann ist ein Schweinehund!» Man sagt: «Der letzte Satz der Resolution enthält unseres Erachtens einen schweren Fehler» und meint: «Dem wollen wir mal eins auswischen!» Nirgends wird so viel persönliche Feindschaft unter so viel scheinbar sachlichen Argumenten versteckt, wie in den kleinen Parlamenten.

Diese scheinbar unbeirrbare Sachlichkeit, dieses ganze Drum und Dran, dieser eherne Apparat von Formeln und Formalitäten ist unwahr. Vor vielen Jahren erlebte ich einmal in einer solchen Versammlung, wie mitten in dem feierlichen Getriebe wegen der schlechten Luft im Lokal eine Resolution eingebracht wurde, die ein Rauchverbot enthielt. Die Resolution sollte gerade angenommen werden – da stand ein kleiner, hagerer Mann auf, bat um das Wort zur Geschäftsordnung und sagte mit Stimme Nummer drei: «Meine sehr verehrten Herren! Ich möchte doch dafür plädieren, daß denjenigen Herren, die eine Tabakspfeife rauchen, wenigstens erlaubt wird, dieselbe zu Ende zu rauchen!» – Er hatte nämlich eine in der Hand. «Zur Geschäftsordnung!» Und wenn dieser ominöse Ruf ertönt, dann muß ich immer an den kleinen Mann mit der Tabakspfeife denken. Ich sehe sie hinter vielen Anträgen brennen.

Aber da sind nicht nur die Fälle offener und versteckter Obstruktion oder persönlicher Interessenvertretung. Wie umständlich ist das alles! Wie humpelt so eine Verhandlung dahin! Wie zuckt jeder, der ein bißchen Blut in den Adern hat, auf seinem Stuhl, wenn er sieht, wie vierzig ernsthafte, ältere, mit Kindern gesegnete Familienväter und zwanzig nicht minder würdevolle Junggesellen in zwei Stunden um einen riesigen Tisch herum nichts als leeres Stroh dreschen! Muß das sein?

Aber sie platzen lieber, als daß sie ihrs nicht aufsagen. Sie müssen das alles sagen – auch wenn sie genau fühlen, daß es die Sache um keinen Zoll weiterbringt. Sie fühlens nicht. Der Drang, sich reden zu hören, die Sucht, unter allen Umständen nun auch noch einen Klacks Senf zu dem Gericht dazuzugeben, treibt sie, aufzustehen, den Männerarm in die Höhe zu recken und mit gewichtiger Stimme zu rufen: «Ich bitte ums Wort. Meine Herren – –»

Liebe Ehefrauen! Wenn ihr wüßtet, welchen Kohl eure Männer in den Versammlungen zu bauen pflegen, in die sie mit so sorgenschwerer Miene zu eilen pflegen, daß ihr denkt: «Ich will ihm lieber doch nicht abreden, es scheint etwas Wichtiges zu sein» – wenn ihr wüßtet, mit welchen Nichtigkeiten und Kleinigkeiten da die Zeit vertrödelt wird: ihr würdet noch viel böser darüber sein, daß euer Anton abends nicht zu Hause bleibt.

Anton! Wo ist Anton? Generalvollversammlung, Abstimmung, Vorredner, Diskussion, Schluß der Debatte, namentliche Abstimmung, zur Geschäftsordnung, zur Geschäftsordnung!

Und das geht so siebenmal in der Woche in tausend deutschen Bierlokalen, damit wird die Zeit verbracht, damit beschäftigen sich erwachsene Männer und Frauen. Ist das Parlamentarismus? Oder seine Karikatur? Muß das so sein?

Ach, es sind nicht nur die kleinen Parlamente. Auch in den großen . . . Aber das ist ein weites Feld.

(1919)

Die Musikalischen

Ich bin unmusikalisch. Wenn ich es sage, antworten die Leute mit einem frohen Gefühl der Überlegenheit: «Aber nein – das ist ja nicht möglich! Sie verstehen gewiß sehr viel von Musik . . .» und freuen sich. Es ist aber doch so. Musik läßt mich aufhorchen; wenn ich sie höre, habe ich ein Bündel blödsinniger Assoziationen – und dann verliere ich mich im Gewirr der Töne, finde mich nicht mehr heraus . . . Und um rat- und hilflos zu sein, dazu brauche ich schließlich nicht erst in eine Oper zu gehen. Gut.

Was aber die Msuikalischen sind, so ist das eine eigenartige Sache mit ihnen.

Ganz vernünftige Menschen, solche mit einer Stellung oder einem Mann oder einer oder mehreren Überzeugungen – diese also fallen plötzlich in das Musikfeld ein. Gurgelnd jagen sie durch die Notenstoppeln. Was gibts –?

Plötzlich sind sie drin, und ich bin draußen. Auf einmal sind sie alle verwandt, und ich bin eine Waise. Der Name eines Dirigenten fällt: und Haß leuchtet aus ihren Augen, ihre Zähne zermalmen ein Gekeif, sie ereifern sich, Hitze bricht aus den Kühlsten – was gibts, um Gottes willen? Sie sind eine große Familie, wenn sie über Musik sprechen, ja, sie zanken sich, wie man sich nur in Familie zankt, mit jenem kundigen Haß der Nähe, jeder Hieb sitzt, weil man weiß, wo

es weh tut, sie schnattern, wirtschaften im Irrgarten ihrer Musik –
was gibts? Ich weiß es nicht.

Auch ist viel Stolz in ihnen und schöne Gesinnung, weil daß sie
so musikalisch sind, was sie oft mit musisch verwechseln – besonders die Frauen hassen das Gemeine, sind unentwegt edel und
schweben hörbar eine Handbreit über dem Erdboden. So: «Ich bin
eine Hohepriesterin der Musik, und das will ich mir auch ausgebe-
ten haben.»

Auch zeichnen sich Musiker durch einen fühlbaren Mangel an
Humor aus – das ist grauslich. Sie verständigen sich schon von
weitem durch kabbalistische Terminologie; kaum haben sie sich
berochen, so bricht es aus ihnen hervor, jeder hat ein Klavier im
Stall oder einen schwarzen Steinway-Rappen und erzählt von seinen Feldzügen auf diesen geschundenen Tieren . . . Stehn Sie einmal so kulturlos draußen herum, vor der Tür, so durchum und
durchaus nicht dazugehörig . . .

Horch! Wie sie murmeln! «Furtwängler habe ich doch noch
gehört, wie er . . . Also von Mahler versteht er nichts, davon soll er
die Finger lassen . . . Die Baßlage bei der Kulp ist in der letzten Zeit
nicht so . . .» Beschämt, zerknirscht, ein Trällerliedchen aus ‹Pale-
strina› auf den Lippen – so schleiche ich betrübt aufs Lavabo.

P. S. Selbstverständlich habe ich die falschen Musiker kennenge-
lernt, Karikaturen musikalischer Menschen – Ausnahmefälle.
«Denn Sie werden doch nicht leugnen, daß die Musik . . .» Gute
Nacht.

(1926)

Die Macht der Wissenschaft

Wie die ‹Freie Deutsche Schule› zu Würzburg berichtet, ist es in
Bayern gelungen, ein System zu entdecken, das jede von Gott nicht
gewollte Wallung der Geschlechtlichkeit zunichte macht. Der ‹Altöttinger Liebfrauenbote› gibt uns das Rezept.

«Wenn die Reize kommen, dann etwa im Kopf ausrechnen,
wieviel 27 mal 28 macht. Bis du das Resultat hast, ist das gereizte
Nervensystem abgelenkt und alles wieder in Ordnung.»

Das läßt mich gar nicht mehr schlafen. Hier in Schweden sind die
Frauen sehr schön und wohlschmeckend; ich gehe nie mehr ohne

Logarithmentafel aus. Bis gestern hat es gut funktioniert: wenn Inge
oder Karen oder Senta vorbeikam – ich die Tabelle heraus – 27 mal
28 . . . und alles war in Ordnung. Seit gestern klappt es nicht mehr.

Ich muß es dem ‹*Altöttinger Liebfrauenboten*› sagen –: sein System
hat, mit Verlaub zu sagen, ein Loch. Nämlich: immer, wenn ich
jetzt in der Wirtschaft oder im Büchlein für die Markenkasse
ausrechnen will, wieviel 27 mal 28 ist, dann ist aber gar nicht alles
in Ordnung. Es muß da irgend etwas haften geblieben sein, ein
Komplex . . . es ist ganz schrecklich. Meine Mama hat mir alle
Rechenbücher fortgenommen; «es regt den Jungen so auf», sagt sie.

Übrigens schlage ich vor: 3 mal 23. Es kommt der Sache näher.

(1929)

An das Publikum

O hochverehrtes Publikum,
sag mal: bist du wirklich so dumm,
wie uns das an allen Tagen
alle Unternehmer sagen?
Jeder Direktor mit dickem Popo
spricht: «Das Publikum will es so!»
Jeder Filmfritze sagt: «Was soll ich machen?
Das Publikum wünscht diese zuckrigen Sachen!»
Jeder Verleger zuckt die Achseln und spricht:
«Gute Bücher gehn eben nicht!»
    Sag mal, verehrtes Publikum:
    bist du wirklich so dumm?

So dumm, daß in Zeitungen, früh und spät,
immer weniger zu lesen steht?
Aus lauter Furcht, du könntest verletzt sein;
aus lauter Angst, es soll niemand verhetzt sein;
aus lauter Besorgnis, Müller und Cohn
könnten mit Abbestellung drohn?
Aus Bangigkeit, es käme am Ende
einer der zahllosen Reichsverbände
und protestierte und denunzierte
und demonstrierte und prozessierte . . .

Sag mal, verehrtes Publikum:
bist du wirklich so dumm?

Ja, dann . . .
                    Es lastet auf dieser Zeit
der Fluch der Mittelmäßigkeit.
Hast du so einen schwachen Magen?
Kannst du keine Wahrheit vertragen?
Bist also nur ein Grießbrei-Fresser –?
Ja, dann . . .
    Ja, dann verdienst dus nicht besser.

(1931)

Oller Mann

Ein alter Mann ist stets ein fremder Mann.
Er spricht von alten, längst vergangenen Zeiten,
von Toten und verschollenen Begebenheiten . . .
    Wir denken: «Was geht uns das an –?»

In unser Zeitdorf ist er zugereist.
Stammt aber aus ganz andern Jahresländern,
mit andern Leuten, andern Taggewändern,
    von denen du nichts weißt.

Sein Geist nimmt das für eine ganze Welt,
was ihn umgab, als seine Säfte rannen;
wenn er an Liebe denkt, denkt er an die, die längst von dannen.
    Für uns ist er kein Held.

Ein alter Held ist nur ein alter Mann.
Wie uns die Jahre trennen –!
Erfahrung war umsonst. Die Menschen starten für das Rennen,
    und jeder fängt für sich von vorne an.

Für uns ist er ein Mann von irgendwo.
Ihm fehlt sein Zeitland, wo die Seinen waren,
er spricht nicht unsre Sprache, hat ein fremd Gebaren . . .
Und wenn wir einmal alt sind und bei Jahren –:
    dann sind wir grade so.

(1928)

Das Mitglied

In mein' Verein bin ich hineingetreten,
weil mich ein alter Freund darum gebeten,
    ich war allein.
Jetzt bin ich Mitglied, Kamerad, Kollege –
das kleine Band, das ich ins Knopfloch lege,
    ist der Verein.

Wir haben einen Vorstandspräsidenten
und einen Kassenwart und Referenten
    und obendrein
den mächtigen Krach der oppositionellen
Minorität, doch die wird glatt zerschellen
    in mein' Verein.

Ich bin Verwaltungsbeirat seit drei Wochen.
Ich will ja nicht auf meine Würde pochen –
    ich bild mir gar nichts ein . . .
Und doch ist das Gefühl so schön, zu wissen:
sie können mich ja gar nicht missen
    in mein' Verein.

Da draußen bin ich nur ein armes Luder.
Hier bin ich ich – und Mann und Bundesbruder
    in vollen Reihn.
Hoch über uns, da schweben die Statuten.
Die Abendstunden schwinden wie Minuten
    in mein' Verein.

In mein' Verein werd ich erst richtig munter.
Auf die, wo nicht drin sind, seh ich hinunter –
    was kann mit denen sein?
Stolz weht die Fahne, die wir mutig tragen.
Auf mich könn' Sie ja ruhig «Ochse» sagen,
    da werd ich mich bestimmt nicht erst verteidigen.

Doch wenn Sie mich als Mitglied so beleidigen . . .!
Dann steigt mein deutscher Gruppenstolz!
Hoch Stolze-Schrey! Freiheil! Gut Holz!
Hier lebe ich.
Und will auch einst begraben sein
in mein' Verein.

(1926)

Fraternité – Liberté –
ist das von gestern?

Der Zustand der gesamten
menschlichen Moral läßt sich
in zwei Sätzen zusammenfassen:
We ought to. But we don't.

Deutsche Kinder in Paris

Im pariser Gewerkschaftshaus, in der rue Grange-aux-Belles, lärmt der große, braungraue Versammlungssaal. Kinder, überall Kinder. In einer Ecke stehen Pakete, Kisten, Rucksäcke: Nahrungsmittel, Stoffe, kleine Käfige mit Meerschweinchen und Kaninchen – das wird jetzt auf die Bahn geschafft. Frauen sitzen auf den Bänken, Arbeiterfrauen. Man sieht viele verheulte Gesichter. Hier wird Abschied genommen: ein Transport deutscher Kinder, die sechs Monate zu Besuch bei den französischen Genossen waren, nimmt Abschied.

Die internationale Arbeiterhilfe, die dieses wundervolle Werk organisiert und ermöglicht hat, hat damit den deutschen Proletarierkindern sechs materiell sorglose Monate bereitet. Selbstverständlich machte die deutsche Regierung ihre traditionellen Kindereien: sie setzte dem Werk der Völkerversöhnung zunächst die Schwierigkeiten entgegen, die sie in ihrer Jämmerlichkeit immer macht, wenn etwas gegen die Diktatur der Indstrie- und Militärkaste in Deutschland geschieht.

In aufopfernder Arbeit verteilten die französischen Genossen – insbesondere der Genosse Detilleuil – die Kinder auf viele französische Städte.

Sie sprechen alle französisch, manche noch stockend, nicht ganz richtig; alle verstehen es. Es ist drollig, zu hören, wie eine lebend erlernte Sprache so ganz anders in die Gehirne eindringt – man fühlt ordentlich, wie die Worte «petite fille» ein einziger Begriff sind, wie keine Grammatik die Formung geprägt hat. Die Kinder sehen ausgezeichnet aus: blühend, gesund, gepflegt, aufgepäppelt. Ein kleines Mädchen, das artig neben ihrer französischen Pflegemutter sitzt, hat sechzehn Pfund zugenommen: sie ist jetzt nur normal – wie traurig muß sie früher ausgesehen haben! Sie stammt, wie das Pappschildchen auf ihrem kleinen Bauch sagt, aus Berlin. «Freust du dich, wieder zurück nach Hause zu kommen?» Ich hätte das nicht fragen dürfen. Nein, sie freut sich gar nicht. Die Frau sagt: «Sie hat keine Mutter mehr.» Aber einen Vater? Ja, einen Vater . . . «Mais il n'est pas très doux!» Und sie will wiederkommen, wissen Sie, sie wird wiederkommen . . . Die Kleine sieht die Frau an.

Ich spreche mit den Jungen. Ja, sie haben es hier besser gehabt als zu Hause, sie waren so zufrieden, sie erzählen, was sie alles geschenkt bekommen haben, was sie mitnehmen dürfen. Ein kleiner Dicker ist da, der hat als Delegierter der Kinder bei den Franzosen eine Rede gehalten – er ist sehr stolz darauf. Ein kleines Mädchen: «Und ich habe ein Armband bekommen, aus richtigem Silber – und ich habe meine schlechtesten Kleider angezogen, die guten habe ich alle eingepackt!» Und hamburger Jungens sind da, und einige fangen, wenn das Französische nicht so recht will, behaglich an zu sächseln.

Die Pflegemütter sitzen auf den langen Bänken, sie sprechen wenig. Viele weinen. Immer wieder umarmen sie die Mädchen, die Jungens – sie dürfen sie nur noch zum Bahnhof begleiten, aber man läßt sie nicht mehr auf den Perron, weil sie das vorige Mal nicht von den Kindern zu trennen gewesen sind. Es hat herzzerreißende Szenen gegeben. Es sind ihre Kinder geworden in den sechs Monaten. Noch einmal gibt es Abendbrot, dann ordnet sich der Haufe zur Abfahrt (den die Deutsche Botschaft in Paris liebevoll und mit großer Tatkraft unterstützt hat).

Noch einmal sitzen alle Pfleglinge auf der linken Seite des Saals, die Mütter auf der rechten, gleich sollen die Namen noch einmal aufgerufen werden. Immer wieder fliegen Kußhändchen herüber und hinüber, Koseworte, Rufe . . . Da tritt ein Redner auf die kleine Tribüne und spricht: zu den Kindern deutsch, zu den Eltern französisch.

«Habt ihr euch wohl gefühlt?» Und alle Kinder im Chor: «Oui!» – «Dann vergeßt das nicht», sagt der Redner, «und seid dankbar für die Gastfreundschaft und bewahrt an diese Monate ein gutes Andenken. Und wenn euch später einmal eure Offiziere aufrufen und euch befehlen wollen, auf die französischen Freunde zu schießen, dann tut das nicht und antwortet ihnen: ‹Macht euch eueren Krieg alleine –!›» Und dasselbe zu den Eltern in ihrer Sprache. Und Detilleuil spricht zu ihnen im gleichen Sinn. Und dann fahren sie fort, nach Deutschland, und es ist ein schwerer Abschied.

Proletarier pflegen ja auch sonst manchmal durch Europa zu reisen – aber nur in größeren Horden und mit einem Schießeisen auf dem Buckel. Hier ist der Beginn eines wahren Friedenswerkes. Hier ist internationale Solidarität der arbeitenden Klassen zur Wirklichkeit geworden, nicht zum erstenmal, aber in stärkstem Ausmaß. Wenn nicht alles täuscht, so werden diese Kinder schlechte Soldaten werden. Denn was ihnen Bücher und Vorträge nur anzudeuten vermögen, das haben sie nun mit eigenen Augen gesehen:

Daß drüben hinter den Schützengräben keine ‹Feinde› wohnen, sondern Eltern, sondern Väter, Mütter, Kameraden. Daß man diese Eltern auf beiden Seiten betrogen und belogen hat, wenn man ihnen sagte, auf der andern Seite stehe der Gegner. Er steht ganz, ganz woanders. Die Kinder werden nach Hause kommen, und man wird auf dem deutschen Bahnhof wiederum nicht erlauben, daß sie fotografiert werden, damit keiner in Deutschland zu sehen bekommt, wie die Franzosen, die Menschenfresser, Kinder pflegen – diese Kinderstube braucht ihren schwarzen Mann mit den roten Hosen. Soldaten rüsten, Industrien stellen sich um, Richter versuchen, mit ihren kläglichen Formeln die Wahrheit zu drosseln – es nützt nichts, wenn das Proletariat stark bleibt.

Es nützt nichts – wenn die Arbeiter einsehn, daß ein Parteivorstand keine Partei ist; daß es keine Disziplin, sondern Schlafmützigkeit ist, den abgerutschten Göttern von 1914 immer noch zu glauben. Wenn sie einsehen, daß die wichtigtuerischen Reisen offiziös beauftragter Sozialdemokraten eitel Zeit- und Geldverschwendung und zu nichts gut sind; daß der Pazifismus nicht mit taktischen Bedenken und mit greisenhaften Resolutionen erstritten werden kann, sondern nur mit der schärfsten aktiven Resistenz: mit der absoluten Verweigerung des Dienstzwanges und mit dem Generalstreik in den Waffenfabriken; daß die proletarische Energie nicht in den dummschlauen Kommissionen mit den strategischen Winkelzügen aufgefangen und verpulvert werden darf – daß man die volle Wahrheit sagen muß.

Die herrschende Klasse in Deutschland will den Krieg. Sie bereitet ihn vor – alle ihre Anhänger dulden ihn schweigend, wenn er da ist; nehmen die östlichen Absatzgebiete aufs Korn, bewilligen den ungeheuerlichen Reichswehretat; lassen die Künder der Wahrheit verhaften. Das muß man erkannt haben, es in der vollen Schwärze sehen, es aussprechen.

Und dann muß man nicht gutgläubig in den pazifistischen Friedensgesellschaften sanft schlummern und ehrgeizig primadonnenhaft den Vorsitz führen; dann muß man nicht böswillig in dem kleinbürgerlichen Haufen der Sozialdemokratie die Wahrheit auf morgen verschieben, die andern für dümmer halten als man selbst ist, sie zu betrügen versuchen, ihnen die Wahrheit verheimlichen, sich eine Rolle anschwindeln, zu Hause mit den ‹Auslandsbeziehungen› protzen und, alle Mann hoch, im gegebenen Augenblick das Maul halten – dann muß man zuschlagen.

Im pariser Gewerkschaftssaal saß ein Teil von Deutschlands Jugend. Sie sollen noch oft nach Frankreich kommen. Aber nicht als Stiefelputzer ihrer Etappenkommandanten; um Frauen zwangsweise ärztlich auf Geschlechtskrankheiten zu untersuchen, um Möbel zu stehlen, um Zivilbevölkerung zur Arbeit zu treiben, um Menschen erschießen zu lassen – sie sollen wiederkommen, um ein einziges Wort zu ihren französischen Arbeiterkameraden zu sagen: Brüder.

(1925)

Der Erbfeind

Wenn man durch die Straßen von Paris geht, so sieht man nicht selten ein merkwürdiges Bild:

Am Eingang eines Ladens sitzt ein Kätzchen und sonnt sich. Paris ist die Stadt der Katzen. Und zwei Schritt von ihr: ein riesiger Schlächterhund, der daliegt, die Pfoten lang vor sich hingestreckt, stolz, ruhig, im Bewußtsein seiner Kraft. Um das Kätzchen kümmert er sich gar nicht. Das Kätzchen sieht auch ihn nicht an. Manchmal gehen sie aneinander vorbei, wie eben alte Bekannte aneinander vorbeigehen. Vielleicht begrüßen sie sich leise im Tier-Esperanto – aber sie beschnuppern sich nicht einmal. Katze und Hund – friedlich leben sie nebeneinander.

Als ich das zum erstenmal sah, glaubte ich an ein Wunder der Dressur. So sehr war ich, aus Deutschland kommend, geneigt, den Zustand des ewigen Zähnefletschens, Heulens, Fauchens und Bellens als den primären anzusehen. Aber als ich immer und immer wieder beobachtete, wie Hund und Katze hier einträchtig miteinander auskommen, da schien es mir doch anders zu sein.

Man kann also bei aller Verschiedenartigkeit des Wesens so friedlich nebeneinander leben, ohne sich Löcher ins Fell zu beißen –? Aber warum geht es? Warum geht es hier?

Weil man die kleinen Katzen von Jugend an, wenn sie noch nicht sehen können, mit den Hunden zusammensperrt. Weil man die kleinen Hunde zu den Katzen trudeln läßt, wenn sie noch alle in einem Wollknäuel und in einem Milchnapf die Welt sehen. Und niemand hetzt sie aufeinander, niemand findet Gefallen daran, daß ‹sein› Hund schneller, kräftiger und männlicher ist als die Katze des andern. Niemand gerät in einen Tobsuchtsanfall, wenn er eine Katze sieht, die doch stets mit allen Mitteln – Stöcken, Steinen und Hunden – verjagt werden muß. «Kusch!» und: «Such doch das Kätzchen! Wo ist die Katz – Katz – Katz?» Denn es ist doch zu komisch, nicht wahr?, wenn ein Köter hinter der Katz her ist, und die springt auf einen Zaun und faucht von oben gebuckelt herunter. Ja, das ist eine Freude. Denn Zwist der andern, das ist immer schön.

Wenn man aber die Lebewesen von klein auf richtig erzieht, in dem einzig möglichen Stadium abfängt: wo das Gehirn noch weich ist, wo es noch Eindrücke und Lehren empfangen kann – wenn man ihnen dann den Frieden als eine Selbstverständlichkeit aufzeigt: dann geht es auch. Es geht sogar besser. Aber freilich: die unvernünftigen Tiere haben keine Fahnen, keine Stahlhelme, keine Telefongenerale, keine Pfaffen, die zum Schlachtfest die Ware segnen, daß sie gut faule; keine Privatdozenten, die den Krieg sittlich fundieren, und keine Heldenmütter, die ihre Kinder für das Schußfeld eines M.-G. aufziehen. Das haben die Tiere alles nicht.

Die pariser Katzen und Hunde werden also mit Erfolg zum Frieden erzogen. Ein ererbter Friede. Und wann treten wir an die Menschen heran? Wenn sie reif, erwachsen, ernsthaft, hart und fast unempfänglich geworden sind – wenn sie die alten Kinderlehren fest in Fleisch und Blut haben. Und wer hat bei uns die Kinder?

Geschichtslehrer, die zum Kriege hetzen; Universitätsprofessoren, die zum Kriege hetzen; Kindergärtnerinnen, die zum Kriege hetzen; Fürsorgevorsteher, die zum Kriege hetzen. Und dann leben wir nachher mit aller Welt, und mit Frankreich insbesondere, im Streit – wie Hund und Katze. Nein, leider nicht wie diese Hunde und diese Katzen. Sondern wie Hyänen: wie Ludendorff und Léon Daudet.

(1924)

Die Kartoffeln

Ich las eines dieser patriotischen Bücher, die das deutsche Heer einer genauern Betrachtung unterziehen. Da stand auch eine historische Erinnerung, die es wert ist, daß wir sie uns aus der Nähe ansehn.

Bei der Belagerung von Paris im Jahre 1870, erzählt der Autor, haben sich die feindlichen Vorposten ganz gut gestanden. Man schoß durchaus nicht immer aufeinander, o nein! Es kam zum Beispiel vor, daß man sich mit Kartoffeln aushalf. Meistens werden es ja die Deutschen gewesen sein, die den Retter in der Not gemacht haben. Aber einmal näherte sich ein französischer Trupp von ein paar Mann, die Deutschen nahmen die Gewehre hoch, da sagte jemand auf deutsch: «Nicht schießen! Wir schießen auch nicht!» und man begann sich wegen auszutauschender Getränke zu verständigen.

Man könnte da von ‹Landesverrat› sprechen, und tatsächlich untersagte nachher ein Armeebefehl diese Annäherungen aufs schärfste. Aber was ging hier Wichtigeres vor sich?

Doch offenbar eine Diskreditierung des Krieges. Denn es ist nicht anzunehmen, daß Pflichtvergessene beider Parteien hier böse Dinge inszenierten. Es waren sicher Familienväter, Arbeiter, Landleute, die man in einen farbigen Rock gesteckt hatte, mit der Weisung, auf andersfarbige zu schießen.

Warum schossen sie nicht? Offenbar waren doch der Nationalhaß, der Zorn, der angeblich das ganze deutsche Volk auf die Beine rief, nicht mehr groß, wie damals Unter den Linden, als es noch nicht galt, auf seine Mitmenschen zu schießen. Damals hatte mancher mitgebrüllt, weil alle brüllten, und das verpflichtete zu nichts. Aber hier waren Leute, die einen Sommer und einen Winter lang an den eigenen Leibern erfahren hatten, was das heißt: Töten, und was das heißt: Hungern. Und da verschwand der ‹tief eingewurzelte Haß›, und man aß gemeinsam Kartoffeln . . . Dieselben Kartoffeln; dieselben Kapitalisten. Aber andere Röcke. Das ist der Krieg.

(Erschienen am 9. Juli 1913)

Die Familie

> Die Griechen, die so gut wußten, was ein Freund ist, haben die Verwandten mit einem Ausdruck bezeichnet, welcher der Superlativ des Wortes ‹Freund› ist. Dies bleibt mir unerklärlich.
>
> Friedrich Nietzsche

Als Gott am sechsten Schöpfungstage alles ansah, was er gemacht hatte, war zwar alles gut, aber dafür war auch die Familie noch nicht da. Der verfrühte Optimismus rächte sich, und die Sehnsucht des Menschengeschlechtes nach dem Paradiese ist hauptsächlich als der glühende Wunsch aufzufassen, einmal, nur ein einziges Mal friedlich ohne Familie dahinleben zu dürfen. Was ist die Familie?

Die Familie (familia domestica communis, die gemeine Hausfamilie) kommt in Mitteleuropa wild vor und verharrt gewöhnlich in diesem Zustande. Sie besteht aus einer Ansammlung vieler Menschen verschiedenen Geschlechts, die ihre Hauptaufgabe darin erblicken, ihre Nasen in deine Angelegenheiten zu stecken. Wenn die Familie größeren Umfang erreicht hat, nennt man sie ‹Verwandtschaft› (siehe im Wörterbuch unter M). Die Familie erscheint meist zu scheußlichen Klumpen geballt und würde bei Aufständen dauernd Gefahr laufen, erschossen zu werden, weil sie grundsätzlich nicht auseinandergeht. Die Familie ist sich in der Regel heftig zum Ekel. Die Familienzugehörigkeit befördert einen Krankheitskeim, der weit verbreitet ist: alle Mitglieder der Innung nehmen dauernd übel. Jene Tante, die auf dem berühmten Sofa saß, ist eine Geschichtsfälschung: denn erstens sitzt eine Tante niemals allein, und zweitens nimmt sie immer übel – nicht nur auf dem Sofa: im Sitzen, im Stehen, im Liegen und auf der Untergrundbahn.

Die Familie weiß voneinander alles: wann Karlchen die Masern gehabt hat, wie Inge mit ihrem Schneider zufrieden ist, wann Erna den Elektrotechniker heiraten wird, und daß Jenny nach der letzten Auseinandersetzung nun endgültig mit ihrem Mann zusammenbleiben wird. Derartige Nachrichten pflanzen sich vormittags zwischen elf und eins durch das wehrlose Telefon fort. Die Familie weiß alles, mißbilligt es aber grundsätzlich. Andere wilde Indianerstämme leben entweder auf den Kriegsfüßen oder rauchen eine Friedenszigarre: die Familie kann gleichzeitig beides.

Die Familie ist sehr exklusiv. Was der jüngste Neffe in seinen freien Stunden treibt, ist ihr bekannt, aber wehe, wenn es dem jungen Mann einfiele, eine Fremde zu heiraten! Zwanzig Lorgnons richten sich auf das arme Opfer, vierzig Augen kneifen sich musternd zusammen, zwanzig Nasen schnuppern mißtrauisch: «Wer ist das? Ist sie der hohen Ehre teilhaftig?» Auf der anderen Seite ist das ebenso. In diesen Fällen sind gewöhnlich beide Parteien davon durchdrungen, tief unter ihr Niveau hinuntergestiegen zu sein.

Hat die Familie aber den Fremdling erst einmal in ihren Schoß aufgenommen, dann legt sich die große Hand der Sippe auch auf diesen Scheitel. Auch das neue Mitglied muß auf dem Altar der

Verwandtschaft opfern; kein Feiertag, der nicht der Familie gehört! Alle fluchen, keiner tuts gern – aber Gnade Gott, wenn einer fehlte! Und seufzend beugt sich alles unter das bittere Joch . . .

Dabei führt das ‹gesellige Beisamensein› der Familie meistens zu einem Krach. In ihren Umgangsformen herrscht jener sauersüße Ton vor, der am besten mit einer Sommernachmittagsstimmung kurz nach einem Gewitter zu vergleichen ist. Was aber die Gemütlichkeit nicht hindert. Die seligen Herrnfelds stellten einmal in einem ihrer Stücke eine Szene dar, in der die entsetzlich zerklüftete Familie eine Hochzeitsfeierlichkeit abzog, und nachdem sich alle die Köpfe zerschlagen hatten, stand ein prominentes Mitglied der Familie auf und sagte im lieblichsten Ton der Welt: «Wir kommen jetzt zu dem Tafellied –!» Sie kommen immer zum Tafellied.

Schon in der großen Soziologie Georg Simmels ist zu lesen, daß keiner so wehtun könne, wie das engere Kastenmitglied, weil das genau um die empfindlichsten Stellen des Opfers wisse. Man kennt sich eben zu gut, um sich herzinniglich zu lieben, und nicht gut genug, um noch aneinander Gefallen zu finden.

Man ist sich sehr nah. Nie würde es ein fremder Mensch wagen, dir so nah auf den Leib zu rücken, wie die Kusine deiner Schwägerin, a conto der Verwandtschaft. Nannten die alten Griechen ihre Verwandten die ‹Allerliebsten›? Die ganze junge Welt von heute nennt sie anders. Und leidet unter der Familie. Und gründet später selbst eine und wird dann grade so.

Es gibt kein Familienmitglied, das ein anderes Familienmitglied jemals ernst nimmt. Hätte Goethe eine alte Tante gehabt, sie wäre sicherlich nach Weimar gekommen, um zu sehen, was der Junge macht, hätte ihrem Pompadour etwas Cachou entnommen und wäre schließlich durch und durch beleidigt wieder abgefahren. Goethe hat aber solche Tanten nicht gehabt, sondern seine Ruhe – und auf diese Weise ist der ‹Faust› entstanden. Die Tante hätte ihn übertrieben gefunden.

Zu Geburtstagen empfiehlt es sich, der Familie etwas zu schenken. Viel Zweck hat das übrigens nicht; sie tauscht regelmäßig alles wieder um.

Irgendeine Möglichkeit, sich der Familie zu entziehen, gibt es nicht.

Mein alter Freund Theobald Tiger singt zwar:

Fang nie was mit Verwandtschaft an –
denn das geht schief,
denn das geht schief!

aber diese Verse sind nur einer stupenden Lebensunkenntnis ent-
sprungen. Man fängt ja gar nichts mit der Verwandtschaft an – die
Verwandtschaft besorgt das ganz allein.

Und wenn die ganze Welt zugrunde geht, so steht zu befürchten,
daß dir im Jenseits ein holder Engel entgegenkommt, leise seinen
Palmenwedel schwingt und spricht: «Sagen Sie mal – sind wir nicht
miteinander verwandt –?» Und eilends, erschreckt und im innersten
Herzen gebrochen, enteilst du. Zur Hölle.

Das hilft dir aber gar nichts. Denn da sitzen alle, alle die andern.

(1923)

Gruß nach vorn

Lieber Leser 1985 –!

Durch irgendeinen Zufall kramst du in der Bibliothek, findest
die ‹Mona Lisa›, stutzt und liest. Guten Tag.

Ich bin sehr befangen: du hast einen Anzug an, dessen Mode von
meinem damaligen sehr absticht, auch dein Gehirn trägst du ganz
anders ... Ich setze dreimal an: jedesmal mit einem anderen
Thema, man muß doch in Berührung kommen ... Jedesmal muß
ich es wieder aufgeben – wir verstehen einander gar nicht. Ich bin
wohl zu klein; meine Zeit steht mir bis zum Halse, kaum gucke ich
mit dem Kopf ein bißchen über den Zeitpegel ... da, ich wußte es:
du lächelst mich aus.

Alles an mir erscheint dir altmodisch: meine Art, zu schreiben
und meine Grammatik und meine Haltung ... ah, klopf mir nicht
auf die Schulter, das habe ich nicht gerne. Vergeblich will ich dir
sagen, wie wir es gehabt haben, und wie es gewesen ist ... nichts.
Du lächelst, ohnmächtig hallt meine Stimme aus der Vergangenheit, und du weißt alles besser. Soll ich dir erzählen, was die Leute
in meinem Zeitdorf bewegt? Genf? Shaw-Premiere? Thomas
Mann? Das Fernsehen? Eine Stahlinsel im Ozean als Halteplatz für
die Flugzeuge? Du bläst auf alles, und der Staub fliegt meterhoch,
du kannst gar nichts erkennen vor lauter Staub.

Soll ich dir Schmeicheleien sagen? Ich kann es nicht. Selbstverständlich habt ihr die Frage: ‹Völkerbund oder Paneuropa?› nicht gelöst; Fragen werden ja von der Menschheit nicht gelöst, sondern liegen gelassen. Selbstverständlich habt ihr fürs tägliche Leben dreihundert nichtige Maschinen mehr als wir, und im übrigen seid ihr genau so dumm, genau so klug, genau so wie wir. Was von uns ist geblieben? Wühle nicht in deinem Gedächtnis nach, in dem, was du in der Schule gelernt hast. Geblieben ist, was zufällig blieb; was so neutral war, daß es hinüberkam; was wirklich groß ist, davon ungefähr die Hälfte, und um die kümmert sich kein Mensch – nur am Sonntagvormittag ein bißchen, im Museum. Es ist so, wie wenn ich heute mit einem Mann aus dem Dreißigjährigen Krieg reden sollte. «Ja? gehts gut? Bei der Belagerung Magdeburgs hat es wohl sehr gezogen . . .?» und was man so sagt.

Ich kann nicht einmal über die Köpfe meiner Zeitgenossen hinweg ein erhabenes Gespräch mit dir führen, so nach der Melodie: wir beide verstehen uns schon, denn du bist ein Fortgeschrittener, gleich mir. Ach, mein Lieber: auch du bist ein Zeitgenosse. Höchstens, wenn ich ‹Bismarck› sage und du dich erst erinnern mußt, wer das gewesen ist, grinse ich schon heute vor mich hin: du kannst dir gar nicht denken, wie stolz die Leute um mich herum auf dessen Unsterblichkeit sind . . . Na, lassen wir das. Außerdem wirst du jetzt frühstücken gehen wollen.

Guten Tag. Dies Papier ist schon ganz gelb geworden, gelb wie die Zähne unsrer Landrichter, da, jetzt zerbröckelt dir das Blatt unter den Fingern . . . nun, es ist auch schon so alt. Geh mit Gott, oder wie ihr das Ding dann nennt. Wir haben uns wohl nicht allzuviel mitzuteilen, wir Mittelmäßigen. Wir sind zerlebt, unser Inhalt ist mit uns dahingegangen. Die Form war alles.

Ja, die Hand will ich dir noch geben. Wegen Anstand.

Und jetzt gehst du.

Aber das rufe ich dir noch nach: Besser seid ihr auch nicht als wir und die vorigen. Aber keine Spur, aber gar keine –

(1926)

Chanson

Aus dem Ungarischen
Gesungen von Gussy Holl

Da ist ein Land – ein ganz kleines Land –
   Japan heißt es mit Namen.
Zierlich die Häuser und zierlich der Strand,
   zierlich die Liliputdamen.
Bäume so groß wie Radieschen im Mai.
Turm der Pagode so hoch wie ein Ei –
      Hügel und Berg
      klein wie ein Zwerg.
Trippeln die zarten Gestalten im Moos,
fragt man sich: Was mag das sein?
   In Europa ist alles so groß, so groß –
   und in Japan ist alles so klein!

Da sitzt die Geisha. Ihr Haar glänzt wie Lack.
   Leise duftet die Rose.
Vor ihr steht plaudernd im strahlenden Tag
   kräftig der junge Matrose.
Und er erzählt diesem seidenen Kind
davon, wie groß seine Landsleute sind.
      Straße und Saal
      pyramidal.
Sieh, und die Kleine wundert sich bloß –
denkt sich: Wie mag das wohl sein?
   In Europa ist alles so groß, so groß –
   und in Japan ist alles so klein!

Da ist ein Wald – ein ganz kleiner Wald –
   abendlich dämmern die Stunden.
Horch! wie das Vogelgezwitscher verhallt . . .
   Geisha und er sind verschwunden.
Abendland – Morgenland – Mund an Mund –
welch ein natürlicher Völkerschaftsbund!
      Tauber, der girrt,
      Schwalbe, die flirrt.

Und eine Geisha streichelt das Moos,
in den Augen ein Flämmchen, ein Schein . . .
    In Europa ist alles so groß, so groß –
    und in Japan ist alles so klein.

(1920)

Augen in der Großstadt

Wenn du zur Arbeit gehst
am frühen Morgen,
wenn du am Bahnhof stehst
mit deinen Sorgen:
        da zeigt die Stadt
        dir asphaltglatt
    im Menschentrichter
    Millionen Gesichter:
Zwei fremde Augen, ein kurzer Blick,
die Braue, Pupillen, die Lider –
Was war das? vielleicht dein Lebensglück . . .
vorbei, verweht, nie wieder.

Du gehst dein Leben lang
auf tausend Straßen;
du siehst auf deinem Gang,
die dich vergaßen.
        Ein Auge winkt,
        die Seele klingt;
    du hasts gefunden,
    nur für Sekunden . . .
Zwei fremde Augen, ein kurzer Blick,
die Braue, Pupillen, die Lider;
Was war das? kein Mensch dreht die Zeit zurück . . .
Vorbei, verweht, nie wieder.

Du mußt auf deinem Gang
durch Städte wandern;
siehst einen Pulsschlag lang
den fremden Andern.

Es kann ein Feind sein,
es kann ein Freund sein,
es kann im Kampfe dein
Genosse sein.
Es sieht hinüber
und zieht vorüber ...
Zwei fremde Augen, ein kurzer Blick,
die Braue, Pupillen, die Lider.
Was war das?
Von der großen Menschheit ein Stück!
Vorbei, verweht, nie wieder.

(1931)

An einen Bonzen

Einmal waren wir beide gleich.
Beide: Proleten im deutschen Kaiserreich.
Beide in derselben Luft,
beide in gleicher verschwitzter Kluft;
dieselbe Werkstatt – derselbe Lohn –
derselbe Meister – dieselbe Fron –
beide dasselbe elende Küchenloch ...
Genosse, erinnerst du dich noch?

Aber du, Genosse, warst flinker als ich.
Dich drehen – das konntest du meisterlich.
Wir mußten leiden, ohne zu klagen,
aber du – du konntest es sagen.
Kanntest die Bücher und die Broschüren,
wußtest besser die Feder zu führen.
Treue um Treue – wir glaubten dir doch!
Genosse, erinnerst du dich noch?

Heute ist das alles vergangen.
Man kann nur durchs Vorzimmer zu dir gelangen.
Du rauchst nach Tisch die dicken Zigarren,
du lachst über Straßenhetzer und Narren.
Weißt nichts mehr von alten Kameraden,

wirst aber überall eingeladen.
Du zuckst die Achseln beim Hennessy
und vertrittst die deutsche Sozialdemokratie.
Du hast mit der Welt deinen Frieden gemacht.

Hörst du nicht manchmal in dunkler Nacht
eine leise Stimme, die mahnend spricht:
    «Genosse, schämst du dich nicht –?»

(1923)

Olle Kamellen

Vor der Front ein junger Bengel.
Er moniert die Fehler, die Schlappheit, die Mängel.
Im Gliede lauter alte Leute
. . . Schlechter Laune der Leutnant heute . . .
«Das kann ich der Kompanie erklären:
Ich werde euch Kerls das Strammstehen schon lehren!
Nehmen Sie die Knochen zusammen, Sie Schwein!»
    Und das soll alles vergessen sein?

Drin im Kasino ist großer Trubel.
Gläserklingen, Hurragejubel.
Sieben Gänge, dreierlei Weine.
Der Posten draußen hat kalte Beine.
Er denkt an Muttern, an zu Haus;
die Kinder, schreibt sie, sehn elend aus.
Drin sind sie lustig und krähen und schrein –
    Und das soll alles vergessen sein?

Und das sei alles vergeben, vergessen?
Die Tritte nach unten? der Diebstahl am Essen?
Bei Gott! das sind keine alten Kamellen!
Es wimmelt noch heute von solchen Gesellen!
Eingedrillter Kadaverrespekt –
wie tief der noch heut in den Köpfen steckt!
Er riß uns in jenen Krieg hinein –
    Und das soll alles vergessen sein?

Nicht vergessen. Wir wollen das ändern.
Ein freies Land unter freien Ländern
sei Deutschland – mit freien Bewohnern drin,
ohne den knechtischen Dienersinn.
Wir wollen nicht Rache an Offizieren.
Wir wollen den deutschen Sinn reformieren.
Sei ein freier Deutscher – Bruder, schlag ein!
    Und dann soll alles vergessen sein!

(1919)

Der Graben

Mutter, wozu hast du deinen aufgezogen?
Hast dich zwanzig Jahr mit ihm gequält?
Wozu ist er dir in deinen Arm geflogen,
und du hast ihm leise was erzählt?
    Bis sie ihn dir weggenommen haben.
    Für den Graben, Mutter, für den Graben.

Junge, kannst du noch an Vater denken?
Vater nahm dich oft auf seinen Arm.
Und er wollt dir einen Groschen schenken,
und er spielte mit dir Räuber und Gendarm.
    Bis sie ihn dir weggenommen haben.
    Für den Graben, Junge, für den Graben.

Drüben die französischen Genossen
lagen dicht bei Englands Arbeitsmann.
Alle haben sie ihr Blut vergossen,
und zerschossen ruht heut Mann bei Mann.
    Alte Leute, Männer, mancher Knabe
    in dem einen großen Massengrabe.

Seid nicht stolz auf Orden und Geklunker!
Seid nicht stolz auf Narben und die Zeit!
In die Gräben schickten euch die Junker,
Staatswahn und der Fabrikantenneid.
    Ihr wart gut genug zum Fraß für Raben,

für das Grab, Kamraden, für den Graben!

Werft die Fahnen fort!
                    Die Militärkapellen
spielen auf zu euerm Todestanz.
Seid ihr hin: ein Kranz von Immortellen –
das ist dann der Dank des Vaterlands.

Denkt an Todesröcheln und Gestöhne.
Drüben stehen Väter, Mütter, Söhne,
schuften schwer, wie ihr, ums bißchen Leben.
Wollt ihr denen nicht die Hände geben?
Reicht die Bruderhand als schönste aller Gaben
übern Graben, Leute, übern Graben –!

(1928)

Antwort auf Fragen
wollen alle Dir geben

Alles ist richtig, auch das Gegenteil. Nur:
«Zwar . . . aber» – das ist nie richtig.

Ratschläge für einen schlechten Redner

Fang nie mit dem Anfang an, sondern immer drei Meilen *vor* dem Anfang! Etwa so:

«Meine Damen und meine Herren! Bevor ich zum Thema des heutigen Abends komme, lassen Sie mich Ihnen kurz . . .»

Hier hast du schon so ziemlich alles, was einen schönen Anfang ausmacht: eine steife Anrede; der Anfang vor dem Anfang; die Ankündigung, daß und was du zu sprechen beabsichtigst, und das Wörtchen kurz. So gewinnst du im Nu die Herzen und die Ohren der Zuhörer.

Denn das hat der Zuhörer gern: daß er deine Rede wie ein schweres Schulpensum aufbekommt; daß du mit dem drohst, was du sagen wirst, sagst und schon gesagt hast. Immer schön umständlich.

Sprich nicht frei – das macht einen so unruhigen Eindruck. Am besten ist es: du liest deine Rede ab. Das ist sicher, zuverlässig, auch freut es jedermann, wenn der lesende Redner nach jedem viertel Satz mißtrauisch hochblickt, ob auch noch alle da sind.

Wenn du gar nicht hören kannst, was man dir so freundlich rät, und du willst durchaus und durchum frei sprechen . . . du Laie! Du lächerlicher Cicero! Nimm dir doch ein Beispiel an unsern professionellen Rednern, an den Reichstagsabgeordneten – hast du die schon mal frei sprechen hören? Die schreiben sich sicherlich zu Hause auf, wann sie «Hört! hört!» rufen . . . ja, also wenn du denn frei sprechen mußt:

Sprich, wie du schreibst. Und ich weiß, wie du schreibst.

Sprich mit langen, langen Sätzen – solchen, bei denen du, der du dich zu Hause, wo du ja die Ruhe, deren du so sehr benötigst, deiner Kinder ungeachtet, hast, vorbereitest, genau weißt, wie das Ende ist, die Nebensätze schön ineinandergeschachtelt, so daß der Hörer, ungeduldig auf seinem Sitz hin und her träumend, sich in einem Kolleg wähnend, in dem er früher so gern geschlummert hat, auf das Ende solcher Perioden wartet . . . nun, ich habe dir eben ein Beispiel gegeben. So mußt du sprechen.

Fang immer bei den alten Römern an und gib stets, wovon du auch sprichst, die geschichtlichen Hintergründe der Sache. Das ist nicht nur deutsch – das tun alle Brillenmenschen. Ich habe einmal in der Sorbonne einen chinesischen Studenten sprechen hören, der sprach glatt und gut französisch, aber er begann zu allgemeiner

Freude so: «Lassen Sie mich Ihnen in aller Kürze die Entwicklungs-
geschichte meiner chinesischen Heimat seit dem Jahre 2000 vor
Christi Geburt . . .» Er blickte ganz erstaunt auf, weil die Leute so
lachten.

So mußt du das auch machen. Du hast ganz recht: man versteht
es ja sonst nicht, wer kann denn das alles verstehen, ohne die
geschichtlichen Hintergründe . . . sehr richtig! Die Leute sind doch
nicht in deinen Vortrag gekommen, um lebendiges Leben zu hören,
sondern das, was sie auch in den Büchern nachschlagen können . . .
sehr richtig! Immer gib ihm Historie, immer gib ihm.

Kümmere dich nicht darum, ob die Wellen, die von dir ins
Publikum laufen, auch zurückkommen – das sind Kinkerlitzchen.
Sprich unbekümmert um die Wirkung, um die Leute, um die Luft
im Saale; immer sprich, mein Guter. Gott wird es dir lohnen.

Du mußt alles in die Nebensätze legen. Sag nie: «Die Steuern sind
zu hoch.» Das ist zu einfach. Sag: «Ich möchte zu dem, was ich
soeben gesagt habe, noch kurz bemerken, daß mir die Steuern bei
weitem . . .» So heißt das.

Trink den Leuten ab und zu ein Glas Wasser vor – man sieht das
gern.

Wenn du einen Witz machst, lach vorher, damit man weiß, wo
die Pointe ist.

Eine Rede ist, wie könnte es anders sein, ein Monolog. Weil doch
nur einer spricht. Du brauchst auch nach vierzehn Jahren öffentli-
cher Rednerei noch nicht zu wissen, daß eine Rede nicht nur ein
Dialog, sondern ein Orchesterstück ist: eine stumme Masse spricht
nämlich ununterbrochen mit. Und das mußt du hören. Nein, das
brauchst du nicht zu hören. Sprich nur, lies nur, donnere nur,
geschichtele nur.

Zu dem, was ich soeben über die Technik der Rede gesagt habe,
möchte ich noch kurz bemerken, daß viel Statistik eine Rede immer
sehr hebt. Das beruhigt ungemein, und da jeder imstande ist, zehn
verschiedene Zahlen mühelos zu behalten, so macht das viel Spaß.

Kündige den Schluß deiner Rede lange vorher an, damit die
Hörer vor Freude nicht einen Schlaganfall bekommen. (Paul Lin-
dau hat einmal einen dieser gefürchteten Hochzeitstoaste so angefangen: «Ich komme zum Schluß.») Kündige den Schluß an, und
dann beginne deine Rede von vorn und rede noch eine halbe
Stunde. Dies kann man mehrere Male wiederholen.

Du mußt dir nicht nur eine Disposition machen, du mußt sie den Leuten auch vortragen – das würzt die Rede.

Sprich nie unter anderthalb Stunden, sonst lohnt es gar nicht erst anzufangen.

Wenn einer spricht, müssen die andern zuhören – das ist deine Gelegenheit! Mißbrauche sie.

Ratschläge für einen guten Redner

Hauptsätze. Hauptsätze. Hauptsätze.

Klare Disposition im Kopf – möglichst wenig auf dem Papier.

Tatsachen, oder Appell an das Gefühl. Schleuder oder Harfe. Ein Redner sei kein Lexikon. Das haben die Leute zu Hause.

Der Ton einer einzelnen Sprechstimme ermüdet; sprich nie länger als vierzig Minuten. Suche keine Effekte zu erzielen, die nicht in deinem Wesen liegen. Ein Podium ist eine unbarmherzige Sache – da steht der Mensch nackter als im Sonnenbad.

Merk Otto Brahms Spruch: Wat jestrichen is, kann nich durchfalln.

(1930)

Was soll er denn einmal werden?

Nämlich Ihr Sohn. Ja, wie ist er denn? Von leichter Trägheit? mehr schlau als klug? mehr Sitzfleisch als Charakter? etwas Intrigant?

Kaufmann . . . nein, Sie haben recht: dazu gehört, trotz der Bürokratisierung der deutschen Industrie, Initiative, wenn er nicht ewig ein Pultknecht bleiben will, Entschlußkraft, Fixigkeit: sonst wird es nichts. Kaufmann – das ist wohl nichts für ihn.

Zum Ingenieurberuf hat er keine Neigung? Arzt? nein? Künstlerische Anlagen – nicht? Seien Sie froh. Aber was sagen Sie da? Es gibt nur eine Sache auf der Welt, die er scheut? Erzählen Sie bitte.

Ihr Junge ist der Mensch, der seit seiner frühesten Kindheit ‹nichts dafür kann›? Der ständig, immer und unter allen Umständen, ablehnt, die Folgerungen aus seinem Verhalten zu ziehen? der die Vase nicht zerbrochen hat, die ihm hingefallen ist? der die Tinte nicht umgegossen hat, die er umgegossen hat? der immer, immer Ausreden sucht, findet, erfindet . . . kurz, der eine gewaltige Scheu vor der Verantwortung hat? Ja, dann gibt es nur eines.

Lassen Sie ihn Beamten werden. Da trägt er die Verantwortung, aber da hat er keine.

Nehmen wir einmal an, der Junge werde Lokomotivführer, und da geschieht es ihm, daß er aus Übermüdung nach zehn Stunden Dienst, aus Unachtsamkeit, aus einem jener unerklärlichen Zufälle heraus ein Signal überfährt und seinen Zug auf einen andern setzt. Achtundzwanzig Tote, neununddreißig Schwerverletzte. Wie meinen Sie? Er kann sich auf den Nebel berufen, sich auszureden versuchen . . .? Ah, Sie kennen Ihr eigenes Land nicht! Es wird ihm alles nichts helfen. § 316 StGB – Gefängnis von einem Monat bis zu drei Jahren, und wenn er auf einen tüchtigen Staatsanwalt trifft, so wird der schon noch etwas andres für ihn herausfinden . . . haben Sie keine Sorge. Ja, es ist eben ein verantwortungsvoller Posten, und den Letzten beißen die Hunde.

Als Arzt ist die Sache schon einfacher – eine Verurteilung bei Kunstfehlern ist nur auf Grund von Gutachten möglich, und ehe da einer den andern hineinreitet . . . aber immerhin: möglich ists schon.

Als Kaufmann . . . bedenken Sie bitte, was geschieht, wenn er in einem großen Betriebe ernsthaft patzt. Ist er ein kleiner Angestellter, fliegt er sofort hinaus – ist er ein großer, so kann er sich zwar drehen und wenden, aber die Börse hat ein wirklich Gutes: sie ist im besten Sinne wundervoll verklatscht, und wer dort einmal als unzuverlässig ausgeschrien wird, der hats sehr schwer. Das Gesetz? Ach, das interessiert die Börsianer nicht so sehr. Sie machen sich ihr Gesetz allein, und es ist besser als das geschriebene, das kann ich Ihnen versichern. Es gibt da so eine Art stillen Boykotts, ganz leise, fast unmerklich – auf einmal ist es mit dem Verfemten vorbei. Die Frage dieser Verantwortung regelt sich ganz von selbst.

Überall also, liebe Frau, wird Ihr Junge, wenns hart auf hart geht, für das einstehen müssen, was er angerichtet hat. Das ist schon so im Leben.

Nur an einer Stelle nicht. Nur in einer Klasse Menschen nicht. Nur in einer einzigen Position nicht. Als Beamter.

Wie das gemacht wird? Und obs auch keiner merkt? In welchem Erdteil leben Sie? Auf dem Mond?

Zunächst kommt es zur Erlangung einer Beamtenstellung in zweiter Linie auf die Kenntnisse an. In erster darauf, daß jener dem Beamtenkörper, in den er eintritt, auch paßt, daß er sich mühelos in den Organismus einfügt, der nicht etwa, wie Sie, liebe Frau, zu glauben scheinen, der Zusammensetzung der Bevölkerung entspricht. Dieser Körper hat vielmehr seine eigenen Gesetze, seine von ihm und für ihn erfundenen Tugenden und Fehler, er nimmt nur an, was ihn lebenstüchtiger macht, und er stößt mit unfehlbarem Instinkt ab, was ihn schwächen könnte. Er führt ein Eigenleben. Er schwimmt oben wie Öl auf dem Wasser.

Ist es ihm nun gelungen, hier einzudringen, hat er die durchschnittlichen Kenntnisse, und ist er dem Organismus genehm, dann sitzt er so ziemlich wie in Abrahams Schoß. Verstößt er nur nicht gegen die ungeschriebenen Regeln eines stillen Codex, poltert er nur nicht gegen die ehernen Pfeiler dieses unsichtbaren Doms –: dann wird ihm nichts geschehen.

Erleben Sie es oft, daß dieser Beamtenorganismus seine Angehörigen an die Strafbehörden ausliefert? Das geschieht fast nie. Also, so denken Sie, liebe Frau, wird da wohl auch nichts vorkommen. Es kommt aber genau so viel vor wie in allen andern Berufen – nur kräht kein Richter danach, weil eine Krähe ... nehmen Sie nur einen Stuhl, liebe Frau, und hören Sie gut zu.

Wenn zum Beispiel jemand, sehend oder blind, die Valuta seines Landes zugrunde richten läßt, so daß Millionen von Menschen ihr sauer erspartes Vermögen bis auf den letzten Pfennig verlieren; wenn einer die Arbeiter niederschießen läßt, wo sie nur stehen, und wenn er sich brutaldumpf in der Sonne der Gunst uniformierter Verbrecher spiegelt; wenn einer ableugnet, daß es in seinem Bereich jemals Verstöße gegen das Gesetz gegeben hat, wenn seinetwegen die Leute in den Gefängnissen und Zuchthäusern zu Hunderten sitzen; wenn sich einer bei Vergebung von staatlichen Krediten von einem gerissenen litauischen Pferdejuden übers Ohr hauen läßt, weil seine in der Beamtenlaufbahn ersessenen Kenntnisse es ihm nicht gestatten, wie ein moderner Kaufmann zu disponieren; wenn einer aus Karrieresucht, aus falsch verstandener Schneidigkeit, aus Autoritätssadismus ein Todesurteil fahrlässig durchdrückt, dessen zugrunde liegende Indizien zusammengeschludert sind ... was meinen Sie, liebe Frau, geschieht mit solchen, wenn ihre Untaten bekannt und erkannt sind?

Dann machen sie Erholungsreisen, liebe Frau. Dann fahren sie um die Welt, liebe Frau. Von jenem Schreibersmann Michaelis an, der einer bereits geistesschwach gewordenen Umwelt als Reichskanzler präsentiert wurde, bis zum letzten Kriegsminister –: es ist immer dasselbe. Vorher, wenn sie am Werk sind, reißen sie das Maul auf und weisen auf die schwere Verantwortung hin, die sie tragen. Ja, worin besteht denn die –? Etwa, wie bei jedem Kaufmann und Chauffeur, in der Möglichkeit, bei fahrlässig herbeigeführtem Mißerfolg strafrechtlich zu büßen, was staatsrechtlich begangen wurde? Daran kann sich kein Deutscher gewöhnen. Das Äußerste, was sich diese verkorksten Revolutionäre abringen, sind, erschrecken Sie nicht, liebe Frau, ‹Untersuchungskommissionen›; die kommissionieren und untersuchen und fragen und lassen sich von den Zeugen anschnauzen und kuschen und lassen Protokolle drucken und sitzen dann wieder auf geduldigen Gesäßen ... Bestraft wird keiner. Mit seinem Vermögen zahlt keiner. Eingesperrt wird keiner. Ein Versuch, ein einziger, und der deutsche Beamte täte überhaupt nichts mehr. Was? Er soll wirklich und wahrhaftig die Verantwortung tragen, wenn er etwas falsch gemacht hat? Er soll büßen, wenn er etwas ausgefressen hat? Während er doch nur, liebe Frau, ausführte, was ihm seine vorgesetzte Behörde befahl, oder während der Fehler doch nur bei der untergeordneten Behörde lag, oder während es sich nur um einen Kompetenzkonflikt handelte? Liebe Frau –!

Wenn Ihr Junge in der Schule nicht versetzt wird, dann darf er mit Ihnen nicht ins Theater gehen. Wenn ein Minister seine Aufgabe bis zum blamablen Zusammenbruch verfehlt hat, Fehler auf Fehler gehäuft, gelogen, aber schlecht gelogen, so schlecht gelogen, daß nicht einmal das Gegenteil von dem wahr war, was er sagte, geschoben, aber dumm geschoben, getäuscht, aber unvollkommen getäuscht –: dann geschieht was? Dann fährt er, unwiderruflich, liebe Frau, ins Ausland. Zur Erholung, liebe Frau.

Und so sieht sein Tag aus –:

Er erwacht in einem schönen sprungfedrigen Bett, in einem weiten, gut gelüfteten Raum, im Hotel etwa ... Er dehnt und streckt sich noch einmal, denn ins Amt braucht er heute nicht zu gehen, sacht erhebt er sich, wäscht sich mit wollüstiger Langsamkeit, so gründlich, wie es in der jeweiligen Familie üblich ist; er bindet sich den Stehkragen um, merkwürdig, welche Vorliebe deutsche Minister für Stehkragen am falschen Ort haben! – und dann wandelt er hinaus ins Freie. Etwa in die südamerikanische Landschaft oder in die asiatische; dort wird er festlich empfangen und hofiert, und Diener machen Verbeugungen, und er besichtigt irgend etwas: ein Nationaldenkmal oder eine Kinderwagenfabrik oder eine Universität für taubstumme Opernsänger . . . Seine Landsleute umstehen ihn. Und dann wird es plötzlich still um ihn, und er hält eine Rede, und während auf seinem Herzen der Brief der Deutschen Republik knistert, die ihm mitteilt, daß die fällige Quote seiner Pension, wie verabredet, an die Disconto-Gesellschaft überwiesen worden ist, hält er seine Rede und beschimpft sehr vorsichtig, sehr fein, mit jener verschlagenen Dummdreistigkeit, die das hervorragende Kennzeichen seines Standes ist, eben diese Republik. Er weiß: sie wehrt sich nicht. Er war ja die Republik; er kennt sie.

Und dann, liebe Frau, fährt er im Auto umher oder in einer Dampfbarkasse und sieht mit seinen runden Brillenaugen die schöne Welt an, die ihm eine Staffage ist, er sieht sie an wie ein besichtigender General, mit jenem Blick, der vorgibt, alles zu sehen, und der doch blind ist bis in den letzten Nerv hinein – und dann setzt er sich mit Muttern, denn Mutter hat er mitgenommen, aufs Schiff und fährt zurück in die liebe Heimat. Und da wird er dann Aufsichtsrat, wegen seiner guten Beziehungen zu den Behörden, und weil er beamtisch sprechen kann; und intrigiert ein bißchen in den politischen Parteien, und wenn er besonders wild ist, dann aspiriert er auf den Präsidentenposten . . . liebe Frau, die Welt ist so reich.

Man nennt das: Studienfahrt.

Und währenddessen hocken seine Opfer in den Zellen; und währenddessen schuften die von ihm geschädigten alten Leute wieder in irgendeinem Papiergeschäft oder trappeln als Versicherungsagenten auf den Straßen; und währenddessen prozessieren Tausende seinetwegen, und laufen Zehntausende auf ein Amt, und klagen Hunderttausende, denen er durch seine Politik das Lebensglück abgeschnürt hat . . . immer mit der Verantwortung. Die der Blitz aber verschont hat, stehen mit pfiffigen Mienen herum, nennen ihre charakterlose Schwäche Demokratie, und wenn jener Geschichten macht, so sagen sie: «Die Geschichte wird richten.» Das tut nicht weh.

Eher, liebe Frau, bricht sich einer, der auf einen Stuhl steigt, ein Bein, als daß einem deutschen Minister etwas passiert, und wenn er noch so viel Böses angerichtet hat. Es ist das gefahrloseste und das verantwortungsloseste Metier von der Welt.

Liebe Frau, lassen Sie Ihren Sohn Beamten werden.   (1928)

Zehn Gebote für den Geschäftsmann,
der einen Künstler engagiert

1.

Laß ihn in Ruhe.

2.

Überlege dir vorher, ob der Mann für deinen Betrieb paßt; das machst du am besten so, daß du dir seine Werke ansiehst und dich bei jedem fragst: Kann ich das gebrauchen? Wenn du die Mehrzahl nicht gebrauchen kannst, dann engagiere den Mann nicht. Denn:

3.

Wenn ein Künstler anständig ist und etwas taugt, ändert er sich dir zuliebe nicht, nur weil du mit ihm einen Vertrag gemacht hast – ändert er sich aber, hast du nur einen Namen bezahlt, also einen Mann überzahlt.

4.

Laß ihn in Ruhe.

5.

Disponiere sorgfältig, damit sich dein Mann nicht zu überstürzen braucht – Kunst will Zeit wie eine saubere Bilanz. Man kann, wenn man Pech hat, Flöhe aus dem Ärmel schütteln; Kunstwerke nicht.

6.

Du sollst den Feiertag deiner Leute heiligen: du irrst, wenn du glaubst, daß es für Fremde ein Genuß ist, den Sonntag in deiner Familie zu verbringen. Es ist mitnichten einer.

7.

Wenn der Künstler, den du engagiert hast, am Werk ist, halte ihm täglich fremde Arbeiten vor die Nase und fordere ihn, in anerkennenden Worten für den andern, auf, dergleichen ‹auch mal› zu machen. Das ermuntert ungemein.

8.

Wenn du mit deinem Künstler verhandelst, besinne dich nur nicht, daß auch du eigentlich ein Künstler seist: du hast beinah studieren wollen, doch dein Vater hat dich ins Getreidegeschäft getan . . . Zugegeben. Aber nimm deinen falschen Ehrgeiz nicht mit ins Büro: der Künstler redet dir ja auch nicht in die Abschlüsse hinein – o beschneide auch du die holden Maientriebe deiner vertrockneten Kunstanschauung, dieser Rose von Jericho!

9.

Höre auf die Stimme des Publikums, aber überschätze sie nicht – in dir selbst muß eine Kompaßnadel die Richtung anzeigen. Zwanzig Briefe aus dem Publikum sind noch nicht die Volksstimmung – vergiß dies nicht, und laß die Dummheit der Leute den Künstler nicht engelten.

10.

Laß ihn in Ruhe.

(1928)

Was wäre, wenn . . .

Schlagzeile der ‹B. Z.›. Kommt die Prügelstrafe? –
   Wie wir erfahren, ist soeben im Reichsjustizministerium ein Referentenentwurf fertiggestellt, der sich mit der Einführung der Prügelstrafe befaßt.
   Alle Morgenblätter. Die von einer hiesigen Mittagszeitung verbreitete Meldung von der Wiedereinführung der Prügelstrafe ist falsch. Im Reichsjustizministerium haben allerdings Erwägungen geschwebt über eine gewisse, natürlich partielle und nur für ganz bestimmte wenige Rückfallsdelikte zu verhängende körperliche Züchtigung; doch haben sich diese Erwägungen zu einem Referentenentwurf, wie das betreffende Mittagsblatt behauptet, noch nicht verdichtet.

14 Tage Pause

Die Nachtausgaben. Die Prügelstrafe ist da! – Der hauende Minister! – Schlagen Sie Ihre Kinder, Herr Minister? – Endlich eine kräftige Maßnahme! – Immer feste druff! – Pfui! – Die Rohrstockregierung! – Rückkehr zur Ordnung!

Sozialdemokratischer Leitartikel. . . . sich tatsächlich bewahrheitet. Wir finden keine parlamentarischen Ausdrücke, um unsrer flammenden Entrüstung über diese neue Schandtat der Reaktion Ausdruck zu geben. Nicht genug damit, daß dieses Ministerium das Volk mit Steuern überlastet – nein, der deutsche Arbeiter soll nun auch noch, wie es unter dem Regime des Zaren üblich war, mit der Knute abgestraft werden. Die Reichstagsfraktion hat bereits schon jetzt zu verstehen gegeben, daß sie gegen diesen neuen Plan schärfsten Protest . . .

Zentrums-Leitartikel. . . . Jes. Sir. 12, 18. Diese bisher angeführten Bibelstellen scheinen allerdings dafür zu sprechen, und so wird man dem Plan des Ministeriums christliche Gesinnung nicht ganz absprechen können . . . um so mehr, als es den kirchlichen Interessen nicht in allen Punkten zuwiderlaufend ist.

‹*Kreuz-Zeitung*›. . . . immerhin nicht vergessen, daß auf dem Lande schon lange nach guter altpreußischer Art bei Ungehorsam und offener Widersetzlichkeit der Stock manches Gute getan hat. Wir vermögen nicht einzusehen, warum grade diese Strafe nun so besonders entehrend sein soll. Es ist selbstverständlich, daß ihre Anwendung auf solche Kreise beschränkt bleiben muß, die die Prügelstrafe gewissermaßen von Haus aus gewöhnt sind. Für eine Reinigung unsrer politisch verhetzten Atmosphäre . . .

‹*Münchner Neueste Nachrichten*›. . . . wir sagen müssen: der erste vernünftige Gedanke, der aus Berlin kommt.

5 Monate Pause

Volksversammlung. «Eine Schmach und eine Schande! Ich könnte es keinem der Geschlagenen verdenken, wenn sie nachher hingingen und ihren Quälern ihrerseits in die Fresse . . .» (Ungeheure Aufregung im Saal. Die Leute stehen auf, schreien, werfen die Hüte in die Luft und winken mit Taschentüchern. Es werden 34 Portemonnaies geklaut. Redner steht in einer Pfütze von Schweiß.)

Demokratischer Leitartikel. . . natürlich absolute Gegner der Prügelstrafe sind und bleiben. Es ist allerdings bei der gegenwärtigen Konstellation zu erwägen, ob diese in der großen Politik doch immerhin nebensächliche Frage für die Deutsche Demokratische Partei ein Anlaß sein kann, die unbedingte Unterstützung, die sie der gegenwärtigen Regierungskoalition zugesagt hat, abzublasen –

besonders wenn man bedenkt, daß ihr durch die Zusicherung der Straflosigkeit des Tragens von republikanischen Abzeichen doch ein ganz gewaltiges Vorstoßen des republikanischen Gedankens gelungen ist. Andrerseits . . .

Protestversammlung der Kommunisten. (Verboten)

Tagung des Reichsverbandes der mittleren Unterrichtsbeamten für die obere Leerlaufbahn der Vollgymnasien. «. . . οὖ παιδεύεται. Schon die alten Griechen, meine Herren . . .»

Telefonzelle im Reichstag. «. . . Halloo! Hallo, Saarbrücken? Allô, allô – Je cause, mais oui, mademoiselle – aber bitte! Ne coupez-pas! Ja, deutsch! Sind Sie da? Also . . . Zusatzantrag der Frau Gertrud Bäumer beraten, haben Sie? dem zufolge das Gesäß der Geprügelten vorher mit einem Lederschutz verhüllt – – hallo! Saarbrücken . . .!»

Telegramme an den Reichspräsidenten. . . . flammenden Protest! Nordwestdeutsche Arbeitsgemeinschaft höherer Volksschullehrer. . . . in zwölfter Stunde inständigst bitten. Reichsverband freidenkerischer Rohköstler . . . Ansehen Deutschlands im Auslande. Verein der linksgerichteten ziemlich entschiedenen Republikaner. . . . aber auch die nationalen Belange der deutschen Wirtschaft nicht zu vergessen! Verband der Rohrstock-Fabrikanten.

Überschrift eines demokratischen Leitartikels. «Jein –!»

Reichstagsbericht. Gestern wurde unter atemloser Spannung der Tribünen die 1. Lesung des neuen ‹Gesetzes zur Einführung der körperlichen Zwangserzüchtigung›, wie sein amtlicher Titel lautet, durchberaten. Das Haus war bei der vorhergehenden Beratung der Schleusen-Gebühr-Reform für den Bezirk Havelland-Ost sehr gut gefüllt, weil diese Vorlage von allen Parteien als ein Angelpunkt für die drohende Belastung der jetzigen Koalition angesehen wird; ihre Annahme wurde rechts mit Händeklatschen, links mit Zischen begrüßt. Bei der Lesung des Erzüchtigungsgesetzes leerte sich das Haus langsam, aber zusehends. Als erster sprach der Senior der deutschen Kriminalistik, Professor Dr. D. Dr. Dr. hon. Kahl. Er führte aus, daß die Wiedereinführung der Prügelstrafe ihn mit schwerer Besorgnis erfülle, er aber andrerseits eine gewisse Befriedigung nicht zu unterdrücken vermocht habe. Sein alter Kollege Kramer habe ihm schon im Jahre 1684 gesagt . . .

Der sozialdemokratische Abgeordnete Breitscheid verkündigte nach einer ausführlichen Ehrung des Abgeordneten Kahl in außerordentlich glänzender und ironischer Rede das klare Nein seiner Partei. (Siehe jedoch weiter unten: ‹Letzte Nachrichten›.) Unter dem Beifall der Linken bewies Abgeordneter Breitscheid . . .

Es sprach dann, nach entsprechenden Ausführungen des Kommunisten Rothahn, für die Demokraten der Abgeordnete Fischbeck. Seine Partei, so führte er aus, stehe dem Gesetz sympathisch gegenüber. Allerdings hätten wir ja alle schon einmal als Kinder die Hosen stramm gezogen bekommen. (Stürmische, minutenlang anhaltende Heiterkeit.)

Inserat.

> . . . von weitern Meldungen abzusehen, da die in Aussicht genommenen Stellen für Zuchtbeamte bereits heute achtundneunzigmal überzeichnet sind.
> I. A. Heindl, Ober-Regierungsrat

Sozialdemokratische Parteikorrespondenz. . . . Wasser auf die Mühle der Kommunisten. Der klassenbewußte Arbeiter ist eben so diszipliniert, daß er weiß, wann es Opfer zu bringen gilt. Hier ist eine solche Gelegenheit! Schweren Herzens hat sich der Parteivorstand dem Gebot der Stunde gebeugt. Es ist eben leichter, vom Schreibtisch her gute Ratschläge zu erteilen, als selber, in hartem realpolitischem Kampf, die Verantwortung . . .

Interview mit dem Reichskanzler. . . . dem Vertreter der ‹World› fast feierlich zugesagt, daß natürlich die Ausführungsbestimmungen der Humanität voll Genüge tun werden. Es wird, wie regierungsseitlicherseits bestimmt zugesagt werden kann, dafür gesorgt werden . . .

8 Monate Pause

Kleine Nachrichten. Gestern ist im Reichstag das Gesetz für die Einführung der körperlichen Erzüchtigung mit den Stimmen der drei Rechtsparteien gegen die Stimmen der Kommunisten angenommen worden. Sozialdemokraten und Demokraten enthielten sich der Abstimmung.

Demokratischer Nachrichtendienst. . . . Erwartungen, die sich an den Erlaß der Ausführungsbestimmungen knüpfen, leider nicht erfüllt. Es ist zu hoffen, daß die den Ländern gegebene Ermächtigung doch noch zu humanitären Verbesserungen . . . unbeugsame Forderung, als Reichserzüchtigungs-Kommissar wenigstens einen Demokraten zu ernennen.

W. T. B. Gestern ist in Celle die erste Prügelstrafe vollstreckt worden. Es handelte sich um einen Arbeiter, Ernst A., der der versuchten Tierquälerei an jungen Maikäfern bezichtigt war. Dem Verurteilten wurden 35 Hiebe verabfolgt. Das Züchtigungspersonal arbeitete einwandfrei; Oberpräsident Noske wohnte der Prozedur persönlich bei. A. ist Mitglied der KPD.

Pressekonferenz. . . . Zahl der Schläge war ursprünglich auf 80 angesetzt. Dem Verurteilten sind indessen auf Grund der Amnestie, die zum 90. Geburtstag des Reichspräsidenten ergangen ist, zwei Hiebe geschenkt worden. Der Verurteilte weinte nach der Exekution vor Rührung.

Pommerscher Frauenbrief. «. . . Dir nicht denken, wie wir gelacht haben! Es war zu reizend! Das Wetter war herrlich, und wir fuhren im Wagen vier Stunden nach Messenthien, wo wir alle kräftig zu Mittag aßen. Otto war auch da – er ist jetzt Oberzuchtmeister geworden und sieht in seiner neuen Uniform famos aus. Ich bin direkt stolz auf ihn, und der Dienst bekommt ihm auch sehr gut. Wir haben gleich eine Fotografie von ihm gemacht, die ich Dir beiliegend . . .»

‹*Ärztliche Mitteilungen*›. . . . geradezu auffallende Steigerung der unter das Erzüchtigungsgesetz fallenden, meist politischen Delikte, wie Sinzheimer mitteilt, eine eigenartige Aufklärung gefunden. Ein Teil dieser Verurteilten wälzte sich nach Empfangnahme der Prügel verzückt am Boden, schrie: «Weiter! Mehr! Noch!» und konnte nur mit Mühe daran gehindert werden, Stock, Peitschen und Züchtigungsbeamte zu umarmen. Es handelt sich um notorische Masochisten, die auf diese Weise billig ihrer Libido gefrönt haben und denen nun wahrscheinlich der Prozeß wegen rechtswidriger Aneignung von Vermögensvorteilen gemacht werden wird.

8. März 1956. «. . . auf die arbeitsreiche Zeit von 25 Jahren zurückblicken. Wenn das Reichserzüchtigungsamt bis heute nur Erfolge gehabt hat, so dankt es das in erster Linie seinem treuen Stab der im Dienst der erhauten Beamten, der vollen Unterstützung aller Reichsbehörden sowie dem Reichsverband der Reichserzüchti-

gungsbeamten. Die bewährte Strafe ist heute nicht mehr wegzu-
denken. Sie ist eine politische Realität; ihre Einführung beruhte auf
dem freien Willen des ganzen deutschen Volkes, dessen Vollstrecker
wir sind. Das Gegebene, meine Herren, ist immer vernünftig, und
niederreißen ist leichter als aufbauen. In hoc signo vinces! So daß
wir also heute voller Stolz ausrufen können:

Das deutsche Volk und seine Prügelstrafe – sie sind untrennbar
und ohne einander nicht zu denken!

Das walte Gott!»

(1927)

Die Unpolitische

«Ist Frau Zinschmann zu Hause –?» fragte der Mann, der geklingelt
hatte. Das kleine, runde Kind stand da und steckte die Faust in den
Mund. «Aaaoobah –»

«Hier hängt se. Wat jibbs 'n –?» sagt die Frau des Hauses. Der
Mann an der Tür machte eine Art Verbeugung. «Komm Se man
rin», sagte die Frau. «Es is woll weejn den Jas. Ja, bester Herr . . .!»

«Es ist nicht des Gases wegen», sagte der Mann und ließ das
Hochdeutsch auf der Zunge zergehen. «Ich komme vom Kriegerverein aus – von Vereins wegen, sozusagen. Sie wissen ja, Frau
Zinschmann, der Kriegerverein, dem Ihr Mann angehört. Ja. Es ist
wegen . . . Wir haben beschlossen, daß wir eine Umfrage machen,
wie die Frauen unsrer alten Kameraden über die Lage denken . . .
Und auch etwaige Beschwerden zu sammeln. In betreffs der politischen Lage. So ist das.»

«Ja, also was diß anjeht», sagte Frau Zinschmann und jagte die
Katze von der Kommode, «mit Politik befaß ick mir ja nun jahnich.
In keine Weise. So leid es mir tut. Nehm Se Platz.»

«Unrecht von Ihnen, sehr unrecht von Ihnen, liebste Frau Zinschmann. Die Politik greift auch in das Leben der Frau tief hinein.»

«Entschuldjn Se man, det ick Ihnen unterbrechen due – aber wat
hier so anjebrannt riecht, det is man bloß die Milch. Es is Mager-
milch, aba stinken dut se . . .! Aber wat wollten Sie sahrn –?»

«Ich meinte: sie greift hinein. Und seit unser ehrwürdiger Präsident Hindenburg an der Spitze dieses Staatswesens steht, ists besser
um uns bestellt.»

«Na ja», sagte Frau Zinschmann. «Er ist ja auch man erscht kurze Zeit da. Der ewije Wechsel – det is ja ooch nischt. Wissen Se, da, wo ick frieha reinejemacht habe, bei Hackekleins, Drekta Hackeklein, Se wern valleicht von den Mann jeheert ham – da hatten se'n Meechen, mit der wahn se ja nu jahnich zerfriedn. Erst jingt ja: Emma hinten und Emma vorn, aber denn waht doch nischt. Nu ham se doch die Lina jemiet, die, die de da bei Rejierungsrats jedient hatte. Fufzehn Jahr wah se da – keen Mensch im Hause hätte jedacht, det se da ma wechmachen täte. Denn hatte der Olle Pech, er fiel de Treppe runta und wurde pensioniert, da jing se, Knall und Fall jing se bei Hackekleins. Se saachte: wen se bekochte, sacht se, det wär se janz eejal. Ja, det is nu die Neie. Aber wissen Se: besser kochn dut se ooch nich.»

«Gewiß sind diese Hausangestellten in ihren Dienstobliegenheiten oft nicht recht zufriedenstellend», sagte der Mann. «Wenngleich . . . immerhin ist ein Mensch wie unser Außenminister Stresemann . . .»

«Otto!» schrie Frau Zinschmann durch das offene Fenster. «Wißte runta von de Schaukel! Der Limmel sitzt den janzen Tach nischt wie uff de Schaukel!» Und, zum Gast gewendet: «Un dabei kann er nich mal richtich schaukeln –! Aba ick habe Ihn untabrochn!»

«Ich wollte sagen: die Richtlinien unsrer äußern Politik passen sich nur schwer den wirtschaftlichen Belangen an. Der Feindbund . . . Aber da haben wir ja unsre herrliche Reichswehr mit einem doch recht tatkräftigen Minister und einem Manne, der ihm zur Seite steht . . .»

Zwei brüllende Kinder brachen in das Zimmer ein. «Mutta! Mutta!» schrie der größere Junge. «Orje haut ma imma! Er sacht, ick soll mir in Mülleima setzen und die Wacht am Rhein blasn! Wir spieln Soldatn. Ick will aba nich in Mülleima sitzn, Mutta!» – «Woso laßt du dirn det jefalln, du oller Dösknochen! Oller Schlappschwanz – do!» Der Junge zog ein kräftiges Licht hoch und sagte: «Wo er doch mein Vorjesetzta is –»

«Entschuldjen Se man», sagte Frau Zinschmann und warf die Jören wieder heraus. «Son langer Lulatsch und noch so dammlich. Herrjott –! Wie meintn Se soehmt?»

«Ja, sehen Sie, Frau Zinschmann, es ist ja vieles faul in dieser – ehimm – Republik. Aber, Gott sei Dank, unser altes preußisches Richtertum, das hält doch noch stand. Das hält stand.»

«Ach, hörn Se mal», sagte Frau Zinschmann, «wo Se nu doch vom Vaein sind – könn Se ma da valleicht 'n Rat jehm . . .? Also – da is doch det Frollein Hauschke, die von dritten Stock, newa –? Wissen Se, wat die is? Wo wir hier alleene sind, kann icks Ihnen ja sahrn: also eine janz jeweehnliche, also det is eene, die, wissen Se, wenn da eena kommt und – also so eene is det. Und nu, seit eine ßwei, drei Jahre . . . da tut sie so fein und tritt uff int Haus und hat sich feine Pelze anjeschafft, ick weeß nich, wovon. Na, neilich, wie se hir langjemacht kam, da haak se nachjerufn: Ham Se sich man nich so, Sie olle Vohrelscheuche! Ohm 'n Pelz und 'n Ding uffn Kopp – aber unten die alten Beene kucken doch raus! Sahrn Sie mal: is det strafbar –? Newa, det is doch nich strafbar? Wa? Na, wollt 'ck meen . . .!»

«Ihr Mann hat doch gar keine Verbindung mehr mit den Sozialdemokraten?» nahm der Vereinsabgesandte das Gespräch wieder auf. «Diese verdammten Roten . . .»

«Na allemal. Nee – Hujo jeht da nich mehr hin, er saacht, et lohnt nich. Neilich, in die kleene Kneipe, wo se imma ham ihrn Zahlahmt, da ham se zwei mächtig vahaun – det wahrn sonst anständche Jeste. Un vatobackt ham sie die! A richtich! 'n nächsten Morjen ham se noch uff'n Hof jelejn. Der Wirt wollt se nich so uff de Straße raustrahrn – bei den Hundewetter . . . Det is 'n Jemiet, is der Mann. Ja, un wissen Se: 'n nächsten Morjn – da ham die beedn doch von jahnisch jewußt! I! die kam ausn Mustopp. So war det.»

«Ja», sagte der Mann und trocknete sich mit einem Taschentuch die Stirn. «Die sozialdemokratische Bewegung – das is so eine Sache. Nur gut, daß wir den ehernen Wall der Gutsbesitzer haben! Das Land, Frau Zinschmann! Die preußische, die deutsche Erde –!»

«Entschuldjn Se 'n kleen Momang!» sagte Frau Zinschmann. «Ick heer die Katze wirjn; det Aas hat sich wieda ibafressn. Wissen Se: die frißt, bis se platzt – un denn schreit se vor Hunger! Wißtu! Husch, husch! Pusch! Wat sagten Sie doch jleich –?»

«Ja, ich meine: wir wollen zusammenhalten, bis wieder einst bessere Zeiten herankommen, herrliche Zeiten, Frau Zinschmann! Frontgeist wirds schaffen!»

«Na jewiß doch. Na allemal. Da draußen nach den Rummel missn Se jahnich nach hinheern – des sind Meßackers ihre, ne dolle Bande! Siehm Jungs. Aber ick kenn se: jroße Schnauze un nischt dahinter.»

«Nun, Gott befohlen, Frau Zinschmann! Eine schwarz-weiß-rote Fahne haben Sie doch im Hause?» fragte der Mann, der schon auf der Treppe stand.

«Ja, Huro hat eene», sagte Frau Zinschmann. «Sehn Se sich da draußen vor – de Jeländer is frisch jestrichn, un die alte Farbe kommt imma wida durch. Die neue doocht nischt – et müßte mal ibajestrichn wern! Und nischt fir unjut, Herr Sekatär, nischt für unjut –! Denn sehn Se mal, also mit Polletik – da befasse ick mir nu jahnich –!»

(1925)

Wo kommen die Löcher im Käse her –?

Das Werk zwingt schon durch die Gelehr-samkeit, die in ihm verkocht erscheint, Bewunderung ab, besonders einem Leser wie mir, dessen Bildung an Emmentaler Käse erinnert, indem sie wie dieser größ-tenteils aus Lücken besteht. Alfred Polgar

Wenn abends wirklich einmal Gesellschaft ist, bekommen die Kinder vorher zu essen. Kinder brauchen nicht alles zu hören, was Erwachsene sprechen, und es schickt sich auch nicht, und billiger ist es auch. Es gibt belegte Brote; Mama nascht ein bißchen mit, Papa ist noch nicht da.

«Mama, Sonja hat gesagt, sie kann schon rauchen – sie kann doch noch gar nicht rauchen!» – «Du sollst bei Tisch nicht reden.» – «Mama, guck mal die Löcher in dem Käse!» – Zwei Kinderstimmen, gleichzeitig: «Tobby ist aber dumm! Im Käse sind doch immer Löcher!» Eine weinerliche Jungenstimme: *«Na ja – aber warum? Mama! Wo kommen die Löcher im Käse her?»* – «Du sollst bei Tisch nicht reden!» – «Ich möcht aber doch wissen, wo die Löcher im Käse herkommen!» – Pause. Mama: «Die Löcher . . . also ein Käse hat immer Löcher, da haben die Mädchen ganz recht! . . . ein Käse hat eben immer Löcher.» – «Mama! Aber dieser Käse hat doch keine Löcher! Warum hat der keine Löcher? Warum hat der Löcher?» – «Jetzt schweig und iß. Ich hab dir schon hundertmal gesagt, du sollst bei Tisch nicht reden! Iß!» – «Bwww –! Ich möcht aber wissen, wo die Löcher im Käse . . . aua, schubs doch nicht immer . . .!» Geschrei. Eintritt Papa.

«Was ist denn hier los? Gun Ahmt!» – «Ach, der Junge ist wieder ungezogen!» – «Ich bin gah nich ungezogen! Ich will nur wissen, wo die Löcher im Käse herkommen. Der Käse da hat Löcher, und der hat keine –!» Papa: «Na, deswegen brauchst du doch nicht so zu brüllen! Mama wird dir das erklären!» – Mama: «Jetzt gib du dem Jungen noch recht! Bei Tisch hat er zu essen und nicht zu reden!» – Papa: «Wenn ein Kind was fragt, kann man ihm das schließlich erklären! Finde ich.» – Mama: «Toujours en présence des enfants! Wenn ich es für richtig finde, ihm das zu erklären, werde ich ihm das schon erklären. Nu iß!» – «Papa, wo doch aber die Löcher im Käse herkommen, möcht ich doch aber wissen!» – Papa: «Also, die Löcher im Käse, das ist bei der Fabrikation; Käse macht man aus Butter und aus Milch, da wird er gegoren, und da wird er feucht; in der Schweiz machen sie das sehr schön – wenn du groß bist, darfst du auch mal mit in die Schweiz, da sind so hohe Berge, da liegt ewiger Schnee darauf – das ist schön, was?» – «Ja. Aber Papa, wo kommen denn die Löcher im Käse her?» – «Ich habs dir doch eben erklärt: die kommen, wenn man ihn herstellt, wenn man ihn macht.» – «Ja, aber . . . wie kommen denn die da rein, die Löcher?» – «Junge, jetzt löcher mich nicht mit deinen Löchern und geh zu Bett! Marsch! Es ist spät!» – «Nein! Papa! Noch nicht! Erklär mir doch erst, wie die Löcher im Käse . . .» Bumm. Katzenkopf. Ungeheuerliches Gebrüll. Klingel.

Onkel Adolf. «Guten Abend! Guten Abend, Margot – 'n Ahmt – na, wie gehts? Was machen die Kinder? Tobby, was schreist du denn so?» – «Ich will wissen . . .» – «Sei still . . .!» – «Er will wissen . . .» – «Also jetzt bring den Jungen ins Bett und laß mich mit den Dummheiten in Ruhe! Komm, Adolf, wir gehen solange ins Herrenzimmer; hier wird gedeckt!» – Onkel Adolf: «Gute Nacht! Gute Nacht! Alter Schreihals! Nu hör doch bloß mal . . .! Was hat er denn?» – «Margot wird mit ihm nicht fertig – er will wissen, wo die Löcher im Käse herkommen, und sie hats ihm nicht erklärt.» – «Hast dus ihm denn erklärt?» – «Natürlich hab ichs ihm erklärt.» – «Danke, ich rauch jetzt nicht – sage mal, weißt *du* denn, wo die Löcher herkommen?» – «Na, das ist aber eine komische Frage! Natürlich weiß ich, wo die Löcher im Käse herkommen! Die entstehen bei der Fabrikation durch die Feuchtigkeit . . . das ist doch ganz einfach!» – «Na, mein Lieber . . . da hast du dem Jungen aber ein schönes Zeugs erklärt! Das ist doch überhaupt keine Erklärung!» – «Na, nimm mirs nicht übel – du bist aber komisch! Kannst du mir denn erklären, wo die Löcher im Käse herkommen?» – «Gott sei Dank kann ich das.» – «Also bitte.»

«Also, die Löcher im Käse entstehen durch das sogenannte Kaseïn, was in dem Käse drin ist.» – «Das ist doch Quatsch.» – «Das ist kein Quatsch.» – «Das ist wohl Quatsch; denn mit dem Kaseïn hat das überhaupt nichts zu . . . gun Ahmt, Martha, gun Ahmt, Oskar . . . bitte, nehmt Platz. Wie gehts? . . . überhaupt nichts zu tun!»

«Was streitet ihr euch denn da rum?» – Papa: «Nu bitt ich dich um alles in der Welt; Oskar! du hast doch studiert und bist Rechtsanwalt: haben die Löcher im Käse irgend etwas mit Kaseïn zu tun?» – Oskar: «Nein. Die Käse im Löcher . . . ich wollte sagen: die Löcher im Käse rühren daher . . . also die kommen daher, daß sich der Käse durch die Wärme bei der Gärung zu schnell ausdehnt!» Hohngelächter der plötzlich verbündeten reisigen Helden Papa und Onkel Adolf. «Haha! Hahaha! Na, das ist eine ulkige Erklärung! Der Käse dehnt sich aus! Hast du das gehört? Haha . . .!»

Eintritt Onkel Siegismund, Tante Jenny, Dr. Guggenheimer und Direktor Flackeland. Großes «Guten Abend! Guten Abend! – . . . gehts . . .? unterhalten uns gerade . . . sogar riesig komisch . . . ausgerechnet Löcher im Käse . . .! es wird gleich gegessen . . . also bitte, dann erkläre du –!»

Onkel Siegismund: «Also – die Löcher im Käse kommen daher, daß sich der Käse bei der Gärung vor Kälte zusammenzieht!» Anschwellendes Rhabarber, Rumor, dann großer Ausbruch mit voll besetztem Orchester: «Haha! Vor Kälte! Hast du schon mal kalten Käse gegessen? Gut, daß Sie keinen Käse machen, Herr Apolant! Vor Kälte! Hähä!» – Onkel Siegismund beleidigt ab in die Ecke.

Dr. Guggenheimer: «Bevor man diese Frage entscheiden kann, müssen Sie mir erst mal sagen, um welchen Käse es sich überhaupt handelt. Das kommt nämlich auf den Käse an!» Mama: «Um Emmentaler! Wir haben ihn gestern gekauft . . . Martha, ich kauf jetzt immer bei Danzel, mit Mischewski bin ich nicht mehr so zufrieden, er hat uns neulich Rosinen nach oben geschickt, die waren ganz . . .» Dr. Guggenheimer: «Also, wenn es Emmentaler war, dann ist die Sache ganz einfach. Emmentaler hat Löcher, weil er ein Hartkäse ist. Alle Hartkäse haben Löcher.»

Direktor Flackeland: «Meine Herren, da muß wohl wieder mal

ein Mann des praktischen Lebens kommen . . . die Herren sind ja
größtenteils Akademiker . . .» (Niemand widerspricht.) «Also, die
Löcher im Käse sind Zerfallsprodukte beim Gärungsprozeß. Ja.
Der . . . der Käse zerfällt, eben . . . weil der Käse . . .» Alle Daumen
sind nach unten gerichtet, das Volk steht auf, der Sturm bricht los.
«Pö! Das weiß ich auch! Mit chemischen Formeln ist die Sache nicht
gemacht!» Eine hohe Stimme: «Habt ihr denn kein Lexikon –?»

Sturm auf die Bibliothek. Heyse, Schiller, Goethe, Bölsche,
Thomas Mann, ein altes Poesiealbum – wo ist denn . . . richtig!

GROBKALK BIS KERBTIERE

Kanzel, Kapital, Kapitalertragssteuer, Karbatsche, Kartätsche,
Karwoche, *Käse* –! «Laß mich mal! Geh mal weg! Pardon! Also:

‹Die blasige Beschaffenheit mancher Käsesorten rührt her von
einer Kohlensäureentwicklung aus dem Zucker der eingeschlosse-
nen Molke.›» Alle, unisono: «Hast es. Was hab ich gesagt?» . . . «‹ein-
geschlossenen Molke und ist . . .› wo geht denn das weiter? Margot,
hast du hier eine Seite aus dem Lexikon rausgeschnitten? Na, das ist
doch unerhört – wer war hier am Bücherschrank? Sind die Kinder . . .? Warum schließt du denn den Bücherschrank nicht ab?» –
«Warum schließt du den Bücherschrank nicht ab ist gut – hundertmal hab ich dir gesagt, schließ du ihn ab –» – «Nu laßt doch mal: also
wie war das? Ihre Erklärung war falsch. Meine Erklärung war
richtig.» – «Sie haben gesagt, der Käse kühlt sich ab!» – «*Sie* haben
gesagt, der Käse kühlt sich ab – ich hab gesagt, daß sich der Käse
erhitzt!» – «Na also, dann haben Sie doch nichts von der kohlensau-
ren Zuckermolke gesagt, wie da drinsteht!» – «Was du gesagt hast,
war überhaupt Blödsinn!» – «Was verstehst du von Käse? Du kannst
ja nicht mal Bolles Ziegenkäse von einem alten Holländer unterscheiden!» – «Ich hab vielleicht mehr alten Holländer in meinem
Leben gegessen wie du!» – «Spuck nicht, wenn du mit mir sprichst!»
Nun reden alle mit einemmal.

Man hört:

– «Betrag dich gefälligst anständig, wenn du bei mir zu Gast
bist . . .!» – «saurige Beschaffenheit der Muckerzolke . . .» – «mir
überhaupt keine Vorschriften zu machen!» . . . «Bei Schweizer Käse
– ja! Bei Emmentaler Käse – nein . . .!» – «Du bist hier nicht bei dir
zu Hause! hier sind anständige Leute . . .» – «Wo denn –?» – «Das
nimmst du zurück! Das nimmst du sofort zurück! Ich lasse nicht in
meinem Hause meine Gäste beleidigen – ich lasse in meinem Hause

meine Gäste nicht beleidigen! Du gehst mir sofort aus dem Haus!» – «Ich bin froh, wenn ich raus bin – deinen Fraß brauche ich nicht!» – «Du betrittst mir nicht mehr meine Schwelle!» – «Meine Herren, aber das ist doch . . .!» – «Sie halten überhaupt den Mund – Sie gehören nicht zur Familie . . .!» – «Na, das *hab* ich noch nicht gefrühstückt!» – «Ich als Kaufmann . . .!» – «Nu hören Sie doch mal zu: Wir hatten im Kriege einen Käse –» – «Das war keine Versöhnung! Es ist mir ganz egal, und wenn du platzt: Ihr habt uns betrogen, und wenn ich mal sterbe, betrittst du nicht mein Haus!» – «Erbschleicher!» – «Hast du das –!» – «Und ich sag es ganz laut, damit es alle hören: Erbschleicher! So! Und nun geh hin und verklag mich!» – «Lümmel! Ein ganz fauler Lümmel, kein Wunder bei dem Vater!» – «Und deine? Wer ist denn deine? Wo hast du denn deine Frau her?» – «Raus! Lümmel!» – «Wo ist mein Hut? In so einem Hause muß man ja auf seine Sachen aufpassen!» – «Das wird noch ein juristisches Nachspiel haben! Lümmel . . .!» » «Sie mir auch –!»

In der Türöffnung erscheint Emma, aus Gumbinnen, und spricht: «Jnädje Frau, es ist anjerichtet –!»

4 Privatbeleidigungsklagen. 2 umgestoßene Testamente. 1 aufgelöster Soziusvertrag. 3 gekündigte Hypotheken. 3 Klagen um bewegliche Vermögensobjekte: ein gemeinsames Theaterabonnement, einen Schaukelstuhl, ein elektrisch heizbares Bidet. 1 Räumungsklage des Wirts.

Auf dem Schauplatz bleiben zurück ein trauriger Emmentaler und ein kleiner Junge, der die dicken Arme zum Himmel hebt und, den Kosmos anklagend, weithinhallend ruft:

«Mama! Wo kommen die Löcher im Käse her –?»

(1928)

Kreuzworträtsel mit Gewalt

Der Arzt versank in meinem Bauch. Dann richtete er sich hochaufatmend wieder auf. «Es sind die Nerven, Herr Panter», sagte er. «An den Organen ist nichts. Ruhe – Ausspannen – Massage – Rohkost – Gemüse – Gymnastik – kohlensaure Bäder . . . passen Sie auf: wir kriegen Sie schon wieder hoch. Schwester –!»

Da saß ich in dem Klapskasten, und nun war es zu spät. Man soll nie auf das hören, was einem die guten Freunde raten. Das konnte heiter werden.

Es wurde *sehr* heiter. Ich absolvierte täglich ein längeres Zirkusprogramm, von morgens um sieben bis mittags um halb eins. Der Turnlehrer; die Wiegeschwester; der Bademeister; der Masseur; der Assistenzarzt; die Zimmerschwester ... sie alle waren emsig um mich bemüht. Ich kam mir recht krank vor, und wenn ich mir krank vorkam, dann schnauzten sie mich an, was mir wohl einfiele – es ging mir schon viel, viel besser. Was war da zu machen?

Was war vor allem an den langen Nachmittagen zu machen, die etwa acht- bis neunmal so lang waren wie die reichlich gefüllten Vormittage?

Lesen.

Das Salatorium – man sollte niemals: Sanatorium schreiben – das Salatorium hatte eine Bibliothek. Die ersten acht Tage ging das ganz gut, denn sie hatten da die ‹Allgemeine Bibliothek der Unterhaltung und des Wissens›, eine Art Familienzeitschrift aus den neunziger Jahren – und so beruhigend! Darin war von der neuen, schreckeinflößenden Erfindung des Telefons die Rede; von einem Wagen, der sich vermittels einer Maschine allein bewegen könnte, einem sogenannten ‹Automobil›; vorn war ein Roman mit Bildern: «Agathe liebkoste die entblätterte Rose und ließ sich auch durch das Zureden des Assessors von Waldern nicht trösten ... Seite 95», dann gab es eine Kriminalnovelle mit abscheulich schlechtgekleideten Missetätern, aber bei Wallace waren die Polizeikommissare von Scotland Yard bedeutend schurkiger – und zum Schluß die ‹Miszellen›, eine bezaubernde Mischung von allerlei Wissenswertem, Kochrezepten, Anekdoten ohne Pointe und überhaupt von gesegnetem Stumpfsinn. Dies beschäftigte mich acht Tage lang. Dann war es aus. Der Rest der Bibliothek bestand aus feinerer Literatur; ich schreibe mir meinen kleinen Bedarf lieber selber. Was nun –?

Eines Tages sah ich beim Bademeister auf dem Fensterbrett der Badekabine eine Rätselzeitschrift liegen. Ich hatte nie gewußt, daß es so etwas gäbe. Aber das gabs. Darin waren Silbenrätsel enthalten und andre schöne Zeitvertreibe. «Darf ich vielleicht ... könnten Sie mir das wohl mal leihen ...?» fragte ich. Er lieh. Ich hatte kaum mein Müsli und den Salat und die halbe Pflaume gegessen, als ich auf mein Zimmer eilte, den Bleistift spitzte und löste.

Ich verfüge über eine sehr lückenhafte Bildung. Ich weiß nicht, wo Karakorum liegt; ich weiß nicht, was eine ‹Ephenide› ist; ich verwechsle immer ‹Phänomenologie› mit ‹Pharmazeutik›, und es ist überhaupt ein Jammer. Aber ich begann zu lösen.

Anfangs ging das ganz gut. Alles, was ich auf Anhieb wußte, schrieb ich in die kleinen Quadrate, und wenn ich nicht weiter konnte, ließ ich das angebissene Rätsel liegen und machte mich an das nächste. So hatte ich viele vergnügte Nachmittage. Der Bademeister brachte mir, trinkgeldlüstern, noch weitere achtzehn Rätselzeitschriften, aber tückischerweise hatten sie keinen Zusammenhang untereinander, denn es fehlten immer grade die Nummern, in denen die Lösungen jener enthalten waren, an denen ich grade knabberte . . . also mußte ich versuchen, allein damit fertig zu werden, und ich war ganz auf mich selber angewiesen. Ich habe das nicht gerne – wer auf mich gebaut hat, hat noch stets auf Sand gebaut. Aber ich löste.

Als ich die Zeitschriften vollgemalt hatte, hatte ich fünf Kreuzworträtsel zu Ende gelöst. Alle andern – und es waren deren eine Menge – wiesen bedrohliche Flecke auf. Was nun?

Nun zerbiß ich meinen Bleistift; dann den Federhalter des Salatoriums; dann meine Pfeife. Und ich war kribblig . . .

Sie kennen den sogenannten ‹Lahmann-Koller›? Mit dem ist es so:

Wenn die Patienten eine Weile lang sanftes Gras gefressen haben, dann werden sie furchtbar böse. Sie sind wütend, von morgens um sieben bis abends um acht; und besonders gegen den späten Nachmittag hin, wenn schon der Gedanke an Blumenkohl sie rasend macht, und der an ein gutes Filetsteak nicht minder –: dann beginnen sie, heimlich zu rasen. Laut trauen sie sich nicht.

Ich traute mich auch nicht laut. Aber ich tobte mit den Kreuzworträtseln umher, und ich wollte mich nicht unterkriegen lassen, und ich beschloß, ein Ende zu machen. So oder so . . . so ging es nicht mehr weiter.

«Berggipfel in den Seealpen.» Nun bitte ich Sie in aller Welt! Seealpen – wissen Sie, wo die Seealpen liegen? Ich weiß das nicht. Ich habe damals, als wir das durchgenommen haben, gefehlt, oder ich habe grade unter der Bank ‹Götz Krafft› gelesen oder ‹Jena oder Sedan› . . . Seealpen! Drumherum die Reihen hatte ich; mir fehlten aber die Buchstaben, die man aus andern Reihen nicht erraten konnte. Da brach ich die Kreuzworträtsel übers Knie.

‹KIKAM› setzte ich. Berggipfel in den Seealpen: ‹KIKAM›. Ich fand das sehr schön. Und dies ergötzte mich so, daß ich an einem Nachmittag zweiundzwanzig Kreuzworträtsel löste. Mit Gewalt. Wer nicht hören will, muß fühlen. Ich habe wundervolle Resultate erzielt.

‹LEBSCH›: eine Hauptstadt in Europa. Man erzähle mir nichts – warum soll unter den vielen, vielen europäischen Hauptstädten nicht eine dabei sein, die ‹LEBSCH› heißt? ‹MOREL›: ein bekannter Südwein. ‹NEPZUS›: ein Planet. (Nein, nicht Neptun – dann geht es nicht auf.) Kaufmännischer Begriff: PLEISE. Ein Getränk der Araber: LORKE. Ein Raubtier: der ‹MOGELVOGEL›; doch, das ist herausgekommen, das Wort, ihr sollt es lassen stahn. Bekannter Gruß: HUMMEL. (Was ja für Hamburg stimmt.) Und es tauchten geradezu abenteuerliche Wörter auf: MIPPEL und FLUNZ und BAKIKEKE. So erbaute ich mir eine neue Welt.

Ich erzählte niemand davon. Aber ich erlernte für mich privat eine neue Sprache: die Kreuzworträtsel-Sprache. Hätte ich es einem gesagt: sie hätten mich nie wieder aus dem Klapskasten hinausgelassen, und ich säße heute noch drin. Aber die Wörter in meinem Herzen bewegend sprach ich den ganzen Tag kreuzisch und fragte mich Vokabeln ab und konnte es schon ganz schön.

«Nun, wie fühlen Sie sich denn jetzt –?» fragte der Onkel Oberdoktor in seiner, sagen wir, gütigen Art. Ich antwortete nicht gleich. Unhörbar übte ich Vokabeln:

Auf des Doktors Schreibtitzl summte eine Failge; die Sumis schien durch das Fenster, und der Himmel war plott. Ich dachte emsig nach, wie doch der Körperteil heißt, an dem ich so gut abgenommen hatte . . .

«Wie Sie sich fühlen –?» wiederholte der Onkel Doktor, mildgereizt. «Danke . . . viel besser . . .» stotterte ich. Wie hieß der Körperteil? – «Viel besser . . . ja . . .» – «Aber manchmal etwas zerstreut . . .? Noch etwas nervös?» fragte er und sah mich forschend an. «Aber gar nicht, Herr Doktor», sagte ich. «Gar nicht. Ich fühle mich so frisch! Wirklich: famos! Sie haben mir sehr geholfen, sehr!» – «Na, das freut mich», sagte er. «Sehen Sie, ich habe es Ihnen ja gleich gesagt!» Und er gab mir zum Abschied gute Ratschläge, darunter leider nicht den, die Rechnung nicht zu bezahlen.

Und erst als ich wieder draußen vor dem Tor des Salatoriums

stand, da fiel es mir ein. Ich wollte noch einmal zurück, um es dem Doktor mitzuteilen . . . Ich tat es nicht.

MARS hieß der Körperteil.

(1930)

Der kranke Zeisig

Für Grete Wels

Wartezimmer bei Professor Latschko, *dem großen Endokrenologen für externe Internie. Zeisig – der bekannte* Herr Zeisig, *der Sohn des Kaplans Zeisig – sitzt auf einem Stühlchen und hat gelesen: ‹Bade-Anzeiger› des Kurorts Bad Stargard; Verzeichnis der Heilbäder der Uckermark; Verzeichnis der Fußbäder im Oberen Lötschtal; ‹Velhagen und Klasings Monatshefte›, März 1919.* Herr Zeisig *will gerade lesen: ‹Velhagen und Klasings Monatshefte›, April 1897, da öffnet sich die Tür des Sprechzimmers, und eine volle Dame, die so krank ist, daß sie vor Stolz keinen ansieht, geht, für etwa 45 Mark geheilt, heraus. Die Tür schließt sich. Pause. Eine Schwester erscheint. Sie trägt eine sterilisierte Tracht und gleitet sanft dahin; sie sieht aus wie ein Geheimrat im Finanzministerium auf Rollen.* Bitte! *sagt sie.* Zeisign *ist auf einmal sehr gesund ums Herz. Er will da nicht hinein. Er muß. Er tritt also ins Konsultationszimmer des Herrn* Professor Latschko. *Gediegene Innen-einrichtung. Alles atmet den Geist hoher Wissenschaft und strenger Honorare. Zeisig seinerseits wagt kaum zu atmen. Denn der* Professor *sitzt an seinem Schreibtisch und schreibt emsig sowie auch würdevoll. Er ist ein älterer, straffer Mann, bartlos, nur seine Seele trägt eine Brille; männliche Energie und etwas Sacharin-Lyrik, erworben im Verkehr mit gut zahlenden Patientinnen, haben sich hier gepaart.*

Der Zeisig *räuspert sich, sehr vorsichtig.*

Der Professor *schreibt.*

Der Zeisig *wartet sich eins.*

Der Professor *blickt auf:* Nun . . . was führt Sie hierher?

Auf diese Frage war der Zeisig *nicht vorbereitet. Er hatte gedacht, die Konsultation würde mit einem kleinen Schwätzchen beginnen. Wo nun anfangen!:* Ich . . . iche . . . mein Name ist Zeisig.

Der Professor *drückt durch seine Stummheit aus:* Wir haben schon ganz andere Krankheiten geheilt!

143

Der Zeisig: Herr Professor... Ich habe... ich bin... das heißt also: es sind mehr so allgemeine Beschwerden. Meine Arbeitskraft ist herabgesetzt; es ist so eine allgemeine Müdigkeit, vielleicht auch die Leber... manchmal habe ich Herzstiche, und dann tun mir die Füße weh. Es muß also wohl die Blase sein. Wir hatten in meiner Familie einen Fall, wo meine Tante Elfriede an chronischer Schwangerschaft...

Der Professor: Was sind Sie?

Der Zeisig: Vasomotoriker.

Der Professor *sanft wie ein Irrenarzt, bevor er «Dauerbad!» sagt:* Von Beruf!

Der Zeisig: Nähmaschinen-Grossist.

Der Professor: Nun mal weiter.

Der Zeisig: Also es ist sicherlich die Blase. Wenn ich lache, dann tut es mir weh, und wenn ich morgens aufwache, muß ich immer an Zuckerhüte denken. Es ist wie eine Zwangsvorstellung – immer Zuckerhüte. Auch mit der Verdauung ist das nicht mehr so wie früher ... es macht mir nicht mehr solchen Spaß. Deshalb bin ich zu Ihnen gekommen. Ich komme auf Empfehlung meines Hausarztes, des Herrn Doktor Bullett.

Der Professor, *ein General, hat den Namen dieses Landsknechts der Wissenschaft nicht gehört, er will ihn nicht gehört haben. Merkwürdig, was für Leute den Arztberuf ausüben dürfen ...!* So. Wie ist es denn mit den Augen? Sehen Sie gut?

Der Zeisig, *der stolz darauf ist, daß er Schiffe am Horizont in Westerland eher sehen kann als alle andern:* Gottseidank. Sehr gut.

Der Professor: Das Gehör?

Der Zeisig: Ausgezeichnet.

Der Professor: Waren Sie mal geschlechtskrank?

Der Zeisig: Fast gar nicht.

Der Professor: Rauchen Sie?

Der Zeisig: Ja. Aber nur orthopädischen Tabak.

Der Professor: Alkohol?

Der Zeisig: Nur Wein, Bier und etwas Likör.

Der Professor: Ihre politische Zugehörigkeit?

Der Zeisig: Deutsche Staatspartei.

Der Professor *ist beruhigt. Linksleute behandelt er nicht, wegen fein.* Sie rauchen also? Welche Sorte? Das ist wichtig.

Der Zeisig: Ich rauche Brasilzigarren und türkische Zigaretten ... hauptsächlich.

Der Professor *ist froh, daß der Mann überhaupt raucht. Er blickt hier und da auf eine verborgene Aschenschale, in der sich eine Zigarre allein raucht:* Jedenfalls rauchen Sie nicht zu viel! Ihr Haarschnitt?

Der Zeisig: ? – ?

Der Professor: Hinten zu kurz. Diese Mode befördert die Erkältungen. Ihre Rasierseife?

Der Zeisig: Eine Eau-de-Cologne-Seife.

Der Professor, *immer noch wie eine Statue, aus Schmalz gehauen:* Bitte – kommen Sie mit!

Der Zeisig *bereut es entsetzlich, sich diesem Menschen überantwortet zu haben. Er denkt: Ob es weh tut? So – jetzt wird sich ja herausstellen, was es ist; der Professor wird staunen; mal sehen, ob er das überhaupt kann! So einen interessanten Fall hat er sicherlich noch nie gesehen . . . ob es sehr weh tun wird? Sie gehen ins Behandlungszimmer.*

Darin sieht es aus wie in einer Granatendreherei. Blitzende Apparate, glänzendes Nickel, strahlende Messingarme und elektrische Lämpchen: alles offenbart den Geist einer von der größtenteils jüdischen Kundschaft geforderten Polypragmasie. Ein Arzt, was keine Apparate hat, ist ein schlechter Arzt; man muß mit seiner Zeit mitgehen.

Der Professor: Machen Sie sich frei, und legen Sie sich hin!

Das tut der Zeisig; es ist sein Stolz, immer und an jedem Tag vor einen Arzt treten zu können. Er hält sich sauber, schon, weil man ja auf der Straße überfahren werden kann. Er legt sich, sieht an die Decke und ist auf einmal sehr krank.

Der Professor *hat der Schwester, die stumm eingetreten ist, gewinkt. Sie geht an das Kopfende des Ruhebettes und macht kein Gesicht.* Der Professor *holt Atem, bekommt einen merkwürdig starren Ausdruck in den Augen; er hat ein Feldtelefon in der Hand und fragt das Zeisigsche Herz:* «Hallo, hier Professor Latschko! Wer dort?» Das Herz: Puck-puck – puckpuckpuck . . . pick-pick . . . ffft . . . ffft . . . puckpuckpuck . . . Ruhig atmen! Nicht stauen! *Das Herz telefoniert weiter;* der Professor *hat abgehängt. Er läßt sich nun mit der Lunge verbinden.* Die Lunge: Hach-huach –! hach-huach . . . Der Professor *versetzt dem Zeisig einen leichten Schlag auf das Knie; das Bein hopst artig hoch, wie es das gelernt hat.*

Der Zeisig *bekommt einen kleinen Schrecken, denn* der Professor *hat ihm mit einem spitzen und tückischen Messerchen eine Inschrift auf die haarige Brust gekratzt:* CARMOL TUT WOHL! *Die Haut schreit rot auf und verstummt.*

Der Professor *mißt den Blutdruck:* Viertel sieben. Geht nach.

Der Professor *sieht sich die Hände* Zeisigs *an, läßt nachdenklich dessen Zehen durch seine Finger gleiten, gebietet ihm, sich herumzudrehen und murmelt etwas zur Schwester. Ein Apparat surrt.* Zeisig *sieht nichts. Sie machen etwas mit ihm; nun ist seine Lebenskraft wesentlich gehobener. Er bekommt langsam Vertrauen zu diesem* Professor – *der Mann versteht sein Handwerk! Und so gründlich! Gründlich ist, wenns lange dauert. Nun muß er in ein Töpfchen machen.*

Der Professor *heißt* Zeisign *sich auf einen Stuhl setzen. Er sieht ihm in die Augen, hält erst ein Auge zu, dann das andre; er leuchtet ihn mit kleinen Scheinwerfern an und schaltet aus; dann muß der* Zeisig *den Schnabel aufmachen, der* Professor *hält sich an* Zeisigs *Zunge fest und sieht mit einem Kehlkopfspiegel nach, ob sein Schlips richtig sitzt:* Ziehen Sie sich wieder an! *Die Schwester verschwindet; die beiden gehen zurück ins Konsultationszimmer.*

Der Zeisig *ist in der Stimmung eines Schülers, der seinen Aufsatz zurückbekommt.*

Der Professor: Sie sind völlig gesund und bedürfen demgemäß einer gründlichen Behandlung. Zu einer Sorge ist durchaus kein Anlaß gegeben – immerhin: Seien Sie vorsichtig, sonst könnte Ihnen eines Tages etwas passieren. Sie gehören zum Typus der vegetativ Stigmatisierten; eine gewisse mitrale Konfiguration läßt auf das Bestehen eines endokrenen Ringes schließen.

Dem Zeisig *wird es wirblig. Er lauscht angestrengt und ist bestrebt, jedes Wort des großen Medizinmannes in sich hineinzusaugen.*

Der Professor: An der Blase haben Sie nichts. Eine ganz leichte Leberschwellung ist allerdings vorhanden . . .

Der Zeisig: Das sagte mir Doktor Bullett auch . . .

Dem Professor macht auf einmal die ganze Diagnose keinen Spaß mehr. Auch! Was heißt: auch? Wenn zwei Ärzte derselben Meinung sind, dann ist einer davon überhaupt kein Arzt. Immerhin ist die Reihenfolge die: Der große Latschko – *dann etwa vier Lichtjahre nichts – dann seine Assistenten – dann irgendwelche andren Ärzte – dann dieser Doktor . . . wie war der Name? Boulette? Dann ein Trennungsstrich. Dahinter das Heer der Laien: das Material. Man kann im Notfall eine Theorie fallenlassen; man kann keinen Kollegen fallenlassen.* Latschko *geht daher zu etwas anderm über:* Wir wissen heute, daß die Hypophyse und solche leicht tonischen und vasomotorischen Störungen vom Stoffwechsel ausgehen. Hand in Hand mit der Beeinflussung des Stoffwechsels muß eine Entspannungskur treten; ich sage Ihnen gleich, daß ich von der Psychoanalyse nichts halte, dagegen werde ich Sie mit Hormonen behandeln. Sie haben zu wenig. Manchmal auch zu viel. Auf alle Fälle die falschen. Ich habe Ihnen den Thymus perkutiert – möglich, daß da noch infantile Residuen vorhanden sind; jedenfalls gehören Sie zum thymoplastischen Typ.

Der Zeisig *ist gänzlich verdattert. Wüßte er, daß die Thymus-Untersuchung ihre wahre Bestätigung erst bei der Sektion fände, er wäre es noch mehr.*

Der Professor: Nun zum Diätzettel. Keine Rheinweine, nur junge Moselweine – keine jungen Pfälzerweine. Keine Zigarren mit Fehlfarben; keine lange Pfeife, nur kurze Pfeife. Und vor allem einen andern Haarschnitt! Und Teerseife! Ist Ihr Sexualleben in Ordnung?

Der Zeisig *rekapituliert blitzschnell die diesbezüglichen Vorwürfe Lillys und sagt* Ja.

Der Professor: Das habe ich mir gedacht; also müssen wir da etwas tun. Ich habe mit der Methode, die ich bei Ihnen anwenden werde, gute Erfolge erzielt, so neu sie ist; in leichten Fällen hilft auch die Terminologie. Wir haben in meiner Klinik schon sehr schwere Fälle von solchen Herz- und Nierenkranken gehabt ... wir haben immerhin erreicht, daß wir sie entlassen konnten, damit sie anderswo eingingen. Ich schreibe Ihnen hier zunächst einmal Tropfen auf – die nehmen Sie, vierzehn Tropfen vor dem Mittagessen, zweiundzwanzigeinenhalb nach dem Abendessen und ein kleines Wasserglas voll vor dem Aufstehen. Ich werde Ihnen wöchentlich drei Spritzen machen: eine subkutan, eine intravenös und eine intramuskulär.

Der Zeisig *hat Angst und vertagt dieselbe.*

Der Professor: Vor allem schonen Sie sich und muten Sie sich nicht zuviel zu. Das Nähmaschinengeschäft ist mit speziellen Aufregungen verknüpft; es treten dann Ermüdungserscheinungen hinzu ... dergleichen kann einen Mann wie Sie untauglich machen.

Der Zeisig *hat auf das Reizwort ‹untauglich› einen Assoziations-Kurzschluß. Er sieht den* Professor *plötzlich in Uniform vor sich, die Konsultation kostet gar nichts, und der* Professor *sagt mit einem Ausdruck, wie wenn er in einen Pferdeapfel gegriffen hätte:* «k. v.» *Die Vision verschwindet.*

Der Professor: Der Laie überschätzt naturgemäß diese Symptome, die – verstehen Sie mich recht – eigentlich gar keine Symptome sind. Für mich sind diese Dinge, von denen Sie mir da erzählen, Folgeerscheinungen; es ist wichtig, daß Sie sich das immer vor Augen halten: Folgeerscheinungen. Sie bleiben in Berlin? Ich werde Sie behandeln; schlagen Sie sich den Gedanken aus dem Kopf, mit aller Gewalt gesund zu werden – das ist nicht der Zweck der Medizin. Die Medizin ist eine Wissenschaft, also der Mißbrauch einer zu diesem Zweck erfundenen Terminologie. Laien verspüren leicht Schmerzen: das ist völlig irrelevant. Es handelt sich nicht darum, den Schmerz zu beseitigen – es handelt sich darum, ihn in eine Kategorie zu bringen! Hier ist das Rezept.

Es entsteht eine eigentümliche Pause. Der Zeisig wäre sehr erleichtert, *wenn der Professor jetzt sagte:* «Na, Schatz, was schenkst du mir denn –?» Der Professor *sagts aber nicht.*

Der Zeisig *ungeheuer klein und bescheiden:* Was . . . was bin ich Ihnen schuldig, Herr Professor?

Der Professor *groß, aber leichthin:* Fünfzig Mark.

Der Zeisig *hat auf der äußersten Zungenspitze:* «Fünfzig Mark? Fünfunddreißig! Valuta 1. Dezember – Wer zahlt mir . . .!», *bremst aber im letzten Augenblick und zahlt so schnell und schämig, als verrichte er ein kleines Geschäft, während gleich jemand um die Ecke kommt.*

Der Professor *nimmt, schließt ein und steht auf.*

Händedruck, Verbeugung. Zeisig *ab.*

Der Zeisig *draußen:* Das mit den Zuckerhüten . . . das muß ich ihn nächstes Mal noch fragen . . .! Ob es Zucker ist? Ich werde doch noch einen Spezialisten konsultieren! – *Aber nun wird dem Zeisig plötzlich ganz durchsichtig im Gemüt; er winkt noch einmal schwach mit der Hand, dann löst er sich in Whisky auf, aus dem er gekommen ist, und der Autor dieser Szene trinkt ihn aus.*

Lasset uns beten!

Heiliger Äskulap! der du die Ärzte eingesetzt hast, auf daß sie eine Beschäftigung haben, sowie die meschuggenen Patienten, auf daß sie Valerian bekommen, so es Kassenpatienten sind, Insulin aber, so sie es bezahlen können; der du die Heilmethoden erfunden hattest, die da wechseln wie die Hutmoden und kleidsam sind bis zum Exitus; der du alljährlich auf die Menschheit einen ganzen Waschkorb junger Doktoren losläßt, die den Herrn Wendriner mit Fremdwörtern und mit dem neuen Medikament Eizeïn behandeln; der du den medizinischen Spießer zum Erzpriester machst, weil der Patient seinen Wundermann braucht!

Heiliger Äskulap! der du die Chirurgen geschaffen hast, auf daß das Überflüssige am Menschen entfernt werde, und die Hals-Spezialisten, auf daß die Chirurgen nicht alles allein operieren; der du die Gynäkologen schufest, die zu Ende führen, was der Ehemann so unvollkommen angefangen; welches Wunder, daß diese Ärzte noch Frauen lieben – aber siehe: grade diese lieben Frauen! Der du Homöopathen und Allopathen schufest, damit der Kranke wenigstens weiß, wovon ihm schlecht wird; sowie auch die Hautärzte, die sich über gar nichts mehr wundern; und die Psychiater, die aus Seelenverwandtschaft mit den Verrückten sogar die Vornamen der Geisteskranken kennen!

Heiliger Äskulap! der du die Doktoren geschaffen hast, deren Wissen zusammenknallt, wenn sie selber einmal Patienten sind; Mediziner, die so lange Fortschritte machen, bis sie wieder bei Hippokrates angelangt sind:

gepriesen werde dein Namen –!
Amen.

(1930)

Der Mensch

Der Mensch hat zwei Beine und zwei Überzeugungen: eine, wenns ihm gut geht, und eine, wenns ihm schlecht geht. Die letztere heißt Religion.

Der Mensch ist ein Wirbeltier und hat eine unsterbliche Seele, sowie auch ein Vaterland, damit er nicht zu übermütig wird.

Der Mensch wird auf natürlichem Wege hergestellt, doch empfindet er dies als unnatürlich und spricht nicht gern davon. Er wird gemacht, hingegen nicht gefragt, ob er auch gemacht werden wolle.

Der Mensch ist ein nützliches Lebewesen, weil er dazu dient, durch den Soldatentod Petroleumaktien in die Höhe zu treiben, durch den Bergmannstod den Profit der Grubenherren zu erhöhen, sowie auch Kultur, Kunst und Wissenschaft.

Der Mensch hat neben dem Trieb der Fortpflanzung und dem, zu essen und zu trinken, zwei Leidenschaften: Krach zu machen und nicht zuzuhören. Man könnte den Menschen gradezu als ein Wesen definieren, das nie zuhört. Wenn er weise ist, tut er damit recht: denn Gescheites bekommt er nur selten zu hören. Sehr gern hören Menschen: Versprechungen, Schmeicheleien, Anerkennungen und Komplimente. Bei Schmeicheleien empfiehlt es sich, immer drei Nummern gröber zu verfahren als man es grade noch für möglich hält.

Der Mensch gönnt seiner Gattung nichts, daher hat er die Gesetze erfunden. Er darf nicht, also sollen die andern auch nicht.

Um sich auf einen Menschen zu verlassen, tut man gut, sich auf ihn zu setzen; man ist dann wenigstens für diese Zeit sicher, daß er nicht davonläuft. Manche verlassen sich auch auf den Charakter.

Der Mensch zerfällt in zwei Teile:

In einen männlichen, der nicht denken will, und in einen weiblichen, der nicht denken kann. Beide haben sogenannte Gefühle: man ruft diese am sichersten dadurch hervor, daß man gewisse Nervenpunkte des Organismus in Funktion setzt. In diesen Fällen sondern manche Menschen Lyrik ab.

Der Mensch ist ein pflanzen- und fleischfressendes Wesen; auf Nordpolfahrten frißt er hier und da auch Exemplare seiner eigenen Gattung; doch wird das durch den Faschismus wieder ausgeglichen.

Der Mensch ist ein politisches Geschöpf, das am liebsten zu Klumpen geballt sein Leben verbringt. Jeder Klumpen haßt die andern Klumpen, weil sie die andern sind, und haßt die eignen, weil sie die eignen sind. Den letzteren Haß nennt man Patriotismus.

Jeder Mensch hat eine Leber, eine Milz, eine Lunge und eine Fahne; sämtliche vier Organe sind lebenswichtig. Es soll Menschen ohne Leber, ohne Milz und mit halber Lunge geben; Menschen ohne Fahne gibt es nicht.

Schwache Fortpflanzungstätigkeit facht der Mensch gern an, und dazu hat er mancherlei Mittel: den Stierkampf, das Verbrechen, den Sport und die Gerichtspflege.

Menschen miteinander gibt es nicht. Es gibt nur Menschen, die herrschen, und solche, die beherrscht werden. Doch hat noch niemand sich selber beherrscht; weil der opponierende Sklave immer mächtiger ist als der regierungssüchtige Herr. Jeder Mensch ist sich selbst unterlegen.

Wenn der Mensch fühlt, daß er nicht mehr hinten hoch kann, wird er fromm und weise; er verzichtet dann auf die sauern Trauben der Welt. Dieses nennt man innere Einkehr. Die verschiedenen Altersstufen des Menschen halten einander für verschiedne Rassen: Alte haben gewöhnlich vergessen, daß sie jung gewesen sind, oder sie vergessen, daß sie alt sind, und Junge begreifen nie, daß sie alt werden können.

Der Mensch möchte nicht gern sterben, weil er nicht weiß, was dann kommt. Bildet er sich ein, es zu wissen, dann möchte er es auch nicht gern; weil er das Alte noch ein wenig mitmachen will. Ein wenig heißt hier: ewig.

Im übrigen ist der Mensch ein Lebewesen, das klopft, schlechte Musik macht und seinen Hund bellen läßt. Manchmal gibt er auch Ruhe, aber dann ist er tot.

Neben den Menschen gibt es noch Sachsen und Amerikaner, aber die haben wir noch nicht gehabt und bekommen Zoologie erst in der nächsten Klasse.

(1931)

Ballade

Da sprach der Landrat unter Stöhnen:
«Könnten Sie sich an meinen Körper gewöhnen?»
Und es sagte ihm Frau Kaludrigkeit:
«Vielleicht. Vielleicht.
               Mit der Zeit . . . mit der Zeit . . .»

Und der Landrat begann allnächtlich im Schlafe
laut zu sprechen und wurde ihr Schklafe.
und er war ihr hörig und sah alle Zeit
Frau Kaludrigkeit – Frau Kaludrigkeit!

Und obgleich der Landrat zum Zentrum gehörte,
wars eine Schande, wie daß er röhrte;
er schlich der Kaludrigkeit ums Haus . . .
Die hieß so – und sah ganz anders aus:
    Ihre Mutter hatte es einst in Brasilien
    mit einem Herrn der bessern Familien.

Sie war ein Halbblut, ein Viertelblut:
nußbraun, kreolisch; es stand ihr sehr gut.
Und der Landrat balzte: Wann ist es soweit?
Frau Kaludrigkeit – Frau Kaludrigkeit!

Und eines Abends im Monat September
war das Halbblut müde von seinem Gebember
und zog sich aus. Und sagte: «Ich bin . . .»
und legte sich herrlich nußbraun hin.
   Der Landrat dachte, ihn träfe der Schlag!
   Unvorbereitet fand ihn der Tag.
   Nie hätt er gehofft, es noch zu erreichen.
   Und er ging hin und tat desgleichen.

Pause

Sie lag auf den Armen und atmete kaum.
Ihr Pyjama flammte, ein bunter Traum.
Er glaubte, ihren Herzschlag zu spüren.
Er wagte sie nicht mehr zu berühren . . .
   Er sann, der Landrat. Was war das, soeben?
   Sie hatte ihm alles und nichts gegeben.
   Und obgleich der Landrat vom Zentrum war,
   wurde ihm plötzlich eines klar:
   Er war nicht der Mann für dieses Wesen.
   Sie war ein Buch. Er konnt es nicht lesen.
   Was dann zwischen Liebenden vor sich geht,
   ist eine leere Formalität.

Und so lernte der Mann in Minutenfrist,
daß nicht jede Erfüllung Erfüllung ist.
Und belästigte nie mehr seit dieser Zeit
die schöne Frau Inez Kaludrigkeit.

(1930)

Danach

    Es wird nach einem happy end
    im Film jewöhnlich abjeblendt.

Man sieht bloß noch in ihre Lippen
den Helden seinen Schnurrbart stippen –
da hat sie nu den Schentelmen.
    Na, un denn –?

Denn jehn die beeden brav ins Bett.
Na ja . . . diß is ja auch ganz nett.
    A manchmal möcht man doch jern wissen:
    Wat tun se, wenn se sich nich kissn?
    Die könn ja doch nich imma penn . . .!
    Na, un denn –?

Denn säuselt im Kamin der Wind.
Denn kricht det junge Paar 'n Kind.
    Denn kocht sie Milch. Die Milch looft üba.
    Denn macht er Krach. Denn weent sie drüba.
    Denn wolln sich beede jänzlich trenn . . .
    Na, un denn –?

Denn is det Kind nich uffn Damm.
Denn bleihm die beeden doch zesamm.
    Denn quäln se sich noch manche Jahre.
    Er will noch wat mit blonde Haare:
    vorn doof und hinten minorenn . . .
    Na, un denn –?

Denn sind se alt.
             Der Sohn haut ab.
Der Olle macht nu ooch bald schlapp.
    Vajessen Kuß und Schnurrbartzeit –
    Ach, Menschenskind, wie liecht det weit!
    Wie der noch scharf uff Muttern war,
    det is schon beinah nich mehr wahr!
    Der olle Mann denkt so zurück:
    wat hat er nu von seinen Jlück?
    Die Ehe war zum jrößten Teile
    vabrühte Milch un Langeweile.
Und darum wird beim happy end
im Film jewöhnlich abjeblendt.   (1930)

Also wat nu – Ja oder Ja?

Wie ick noch 'n kleena Junge wah,
da hattn wa auffe Schule
een Lehra, den nannten wa bloß: Papa –
een jewissen Doktor Kuhle.
    Un frachte der wat, un der Schieler war dumm,
    un der quatschte und klönte bloß so rum,
    denn sachte Kuhle feierlich:
        «Also – du weeßt et nich!»

So nachn Essen, da rooch ick jern
in stillen meine Sßijarre.
Da denk ick so, inwieso un wiefern
un wie se so looft, die Karre.
    Wer weeß det . . . Heute wähln wa noch rot,
    un morjen sind wa valleicht alle tot.
    Also ick ja nich, denkt jeda. Immahin . . .
    man denkt sich so manchet in seinen Sinn.
Ick bin, ick werde, ich wah jewesen . . .
Da haak nu so ville Bicher jelesen.
Und da steht die Wissenschaft uff de Kommode.
Wie wird det mit uns so nachn Tode?
Die Kürche kommt jleich eilich jeloofn,
da jibt et 'n Waschkorb voll Phillesophen . . .
Det lies man. Un haste det hinta dir,
dreihundert Pfund bedrucktet Papier,
    denn leechste die Weisen
    beit alte Eisen
un sachst dir, wie Kuhle, innalich:
    Sie wissen et nich. Sie wissen et nich.

Du mußt es tragen:
Ungesichertes Leben

> Dies ist, glaube ich, die Fundamentalregel al-
> les Seins: «Das Leben ist gar nicht so. Es ist
> ganz anders.»

Zeugung

Die biochemischen Vorgänge sind bekannt.

Äußerlich sah es so aus, daß das nackte, gardinenlose Fenster erst hellgrau dann graublau schien, schließlich wurde der Himmel weißlich. Die Frau wachte zuerst auf – in einem schmutzigen Hemd, mit zerzausten, ins Gesicht hängenden Haaren blickte sie trübe umher. Das Rumpeldurcheinander des Zimmers sah sie an. Durch die verklebten, zusammengekniffenen Augen erblickte sie: den Herd mit Töpfen und Papier, auf dem Tisch die leeren zwei Flaschen und eine halbvolle, ihren Unterrock auf einem Stuhl, seine Sachen über eine Stuhllehne geworfen, Stiefel, Körbe, Brocken, unabgewaschenes Geschirr, Zeitungsbogen, einen Hammer. Je weniger die Leute besitzen, desto voller sind ihre Stuben. Diese hatten nur eine: Küche, Eß- und Schlafzimmer zugleich. Darin hatte sie gestern das Kind gezeugt.

Daß es ein Sohn werden würde, wußte die Frau noch nicht. Sie sah auf den Mann; der schlief mit halboffenem Mund, schlecht rasiert, schwitzig um die Nase herum. Der Blick weckte ihn. «Koch Kaffee!» sagte er halblaut. Sie wollte zärtlich sein, in der Fortsetzung. Er küßte sie und schob sie, nicht unfreundlich, fort. Sie stand auf. Er sah sie vom Bett aus hantieren und mit den Töpfen klappern, der Vater.

Das Zimmer sah aus wie eine Tatbestandsaufnahme, wie die Fotografie einer Mordstube. Der Mann richtete sich hoch und langte sich das Wollunterzeug herüber. Dann schlurrte er in Pantoffeln auf den Gang, auf den Abtritt. Die künftige Mutter legte Brotkanten, ein Messer auf eine Tischecke, setzte zwei Kaffeetöpfe daneben. Er kehrte zurück, und sie aßen. Sie sprachen nicht. Es war nichts zu sagen. Er sah kauend aus dem Fenster. Da lag die Stadt.

Er sah über die Dachschornsteine, ohne sie zu sehen. Weil der Mensch nur hinter sich sehen kann und nicht vor sich, sah er nichts. Zwei Höfe weiter stand ein Pferd, ein junges Tier, das würde ihm in zwei Jahren einen Tritt gegen den Unterleib versetzen, an dem er lange Monate krank liegen würde, arbeitslos und krank. Um die Ecke saß ein Schreiber in einem Büro, der spitzte seinen Bleistift – mit ihm würde die Frau weglaufen, einem jungen, käsig-bleichen Burschen, finnig. Hinten, weit am Horizont, wohnte der Arzt, der auch nichts für ihn tun konnte – und weiter, im Westen, sein

Fabrikant, der ihn dann entließ. Vorläufig kaute er noch stumpf vor sich hin.

Das, was in der Mutter war, wurde ein Sohn, die weiße Flocke. Er verreckte bei Verdun, an demselben Tage, an dem der General Falkenhayn den Orden Pour le mérite bekam.

Die Herren Eltern erhoben sich.

(1927)

Die Leibesfrucht spricht

Für mich sorgen sie alle: Kirche, Staat, Ärzte und Richter.

Ich soll wachsen und gedeihen; ich soll neun Monate schlummern; ich soll es mir gut sein lassen – sie wünschen mir alles Gute. Sie behüten mich. Sie wachen über mich. Gnade Gott, wenn meine Eltern mir etwas antun; dann sind sie alle da. Wer mich anrührt, wird bestraft; meine Mutter fliegt ins Gefängnis, mein Vater hintennach; der Arzt, der es getan hat, muß aufhören, Arzt zu sein; die Hebamme, die geholfen hat, wird eingesperrt – ich bin eine kostbare Sache.

Für mich sorgen sie alle: Kirche, Staat, Ärzte und Richter.

Neun Monate lang.

Wenn aber diese neun Monate vorbei sind, dann muß ich sehn, wie ich weiterkomme.

Die Tuberkulose? Kein Arzt hilft mir. Nichts zu essen? keine Milch? – kein Staat hilft mir. Qual und Seelennot? Die Kirche tröstet mich, aber davon werde ich nicht satt. Und ich habe nichts zu brechen und zu beißen, und stehle ich: gleich ist ein Richter da und setzt mich fest.

Fünfzig Lebensjahre wird sich niemand um mich kümmern, niemand. Da muß ich mir selbst helfen.

Neun Monate lang bringen sie sich um, wenn mich einer umbringen will.

Sagt selbst:

Ist das nicht eine merkwürdige Fürsorge –?

(1927)

Colloquium in utero

*Ein trüber Herbsttag im Mutterleib. Zwei Stück Zwillinge, Erna und
Max, legen sich bequem und sprechen leise miteinander.*

«Mahlzeit!»

«Mahlzeit! Na, gut geschlafen . . .?»

«Soweit man bei diesem Rummel schlafen kann – es sind bewegte
Zeiten. Ich träume dann immer so schlecht.»

«Was hast du bloß?»

«Du bist gut! Was ich habe! Hier, hast du das gelesen, im Reichs-
verbandsblatt Deutscher Leibesfrüchtchen?»

«Nein. Was steht da?»

«Da steht: Warnung vor dem juristischen Studium. Fünfzigtau-
send Primaner legen die Reifeprüfung ab. Hundertunddreißigtau-
send stellenlose Akademiker, es kann auch eine Null mehr sein, ich
kann das bei der Beleuchtung nicht so genau unterscheiden. Warnung vor dem Veterinär-Studium. Warnung vor Beschreitung der
Oberförster-Laufbahn. Warnung . . . und so geht das weiter.»

«Na und?»

«Na und . . . du dummes Keimbläschen! Willst du mir vielleicht
sagen, was man denn eigentlich noch draußen soll? Nun fehlt nur
noch die Warnung vor einem Beruf!»

«Vor welchem?»

«Vor dem eines Deutschen. Aber, wenn das so weiter geht: ich
bleibe hier.»

«Ich gehe raus.»

«Warum?»

«Weil es unsre Pflicht ist. Weil wir heraus müssen. Weil im
Kirchenblatt für den Sprengel Rottenburg und Umgegend steht:
Das Leben im Mutterleib ist heilig. Lieber zehn Kinder auf dem
Kissen als eines auf dem Gewissen, steht da. Und die Präservativ-
Automaten sind auch aufgehoben. Wir stehen, mein Lieber, unter
dem Schutz der Staatsanwaltschaft und der Kirche!»

«Draußen?»

«Nö, draußen nicht. Bloß drin.»

«Na, da bleib doch hier!»

«Wir haben nur für neun Monate gemietet, das weißt du doch!»

«Es ist, um sich an dem eignen Nabelstrang aufzuhängen! Ich für
mein Teil bleibe drin!»

«Du bleibst nicht drin. Sei froh, daß wir nicht dreie sind, oder vier, oder fünf, oder sechs . . .»

«Halt! Halt! Wir sind nicht bei Karnickels!»

«Es ist alles schon mal dagewesen, Deutschland kann keine Kinder ernähren, nur Kartelle. Deutschland braucht Arbeitslose!»

«Ich bleibe drin.»

«Ich geh raus!»

«Du gehst nicht raus! Streikbrecher!»

«Pergamentfrucht!»

«Dottersack!»

(Gestrampel)

Die Mutter: «Was er nur hat –?» (1932)

Der andere

Für wen bin ich eigentlich unglücklich? Für wen verpasse ich alle Gelegenheiten, alle großen Lose, alle günstigen Zuganschlüsse? Wenn es eine Wahrscheinlichkeitsrechnung gibt, dann muß doch auch eine andre Seite da sein; ich werfe die schwarzen Scheiben, gut, aber einer muß doch dann auch die weißen werfen . . . «Unter 2786 Würfen sind nur 2 . . .» Ich bin unter den 2784 – die helfe ich auffüllen, Komparse fremden Glücks, Hintergrund glatter Aktschlüsse des andern.

Muß der ein Glück haben –!

Wir sind, denke ich, miteinander verbunden wie die Figuren an den alten Wetterhäuschen: wir stehn auf einem drehbaren Brettchen, und wenn ich ins Haus zurücktrete, tritt er hinaus . . . Immer ist er draußen, das Luder.

In den letzten Jahren, zum Beispiel, wohnt er stets auf der Sonnenseite, hat von morgens elf Uhr bis abends sechs Uhr Sonne in seinem Arbeitszimmer; er arbeitet in der äußersten Stille, manchmal macht er Krach, läßt das Grammophon laufen, liest sich laut etwas von Edschmid vor, spült sich dann den Mund aus . . . nur um etwas Leben in die Bude zu bringen. Wenn er einen Untergrundbahnhof betritt, zischt, kaum hat man sein Billett geknipst, der Zug herein, den er benötigt – keine Sekunde wartet er. Die Damen fliegen ihm zu und, worum ich ihn besonders beneide, sie fliegen auch wieder davon; wenn er sich Geld wünscht, bekommt er es nicht in drei Monaten, wo es ihm nichts mehr nützt, sondern er hat es dann, wann er es braucht; seine Verleger tun etwas für seine Bücher – daß dem Kerl nicht ganz unheimlich wird! So viel Glück hat er in den letzten Jahren.

Ich bin es, der es ihm gibt. Er hat es nur durch mich. Damit die göttliche Wahrscheinlichkeitsrechnung aufgehe, verpasse ich die Züge, die er erwischt; horche ich den Lärm auf, um den er herumwohnt; gewähren sich mir plappernde und bunte Frauen und versagen sich zur Unzeit wie kann man so undelikat sein dergleichen aufzuschreiben; für mich geht alles schief, damit es ihm gerade gehe. Bedankt er sich –?

Weiß er überhaupt etwas von meiner Existenz? von meiner unendlichen Arbeit, mit der ich ihm das Unglück abnehme und mir aufbuckle? Ahnt er denn, daß ich ihm Hilfsstellung leiste, daß ich die punktierte Linie bin, mit der man in der Quarta geometrische Sätze bewies, nachher wurde sie wieder wegradiert, und siegreich stand der Pythagoras da? Weiß er das?

Er geht herum, dieser Großprotz, und sagt: «Mein Instinkt, müssen Sie wissen . . .» Du Affe. Du Prahlhans. Du Luftballon des Glücks. Ich trage dich, ich stütze dich, ich ermögliche dich – ohne mich wärst du nicht da, ohne mich wärst du eine Null, ein Krümel, hör doch! Meine Stimme dringt aus einem tiefen Brunnenschacht; tief unten, wo der vom Fremdenführer geworfene angezündete Fidibus verlöscht, hocke ich, rufe dumpf herauf, aber der Hall dringt zu keinem Glücklichen.

(1927)

Ein Glas klingt

Zu seinen zahllosen Albernheiten und schlechten Angewohnheiten, die einen so nervös machen können . . . schließlich etwas Rücksicht kann ja ein Mann auf seine Frau wohl nehmen, finde ich . . . also ich finde das wenigstens . . . zu seinen dummen Angewohnheiten gehört die, eine Tischklingel oder ein Glas, das er angestoßen hat, ruhig ausklingen zu lassen! Man legt doch die Hand darauf – Mama hat das auch immer getan. Wenn etwas bei Tisch klingt, dann legt man die Hand darauf, gleich, sofort – und dann ist es still. Er läßt die Gläser ausklingen . . . Rasend kann einen das machen! So, wie er morgens immer beim Rasieren so albern mit dem Pinsel klappert, also jeden Morgen, den Gott werden läßt, so stößt er mit seinen ungeschickten dicken Händen mal an die Klingel, mal an sein Glas; bing, macht das dann, diiiiing – ganz lange. So ein hoher, giftiger Ton, als ob einen was auslacht. «Leg doch die Hand darauf!» sage ich. «Du bist so nervös heute», sagt er, Dann lege ich die Hand aufs Glas. Nervös . . .

Ja, ich bin nervös. Doktor Plaschek sagts auch. Er weiß, warum. Ich weiß auch, warum.

Seit heute mittag weiß ich es, ganz genau.

Da hat er wieder an das Glas gestoßen, und das Glas hat angefangen, zu singen, und ich habe ihn bloß angesehn, ich habe ihn bloß angesehn . . . Er merkt ja nichts. Und da habe ich das Glas nicht zum Schweigen gebracht; ich habe es ausklingen lassen . . . ich glaube: das ist in dieser Ehe der erste Ton gewesen, der wirklich ausgeklungen hat. Und das Glas hat ganz lange gesungen, ganz, ganz lange: erst böse, und dann voll und laut, und dann mittellaut, und dann sanft und leise, leise und immer leiser . . . Und da habe ich es plötzlich gewußt. Manchmal hat man doch so blitzschnell irgendwelche Erkenntnisse, da weiß man denn alles, wie es so ist. Das Glas hat vielleicht eine halbe oder eine dreiviertel Minute geklungen und gesungen, und in dieser kleinen Spanne Zeit habe ich es gewußt. Man denkt so schnell.

Geklappt hat das ja von Anfang an nicht. Gott, warum hat man geheiratet – das geht heute manchmal so . . . ich weiß es nicht. Ich war nicht einmal enttäuscht; ich war gar nichts. Es war etwa ungefähr so, wie wenn einer in einen See springt und hat schon den Rückenschauer wegen des kalten Wassers, und dann ist es ganz lau. Ein dummes Gefühl. Und das ist von Jahr zu Jahr schlimmer geworden; das mit dem Kind hat nichts geholfen, gar nichts. Das ist mein Kind, aber was das mit ihm zu tun hat . . . Und manchmal denke ich, also Gott verzeih mir die Sünde: das ist ein fremder Mensch, ein neuer Mensch – so wie das Kind bin ich doch gar nicht, er ist auch nicht so – das ist ein fremder, fremder, kleiner Mensch.

Mit dem Mann ist kein Auskommen. Nein, wir zanken uns gar nicht, nie hat es ein böses Wort gegeben, nicht einmal das. Keine Höhen und keine Tiefen: Tiefebene. Die Norddeutsche Tiefebene . . . das haben wir in der Schule gelernt . . . Wenn man einen einzigen Mann kennt, sagt Helen immer, dann kennt man überhaupt keinen. Kann sein. Aber daneben einen andern . . . ich mag das nicht. Na ja, Feigheit, meinetwegen; aber ich mag das nicht. Immer noch singt das Glas.

Mein Mann singt nicht. Er ist in der tiefsten Seele unmusikalisch. Er ist mir doch nun so nahe – und ist so weit weg, so weit weg . . . Wenn er zärtlich ist, das kommt alle halbe Jahre einmal vor, dann ist es bestimmt an der falschen Stelle. Und wenn ich meine Katzenstunde habe, wo ich gern schnurren möchte, dann ist er nicht da, oder wenn er da ist, dann spricht er über sein Geschäft, oder er klapst mir auf den Rücken, eine schreckliche Angewohnheit . . . er versteht nicht, daß ich bloß schnurren will, und daß mir nur jemand über das Fellchen streichen soll. Er weiß das nicht. Wen er wohl früher als Freundin gehabt hat?

Und jetzt klingt das Glas ganz leise. Und da hab ich gewußt: ich bin wohl auch ein bißchen schuld an der Sache. Also nicht viel – aber ein kleines bißchen. Es ist ja wahr, daß ich schon als Mädel meine Rosinen im Kopf hatte, wie Mama das nannte. Zum Theater habe ich gehen wollen . . . Herrgott, ich habe wirken wollen, auf Männer und auf Frauen und auf Menschen überhaupt . . . Und weil es mit einem Beruf nicht gegangen ist, da habe ich gedacht: mit der Kunst. Und das war dann nichts; Papa hat es nicht erlaubt. Jetzt spukt das in mir herum . . . und ich bin ein bißchen sauer geworden, in all der Zeit, und es ist so schön, einen Mann zu haben, dem man die ganze Schuld geben kann. Und ich habe ihn gar nicht zu mir gezogen . . . da hat er denn seelisches Fett angesetzt, und es ist immer schlimmer geworden, und ich war gradezu froh, wenn er was falsch gemacht hat. Ich habe darauf gewartet, daß er mit dem Rasierzeug klappert, damit ich wieder einen Anlaß habe, ihn zu hassen und unglücklich zu sein. Und das hat er wohl gemerkt. Und so ist das jetzt. Diing – ganz leise singt das Glas. Wir sind schuld. Wir sind beide schuld.

Soll ich nochmal von vorn anfangen? Kann ich nochmal von vorn anfangen? Scheidung? Auseinandergehen? Ein neuer Mann? Jetzt noch einen Beruf? Das Glas hat ausgeklungen, und ich werde wohl meinen Weg zu Ende gehn. Einen schweren Weg. Tausend und aber tausend Frauen gehen ihn, jeden Tag, und der leise Ton ihres unhörbaren Unglücks und ihres stummen Schmerzes dringt an mein Ohr – wenn ein Glas klingt.

(1930)

Einfahrt

Erst tauchten auf dem grüngrauen Land ein paar Baracken auf, dann Häuschen, dann Häuser, da steht die erste Fabrik. Ein Holzlager. Grau ist die Natur – immer sieht die Grenze zwischen der Stadt und dem flachen Land aus wie ein Müll- und Schuttplatz. Da ist eine Vorortbahn, viele Schornsteine; die erste Elektrische. Noch rollt der Zug glatt und mit unverminderter Geschwindigkeit; Straßenzüge begleiten uns, noch mit Bäumen besetzt, dann bleiben die Bäume zurück; Reklametafeln, Wagen, Menschen, nun fährt der Zug langsamer und langsamer, nun rollt er im Schritt. Da – das sind die hohen Steinmauern der Einfahrt.

Schwarzgespült vom Rauch sind sie, ruhig und trübe; hier schlagen die Wellen der Fremde an das heimische Gestade . . . Heimisch? Für wen? Wir sind Freunde. Wir kommen in die fremde Stadt.

Die ahnt nichts von denen, die hier ankommen. Heute kommen an: achtundvierzig Leute, die nur ihr Geld ausgeben wollen – (zum Hotelportier: «Sagen Sie mal, wo kann man denn hier mal –?»); zweiunddreißig Reisende in Tuch, Eisenwaren und Glasstöpseln; ein Kranker, der einen Arzt konsultieren will; achtundsechzig Menschen, die in ihre Stadt zurückkommen, die zählen nicht; und Fremde, Fremde, Fremde: herangewanderte, arme Teufel, die ein Glück versuchen wollen, das sie noch nie gehabt haben – der berühmte junge Mann, der «mit nichts hier angekommen ist, und heute ist er . . .» Fremde, Fremde.

Unberührt von ihnen liegt die Stadt. Haus an Haus schleicht vorbei – wir sehen in die Kehrseiten der Häuser, wo schmutzige Wäsche hängt und rußige Kinder schreien, wo Achsen auf den Höfen ächzen und Küchen klappern – die Stadt zeigt uns Fremden ein fremdes Gesicht. Innen sieht sie ganz anders aus.

Es gibt an einer bestimmten Stelle Schreibmaschinen billiger; morgens um halb elf müssen alle Leute, die zur feinen Gesellschaft gehören wollen, in einer bekannten Allee ihr Auto einen Augenblick halten lassen; Mittag ißt man gut bei . . ., ja, das wissen wir nicht; Schuhe kauft man vorteilhaft . . . in welcher Straße? – im . . . -Theater ist eine herrliche Premiere mit einem wundervollen Krach zwischen dem Direktor und der Geliebten des Geldgebers. Ihre eigne Sprache hat die Stadt: statt ‹Geld› sagt man hier . . . ja, das wissen wir nicht; um den Witz in der Zeitung zu verstehen, die sich der ganze Zug eine Station vorher gekauft hat, muß man wissen, daß es sich um Frau H. handelte, die mit einer Mörderin zusammen eingesperrt sowie homosexuell ist; auf dem Witzbild erkundigt sie sich nach ihrer Zellengenossin: «Ist sie blond –?» fragt sie den Schließer – das verstehn wir alles nicht. Wir wissen gar nichts. Für uns ist das eine fremde Stadt.

Und wir werden ihr einen Teil unsres Lebens geben; wir werden uns einleben, die Stadt wird sich in uns einleben, und nach zwei Jahren gehören wir einander, ein bißchen. Wir sagen nicht mehr ‹gnädige Frau› zur Stadt – wir sagen dann einfach ‹Sie›. Wir wissen schon, wo man vorteilhaft Regenschirme kaufen kann, und das mit der schicken Allee, und wo man gut und billig zu Mittag ißt, das alles können wir den neuen Fremden, die nach uns kommen, schon ganz leichthin sagen, als seien wir damit aufgewachsen, und als sei das gar nichts. Aber: du ... du sagen wir noch nicht zur Stadt.

Das sagen nur die, die hier groß geworden sind. Die, die ihre ersten Worte in ihren Gassen, in ihren Kinderliedern und auf ihren Rasen gestammelt haben; die ein bestimmtes Viertel der Stadt auf ewig mit einer bestimmten Vorstellung verbinden, denn dort haben sie zum erstenmal geküßt, die in den vorweihnachtlichen Tagen im Omnibus in die Hände gepatscht und sich die Nase an den Scheiben platt gedrückt haben. «Guck mal, Papa! Mama! Sieh mal, da –!» und denen dort im Omnibus die Welt erklärt worden ist ... die sagen du zur Stadt.

Die kümmert sich nicht um die Fremden, die täglich heranbrausen. Sie führt ihr Leben ... wer will, darfs mitleben. Sie formt die Fremden langsam um, und wenn die Fremden Geduld haben, dann sind sie es nach zwanzig Jahren nicht mehr. Nicht mehr so ganz. Nur tief, im fremden Herzen, sind sie es noch: da frieren sie, die Fremden.

Da hält der Zug. Und alle steigen aus; sie suchen, die Wurzellosen, eine Heimat in der Heimat der Stadt, die schon eine Heimat ist: für die andern. In wieviel Städte werden wir noch einfahren –?

(1929)

Herr Wendriner betrügt seine Frau

«Nein, Sie stören gar nicht. Kommen Se rein – das ganz Personal ist schon weggegangen. Ja, ich hab noch ze tun. Setzen Se sich solange dahin, nein, nicht auf die Kuverts! Dahin. Ja. Na, was tut sich? Gott, sosolala. Ja, meine Frau ist immer noch in Heringsdorf. Ich habe mich heute mittag verspätet. Welsch war da, wir haben zusammen gegessen, nu muß ich nachholen. Sie sehn nicht gut aus, Regierer – was haben Sie? Ich unterschreibe inzwischen die Post, Sie erlauben doch . . .? Danke. Nein. Vorigen Sonnabend? Ich? Mich haben Sie in der Scala gesehn? Da müssen Sie sich getäuscht haben. Das muß ein Doppelgänger gewesen sein! Ausgeschlossen. Nu, ich sag Ihnen doch . . . Nein! Wann soll das gewesen sein, um zehn in der Pause? Mit ner großen Blondine? Lächerlich. Gott weiß, wen sie da er- kannt haben. Sie haben meine Stimme im Gedränge gehört . . .? Was hab ich gesagt? ‹Ich würde gern mal die Probe machen, liebes Kind›? Das soll ich gewesen sein –? Regierer, ich wer Ihn mal was sagen. Nehm Sie ne Zigarre?

Also hören Se zu, und machen Sie mir da keine Unannehmlich- keiten. Ich hab Ihnen doch gesagt, daß meine Frau erst in acht Tagen wiederkommt. Hier haben Sie Feuer. Da ist der Aschbecher. Also neulich hatt ich bei Kraft zu tun, er zeigt mir da ein paar neue Muster, ich will meiner Frau was anschaffen, wenn se zurück- kommt, fürn Winter . . . der Mann schwimmt im Geld, das sag ich Ihnen . . . da geht eine fabelhafte Blondine durch. ’n Mannekäng. Ich sage zu Kraft, wer ist das, sage ich. Also er erzählt, das ist ein Frollein . . . Name tut ja nichts zur Sache, eine sehr anständige Person, hat einen Freund, natürlich . . . aber sonst: nich rühr an. Na, dacht ich . . . Wissen Sie, ich bin sonst gar nicht so – aber in der letzten Zeit, ich weiß nicht, ich fühl mich noch verflucht jung. Jetzt kann ich doch den Brief von Schleusner nicht finden! Also wir reden noch so, Kraft gibt mir sonst immer fünfzehn Prozent, an dem Tag wollt er bloß zehn geben, weiß ich, warum – da wird er ans Telefon gerufen. Er geht raus, und wie ich noch so in den Sachen rumwühl, kommt die Person rein. ‹Ist Herr Kraft da?› sagt sie. Ich sage: ‹Nein, aber wenn Sie mit mir vorlieb nehmen wollen?› Na, ich streichel ihrs Händchen, sie sagt: ‹Mit so alten Seegn will ich überhaupt nichts zu tun haben›, so gibt ein Wort das andre – und schließlich hat sie mir dann versprochen, daß sie mit mir zusammen sein will. Na, haben Sie etwas gesehn, der Brief ist weg! Wo ist denn der . . .? Ich hab sie also für Sonnabend bestellt, ausgehen. Sie wollte durchaus in die Scala – ich hab ihr gesagt, das ist doch Wahnsinn, wo mich alle Leute kennen – sie hat gesagt, ach Unsinn, jetzt sind alle Leute weg, ich weiß doch aus dem Geschäft. Da sind wir also zusammen ausgegangen. Ja, also sie ist achtundzwanzig Jahr alt, hat ne Wohnung in der Bayreuther Straße, die bezahlt ihr Freund, der ist Prokurist bei Erdölundfette – übrigens eine sehr gute Sache . . . nicht Reißner, der ist doch nicht szerjeehs . . .! sie verdient sehr schön, vierhundert bei Kraft und manchmal Provision, der Freund gibt ihr auch noch tausend, also sie kommt aus. Die tausend versteuert sie natürlich nicht. Ihre alte Mutter wohnt in Landsberg. Der Brief ist weg – autsch! jetzt hab ich mir die Finger geklemmt . . . Gegessen haben wir in der Rüdesheimer Klause, kennen Se das? Ich kenn das noch von früher, 'n sehr nettes Lokal und gar nicht teuer. Sie wollt erst zu Hessler, ich hab gesagt, mein liebes Kind, das geht nicht, auch deinetwegen nicht. Das hat sie dann eingesehen. Na, und dann hat sie mir ihre Wohnung gezeigt. Reizend, sag ich Ihnen! Ein kleines Eßzimmer, sehr gemütlich, ein Gelegenheitskauf, noch aus der Inflation, dann ein Rauchzimmerchen, entzückende Kissen, behsch, hauptsächlich – und ein Parfum! Sie hat mir auch gleich ne Quelle für Parfums gesagt, ich wer hingehn und meiner Frau ein Fläschchen besorgen . . . Na und wies dann so weit war, sah se sehr vernünftig, hat sich gar nicht gesträubt, ach, wissen Se, das kann ich nicht leiden, diese Geschichten, man ist doch schließlich kein grüner Junge mehr, aber sie war wirklich Klasse . . .! Sie ging raus, und dann kam sie zurück im Pyjama, violett mit unten rosa abgesetzt – famos, eine famose Person! Wissen Sie, mir ist ganz anders geworden, ich hab sie so genommen und hab gesagt: . . . Sitzen Sie vielleicht auf dem Brief? Nein? Na, und dann hat sie mir ihr Schlafzimmer gezeigt. Ein riesiges Bett, von hier bis da, eine englische Kommode, 'n sehr schöner Teppich und Fenstervorhänge, Filets, Handarbeit, ich hab sie mir genau angesehn, nachher. Nebenan war gleich das Badezimmer. Na, die Frau – Ihnen gesagt! Grinsen Sie nich so, Sie oller Heuchler! Sie hätten auch nicht nein gesagt, wenn sie ja gesagt hätte. Und, wissen Sie, Regierer, ganz unter uns: ich bin noch gar nicht so alt, wie ich immer gedacht habe . . . Ich habe nachher mit meinem Hausarzt gesprochen, der war sehr vernünftig, er hat mich bei der Gelegenheit untersucht, nein, das nicht, ausgeschlossen, sie ist doch ihrem Freund treu – er hat einen sehr guten Befund festgestellt. Nein, öfter. Das glauben Sie nicht? Lieber Freund, ich habs auch nicht geglaubt. Aber es war so. Morgens hat sie mir Kaffee gemacht, haben wir Kaffee zusammen getrunken, nein, unser Mädchen ist nicht da, sonst hätt ichs ja gar nicht machen können . . . Wollt sie nicht nehmen. Nichts zu machen. Ich hab ihr angeboten, zweimal, dreimal – nichts zu machen. Ich wollt ihr erst was schicken, dann dacht ich: Ach . . . Wirklich: ne famose Frau. Der Brief ist weg. Ja, ich komm gleich mit. Und wissen Se, was Kraft gemacht hat? Er hats natürlich gleich gewußt, weiß Gott, woher – sie hat ihm nichts gesagt, ausgeschlossen –! So, hat er gesagt, aber fünfzehn Prozent kriegen Sie diesmal nicht, Wendriner. Eigentlich müßt ich Ihnen noch was abziehn, für Platzmiete. Ein Hund. Aber deuten Sie nichts zu Hause an, ich will mein Haus rein halten. Ich hab meiner Frau das Kostüm gekauft und eine Flasche Parfum, sie kriegt auch ne Bombonniere . . . Was heißt das? Sie hat sich am Strand erholt. Ich hab mich hier erholt. Am meisten hab ich mich über mich selbst gefreut. Da ist der Brief. Nein! Ich will mich doch da nicht attaschieren. Vielleicht später mal. 'n Augenblick! Nur noch die Post. So.

Lieber Freund! Wenn Sie jeden Abend Fußbäder nehmen müssen, wollen Sie auch mal brausen –!»

(1925)

Ehekrach

«Ja –!»
«Nein –!»
«Wer ist schuld?
          Du!»
«Himmeldonnerwetter, laß mich in Ruh!»
– «*Du* hast Tante Klara vorgeschlagen!
Du läßt dir von keinem Menschen was sagen!
Du hast immer solche Rosinen!
Du willst bloß, ich soll verdienen, verdienen –
Du hörst nie. Ich red dir gut zu . . .
Wer ist schuld –?
          Du.»
«Nein.»
«Ja.»

– «*Wer* hat den Kindern das Rodeln verboten?
Wer schimpft den ganzen Tag nach Noten?
Wessen Hemden muß ich stopfen und plätten?
Wem passen wieder nicht die Betten?
Wen muß man vorn und hinten bedienen?
Wer dreht sich um nach allen Blondinen?

Du –!»

«Nein.»
«Ja.»
«Wem ich das erzähle . . .!

Ob mir das einer glaubt –!»

– «Und überhaupt –!»

«Und überhaupt –!»

«Und überhaupt –!»

Ihr meint kein Wort von dem, was ihr sagt:
Ihr wißt nicht, was euch beide plagt.
Was ist der Nagel jeder Ehe?
Zu langes Zusammensein und zu große Nähe.

Menschen sind einsam. Suchen den andern.
Prallen zurück, wollen weiter wandern . . .
Bleiben schließlich . . . Diese Resignation:
Das ist die Ehe. Wird sie euch monoton?
Zankt euch nicht und versöhnt euch nicht:
Zeigt euch ein Kameradschaftsgesicht
und macht das Gesicht für den bösen Streit
lieber, wenn ihr alleine seid.

Gebt Ruhe, ihr Guten! Haltet still.
Jahre binden, auch wenn man nicht will.
Das ist schwer: ein Leben zu zwein.
Nur eins ist noch schwerer: einsam sein.

(1928)

Der andre Mann

Du lernst ihn in einer Gesellschaft kennen.
Er plaudert. Er ist zu dir nett.
Er kann dir alle Tenniscracks nennen.
Er sieht gut aus. Ohne Fett.
   Er tanzt ausgezeichnet. Du siehst ihn dir an ...
   Dann tritt zu euch beiden dein Mann.

Und du vergleichst sie in deinem Gemüte.
Dein Mann kommt nicht gut dabei weg.
Wie er schon dasteht – du liebe Güte!
Und hinten am Hals der Speck!
   Und du denkst bei dir so: «Eigentlich ...
   Der da wäre ein Mann für mich!»

Ach, gnädige Frau! Hör auf einen wahren
und guten alten Papa!
Hättst du den Neuen: in ein, zwei Jahren
ständest du ebenso da!
   Dann kennst du seine Nuancen beim Kosen;
   dann kennst du ihn in Unterhosen;
   dann wird er satt in deinem Besitze;
   dann kennst du alle seine Witze.
   Dann siehst du ihn in Freude und Zorn,
   von oben und unten, von hinten und vorn ...
Glaub mir: wenn man uns näher kennt,
gibt sich das mit den happy end.
Wir sind manchmal reizend, auf einer Feier ...
und den Rest des Tages ganz wie Herr Meyer.
Beurteil uns nie nach den besten Stunden.

Und hast du einen Kerl gefunden,
mit dem man einigermaßen auskommen kann:
   dann bleib bei dem eigenen Mann!

(1930)

Imma mit die Ruhe!

Wenn ick det sehe, wat se so machn,
wie se bei de jeringsten Sachn
sich uffpustn, det man denkt, se platzen –
wie se rot anlaufn, bis an die Jlatzen,
   ahms spät un morjens um achte –:
      sachte! sachte!
Warum denn so furchtbar uffjerecht?
Wir wern mal alle inn Kasten gelecht.

Wissen Se, ick wah mal dabei –
da hattn se uff de Polessei
eenen Selbstmörda, jänzlich nackt,
in eenen murksijen Sarch jepackt.
   Die hatten det eilich! Un ick dachte:
      Sachte! Sachte!
Un der Anblick hat sich mir injeprecht:
Wir wern mal alle inn Kasten jelecht.

Janich rellejöhs.
           Wie soll ick det sahrn . . .?
Ick kann det Jefuchtel nich vatrahrn.
Wir komm bei Muttan raus mit Jeschrei,
un manche bleihm denn auch dabei.
   Wenn ick mir det so allens betrachte:
      Imma sachte!
Mal liechste still. Denn wird ausjefecht.
Un wir wern alle inn Kasten jelecht.

                   (1931)

Letzte Fahrt

An meinem Todestag – ich werd ihn nicht erleben –
da soll es mittags Rote Grütze geben,
mit einer fetten, weißen Sahneschicht . . .
Von wegen: Leibgericht.

Mein Kind, der Ludolf, bohrt sich kleine Dinger
aus seiner Nase – niemand haut ihm auf die Finger.
Er strahlt, als einziger, im Trauerhaus.
Und ich lieg da und denk: «Ach, polk dich aus!»

Dann tragen Männer mich vors Haus hinunter.
Nun faßt der Karlchen die Blondine unter,
die mir zuletzt noch dies und jenes lieh . . .
Sie findet: Trauer kleidet sie.

Der Zug ruckt an. Und alle Damen,
die jemals, wenn was fehlte, zu mir kamen:
vollzählig sind sie heut noch einmal da . . .
Und vorne rollt Papa.

Da fährt die erste, die ich damals ohne
die leiseste Erfahrung küßte – die Matrone
sitzt schlicht im Fond, mit kleinem Trauerhut.
Altmodisch war sie – aber sie war gut.

Und Lotte! Lottchen mit dem kleinen Jungen!
Briefträger jetzt! Wie ist mir der gelungen?
Ich sah ihn nie. Doch wo er immer schritt:
mein Postscheck ging durch sechzehn Jahre mit.

Auf rotem samtnen Kissen, im Spaliere,
da tragen feierlich zwei Reichswehroffiziere
die Orden durch die ganze Stadt
die mir mein Kaiser einst verliehen hat.

Und hinterm Sarg mit seinen Silberputten,
da schreiten zwoundzwonzig Nutten –
sie schluchzen innig und mit viel System.
Ich war zuletzt als Kunde sehr bequem.

Das Ganze halt! Jetzt wird es dionysisch!
Nun singt ein Chor: Ich lächle metaphysisch.
Wie wird die schwarzgestrichne Kiste groß!
Ich schweige tief.
                    Und bin mich endlich los.
                              (1922)

Berliner Herbst

Für Paul Graetz

Denn, so um'm September rum,
denn kriejn se wacklije Beene –
die Fliejen nämlich. Denn rummeln se so
und machen sich janz kleene.
   Nee –
      fliejn wolln se nich mehr.

Wenn se schon so ankomm, 'n bisken benaut . . .
denn krabbeln se so anne Scheihm;
oda se summ noch 'n bisken laut,
aba mehrschtens lassen ses bleihm . . .
   Nee –
      fliejn wolln se nich mehr.

Wenn se denn kriechen, falln se beinah um.
Un denn wern se nochmal heita,
denn rappeln se sich ooch nochmal hoch,
un denn jehts noch 'n Sticksken weita –
   Aba fliejn . . . fliejn wolln die nich mehr.

Die andan von Somma sind nu ooch nich mehr da.
Na, nu wissen se – nu is zu Ende.
Manche, mit so jelbe Eia an Bauch,
die brumm een so über de Hände . . .
   A richtich fliejn wolln se nich mehr.

Na, und denn finnste se morjens frieh,
da liejen se denn so hinta
de Fenstern rum. Denn sind se dot.
Und wir jehn denn ooch in'n Winta.
   Wie alt bist du eijentlich –?

– «Ick? Achtunnfürzich.»
– «Kommst heut ahmt mit, nach unsan Lokal –?»
– «Allemal.»

(1928)

Kreuz und rasselnder Ruhm

«Der Krieg», hat einmal ein sterbender französischer Offizier gesagt, «ist eine viel zu ernste
Sache, als daß man ihn den Militärs anver-
trauen könnte.»

Vision

Heute haben wir den 28. Juli, der pariser Autobusführer sitzt vorn am Steuerrad und wendet den schweren, langen Wagen, als ob es ein kleiner Zweisitzer wäre. ‹AX› steht vorn dran. Ich weiß doch nicht genau . . . und frage den Schaffner. Der Schaffner sagt nett und höflich Bescheid: Nein, nach der rue de Grenelle muß ich mit dem andern Wagen abfahren. Danke.

Das wäre also heute. Und was hätte der Omnibusschaffner, auf diesem pariser Omnibus, mit mir gemacht, wenn wir uns in jenen Jahren begegnet wären?

Der Omnibusschaffner hätte, vor Angst, aus Pflichtbewußtsein, nach Kommando, auf mich geschossen. Sein Fahrer wäre, um mich zu fangen, vorsichtig den Graben entlanggekrochen, wäre alle paar Minuten regungslos auf dem Bauch liegengeblieben, hätte gewartet – und dann, an der nächsten Biegung, wäre er vorgesprungen und hätte mir sein Bajonett in den Magen gestoßen, da, wo ich jetzt meinen Spiegel trage. Der Mann auf der Métro, der mir vorhin das Billett geknipst hat, hätte befriedigt das Gewehr abgesetzt, wenn ich drüben die Arme hochgeworfen hätte und hinter dem deutschen Graben verschwunden wäre . . . In jenen Jahren.

Und ich: ich war verpflichtet, meinem Milchhändler, der mir morgens immer so nett auseinandersetzt, was es Neues gibt, den Kolben auf den Kopf zu schlagen, wenn ich ihn erwischt hätte; ich mußte meinem Kollegen vom ‹Oeuvre› das Seitengewehr durchs Gesicht ziehen, und ich hatte dafür zu sorgen, daß die schöne Frau Landrieu ihren Mann nicht mehr zu sehen bekam. In jenen Jahren.

Das war meine Pflicht, das war ihre Pflicht.

Aber jetzt sind wir alle wieder friedlich, sagen uns freundlich guten Tag, unsere Minister besuchen sich; sie zeigen mir den Weg, ich drücke ihnen die Hand, grüße und unterhalte mich, werde ins Theater begleitet und führe nette Unterhaltungen über alles mögliche. Nur über diese eine Sache nicht. Nur über diese eine einzige Lebensfrage sprechen die Menschen fast gar nicht, ungern, zögernd:

Ob sie sich morgen wieder Messer in die Köpfe jagen, morgen wieder Granaten (mit Aufschlagzünder) in die Wohnstuben schießen, Herrn Haber konsultieren, damit er ein neues Gas erfinde, eines, das die Leute, wenn irgend möglich, Professor, total erblinden läßt . . . Und darüber, daß sich morgen alle: Omnibusschaffner,

Métrokontrolleur, Universitätslehrer und Milchhändler, in eine tobende, heulende Masse verwandeln, die nur den einen Wunsch hat, aus den Berufsgenossen der andern Seite einen stinkenden Brei zu machen, der in den Sandtrichtern verfault . . .

Morgen wieder? Morgen wieder –?

(1924)

Die brennende Lampe

Wenn ein jüngerer Mann, etwa von dreiundzwanzig Jahren, an einer verlassenen Straßenecke am Boden liegt, stöhnend, weil er mit einem tödlichen Gas ringt, das eine Fliegerbombe in der Stadt verbreitet hat, er keucht, die Augen sind aus ihren Höhlen getreten, im Munde verspürt er einen widerwärtigen Geschmack, und in seinen Lungen sticht es, es ist, wie wenn er unter Wasser atmen sollte –: dann wird dieser junge Mensch mit einem verzweifelten Blick an den Häusern hinauf, zum Himmel empor, fragen:

«Warum –?»

Weil, junger Mann, zum Beispiel in einem Buchladen einmal eine sanfte grüne Lampe gebrannt hat. Sie bestrahlte, junger Mann, lauter Kriegsbücher, die man dort ausgestellt hatte; sie waren vom ersten Gehilfen fein um die sanft brennende Lampe herumdrapiert worden, und die Buchhandlung hatte für dieses ebenso geschmackvolle wie patriotische Schaufenster den ersten Preis bekommen.

Weil, junger Mann, deine Eltern und deine Großeltern auch nicht den leisesten Versuch gemacht haben, aus diesem Kriegsdreck und aus dem Nationalwahn herauszukommen. Sie hatten sich damit begnügt – bitte, stirb noch nicht, ich möchte dir das noch schnell erklären, zu helfen ist dir ohnehin nicht mehr – sie hatten sich damit begnügt, bestenfalls einen allgemeinen, gemäßigten Protest gegen den Krieg loszulassen; niemals aber gegen den, den ihr sogenanntes Vaterland geführt hat, grade führt, führen wird. Man hatte sie auf der Schule und in der Kirche, und, was noch wichtiger war, in den Kinos, auf den Universitäten und durch die Presse national vergiftet, so vergiftet, wie du heute liegst: hoffnungslos. Sie sahen nichts mehr. Sie glaubten ehrlich an diese stumpfsinnige Religion der Vaterländer, und sie wußten entweder gar nicht, wie ihr eignes Land aufrüstete: geheim oder offen, je nach den Umständen; oder aber sie wußten es, und dann fanden sies sehr schön. Sehr schön fanden sie das. Deswegen liegst du, junger Mann.

Was röchelst du da –? «Mutter?» – Ah, nicht doch. Deine Mutter war erst Weib und dann Mutter, und weil sie Weib war, liebte sie den Krieger und den Staatsmörder und die Fahnen und die Musik und den schlanken, ranken Leutnant. Schrei nicht so laut; das war so. Und weil sie ihn liebte, haßte sie alle die, die ihr die Freude an ihrer Lust verderben wollten. Und weil sie das liebte, und weil es keinen öffentlichen Erfolg ohne Frauen gibt, so beeilten sich die liberalen Zeitungsleute, die viel zu feige waren, auch nur ihren Portier zu ohrfeigen, so beeilten sie sich, sage ich dir, den Krieg zu lobpreisen, halb zu verteidigen und jenen den Mund und die Druckerschwärze zu verbieten, die den Krieg ein entehrendes Gemetzel nennen wollten; und weil deine Mutter den Krieg liebte, von dem sie nur die Fahnen kannte, so fand sich eine ganze Industrie, ihr gefällig zu sein, und viele Buchmacher waren auch dabei. Nein, nicht die von der Rennbahn; die von der Literatur. Und Verleger verlegten das. Und Buchhändler verkauften das.

Und einer hatte eben diese sanft brennende Lampe aufgebaut, sein Schaufenster war so hübsch dekoriert; da standen die Bücher, die das Lob des Tötens verkündeten, die Hymne des Mordes, die Psalmen der Gasgranaten. Deshalb, junger Mann.

Eh du die letzte Zuckung tust, junger Mann:

Man hat ja noch niemals versucht, den Krieg ernsthaft zu bekämpfen. Man hat ja noch niemals alle Schulen und alle Kirchen, alle Kinos und alle Zeitungen für die Propaganda des Krieges gesperrt. Man weiß also gar nicht, wie eine Generation aussähe, die in der Luft eines gesunden und kampfesfreudigen, aber kriegablehnenden Pazifismus aufgewachsen ist. Das weiß man nicht. Man kennt nur staatlich verhetzte Jugend. Du bist ihre Frucht; du bist einer von ihnen – so, wie dein fliegender Mörder einer von ihnen gewesen ist.

Darf ich deinen Kopf weicher betten? Oh, du bist schon tot. Ruhe in Frieden. Es ist der einzige, den sie dir gelassen haben.

(1931)

Der General im Salon

Der alte Herr da im Bratenrock, das ist der berühmte General Soundso. Er steht am Kamin, direkt vor dem Spiegel, nein, der nicht, der neben ihm – ja. Er rührt jetzt grade mit einem kleinen Löffelchen in der Mokkatasse und unterhält sich angeregt mit den Gästen des Hauses. Es ist ein sehr feines Haus, man hat lauter gute Namen eingeladen. Die Menschen sind in der Garderobe abzugeben. Die Namen haben diniert, jetzt nehmen sie den Kaffee, auch der General.

Es ist derselbe, der damals die große Offensive bei V. eingeleitet hat. «Die Truppen des Generals», stand damals im Heeresbericht, «wurden in der Nacht von gestern auf heute zum Sturm auf die Höhen des Dorfes angesetzt.» Er ist es, der sie angesetzt hat. Seine hellblauen, etwas wässerigen Augen, die ich da sehe, lassen nichts mehr davon ahnen, daß dieser Mann einmal am Telefon gestanden, vor ihm die Karten, die Krokis, die Bleistifte, die Adjutanten, und mit erregter Stimme einen Befehl in die Muschel gebrüllt hat. «Wollen Sie dafür sorgen . . .!» sagte die Stimme. Dann hängte er den Hörer ab. Am darauffolgenden Morgen fielen auf unserer Seite 8472 Mann. Sie bekamen ihr Massengrab. Der General einen Orden.

Einmal stand ich auf dem berliner Börsenstand neben einem großen Bankier, der leitete die Operationen seiner Angestellten, die hilfeflehend zu ihm kamen, wenn sie nicht weiter wußten. Er sagte ihnen rasch etwas, fast ohne nachzudenken; eilfertig liefen sie mit ihrem kleinen Zettelchen wieder davon. Siegreich stand er da, ganz ruhig, durch seinen Kopf rannen die Zahlen. Einen Fuß auf die kleine Empore gestützt, wartete er wachsam ab, was die nächste Minute bringen würde. «Huuuuu!» brüllte eine Gruppe. Der Saal begann zu brodeln, ein unermeßlicher Schrei stieg zu den ewigen Sternen. Der Bankier lächelte unmerklich. Er war es, der dieses «Hu!» entfesselt hatte.

So ungefähr denke ich mir im Kriege die Tätigkeit eines Generals, dieses Kommerzienrats der Schlachten. Gespannt am Telefon lauschend, über die Karten gebeugt, zur Seite den geschäftigen Adjutanten, so wartet er, was sich da vorn begeben wird. Nur die Heeresberichte sind falsch formuliert. Sie tragen der seit Ajaxens Zeiten etwas veränderten Situation keine Rechnung. Sie müßten anders lauten. Etwa so:

«An der Spitze seines Generals stürzte sich das heldenmütige Korps in die brausende Schlacht. Mit geschwungenem Telefonhörer setzte der unerschrockene Führer seinen Truppen nach, die er zu Paaren vor sich hertrieb. Als im Stabsgebäude das Essen serviert wurde, rief er: ‹Mir nach!›, und alles folgte seinem heldenmütigen Beispiel. Während der Kampf tobte, wankte und wich er nicht aus seinem Telefonunterstand, und erst, als der Rückzug einsetzte, war er in seinem Automobil wieder auf dem laufenden. Er war sehr beliebt – jeder Mann der Truppe kannte ihn flüchtig. Immer neue und neue Bataillone warf der Tapfere in die Einbruchsstelle, sich selber vergaß er leicht mit hineinzuwerfen. Und wenn er sich nicht den Magen an heißem Kaffee verbrüht hat, dann lebt er heute noch.»

Que voulez-vous? Ce sont les risques du métier.

(1924)

Die Flecke

In der Dorotheenstraße zu Berlin steht das Gebäude der ehemaligen Kriegsakademie. Unten, in guter Mannshöhe, läuft eine Granitlage um das Haus herum, Platte an Platte.

Diese Platten sehen seltsam aus; sie sind weißlich gefleckt, der braune Granit ist hell an vielen Stellen . . . was mag das sein?

Ist er weißlich gefleckt? Aber er sollte rötlich gefleckt sein. Hier hingen, während der großen Zeit, die deutschen Verlustlisten.

Hier hingen, fast alle Tage gewechselt, die schrecklichen Zettel, die endlosen Listen mit Namen, Namen, Namen . . . Ich besitze die Nr. 1 dieser Dokumente: da sind noch sorgfältig die Truppenteile angegeben, wenig Tote stehen auf der ersten Liste, sie war sehr kurz, diese Nr. 1. Ich weiß nicht, wie viele dann erschienen sind – aber sie gingen hoch hinauf, bis über die Nummer tausend. Namen an Namen – und jedesmal hieß das, daß ein Menschenleben ausgelöscht war oder ‹vermißt›, für die nächste Zukunft ausgestrichen, oder verstümmelt, leicht oder schwer.

Da hingen sie, da, wo jetzt die weißen Flecke sind. Da hingen sie, und vor ihnen drängten sich die Hunderte schweigender Menschen, die ihr Liebstes draußen hatten und die zitterten, daß sie diesen

181

einzigen Namen unter allen den Tausenden hier läsen. Was kümmerten sie die Müllers und Schulzes und Lehmanns, die hier aushingen! Mochten Tausende und Tausende verrecken – wenn *er* nur nicht dabei war! Und an dieser Gesinnung ertüchtigte der Krieg.

Und an dieser Gesinnung hat es gelegen, daß es vier lange Jahre so gehen konnte. Wären wir alle für einen aufgestanden, alle wie ein Mann –: wer weiß, ob es so lange gedauert hätte. Man hat mir gesagt, ich wisse nicht, wie der deutsche Mann sterben könne. Ich weiß es wohl. Ich weiß aber auch, wie die deutsche Frau weinen kann – und ich weiß, wie sie heute weint, da sie langsam, qualvoll langsam erkennt, wofür er gestorben ist. Wofür . . .

Streue ich Salz in Wunden: Aber ich möchte das himmlische Feuer in Wunden brennen, ich möchte den Trauernden zurufen: Für nichts ist er gestorben, für einen Wahnsinn, für nichts, für nichts, für nichts.

Im Laufe der Jahre werden ja diese weißen Flecke allmählich vom Regen abgewaschen werden und schwinden. Aber diese andern da, die kann man nicht tilgen. In unsern Herzen sind Spuren eingekratzt, die nicht vergehen. Und jedesmal, wenn ich an der Kriegsakademie mit ihrem braunen Granit und den weißen Flecken vorbeikomme, sage ich mir im stillen: Versprich es dir. Lege ein Gelöbnis ab. Wirke. Arbeite. Sags den Leuten. Befreie sie von dem Nationalwahn, du mit deinen kleinen Kräften. Du bist es den Toten schuldig. Die Flecke schreien. Hörst du sie?

Sie rufen: Nie wieder Krieg –!

(1920)

Kleine Begebenheit

Der Strumpfwirker und der Bauerssohn waren in der Nacht von einem Ackergraben in den andern geklettert – warum sie es getan hatten, wußten sie nicht. Man hatte ihnen gesagt, sie sollten es tun. Herren, die lesen und schreiben konnten, hatten es ihnen gesagt. Im andern Ackergraben hatte man sie gleich angehalten, in derselben Nacht noch, und, weil sie fremdgefärbte Kleider anhatten, sie sehr geschlagen und in ein Haus gesperrt. Nachher saß ein Advokat hinter einem Tisch – er war so froh, hinter diesem Tisch sitzen zu dürfen! – und schrieb auf, was der Strumpfwirker und der junge

Bauer zu sagen wußten. Da war noch ein Gastwirt, der schlug sie, wenn sie nicht genug sagten. Ein Besucher kam zu ihnen und sagte, man würde sie töten – und zwei Leute, ein Steinklopfer und ein junger Mensch, der noch keinen Beruf hatte und bei den Eltern lebte, bewachten sie von Stund an.

Vierundzwanzig Menschen wurden benötigt, um die beiden totzuschießen. Es meldeten sich, freiwillig, achtzig. Achtzig – darunter waren Verheiratete und Ledige, Stille und Freche, Kräftige und Schlappe – sonst brave Leute, die keinem etwas zuleide taten, und die nur so gern einmal dabei sein wollten, um zu sehen, wie das wäre, wenn einer totgeschossen würde. Mehr: die ihn selbst totschießen wollten. Denn es war erlaubt . . . Befehligt wurden sie von einem Kohlenhändler.

Am Morgen dieses Tages erschien der traurige Zug auf dem ungeheuern Schneefeld südlich des Dorfes. Voran der Bauer und der Strumpfwirker, zwischen zwei Leuten von denen, die man aus den achtzig ausgesucht hatte; ein Arzt aus einer großen Stadt, der dergleichen noch nicht gesehen hatte und gleichfalls begierig war, es zu sehen; und der Kohlenhändler mit seinen Leuten. Die beiden in dünnen Jacken zitterten vor Kälte und Todesfurcht. Der Zug machte hinter den Scheunen halt. Der Advokat, der mitgegangen war, zeigte den beiden ein Papier; aber sie froren und konnten auch nicht lesen. Man stellte sie an kleine schwarze Pfähle. Der Kohlenhändler sagte zu seinen Leuten, sie sollten ihre Gewehre laden. Er sagte es sehr laut, obgleich er nahe bei ihnen stand. Er hätte gewünscht, daß ihn seine Frau so sähe, wie er, der sonst Kohlen verkaufte, hier zwei Leute totschießen durfte. Die Schüsse knallten. Die beiden fielen um wie leere Säcke. Der Arzt aus der großen Stadt ging hin und sah sich genau ihre Wunden an. Dann verscharrte man sie.

Ich habe vergessen zu erzählen, daß alle verkleidet waren: die Gerichteten als serbische, die Henker als deutsche Soldaten.

(1921)

Jemand besucht etwas mit seinem Kind

«Der Bauer hat gesagt: Erst rechts und dann links bis zu dem halbhohen Haus und dann immer gradeaus . . . Warte mal . . . Hier ist die Bürgermeisterei . . . da ist . . . das war früher nicht . . . das hat hier nie gestanden ... Ah, hier ist die Chaussee. Jetzt weiß ich weiter.

Also, paß auf, mein Junge, da drüben lagen wir: von dem kleinen Berg an bis ungefähr hierher. Nein, es hat sich mächtig verändert – das war hier alles nicht. Na, gar nichts war – gar nichts. Hier lagen wir, dann kam eine ganze Weile nichts, das war das Niemandsland – das gehörte keinem ... und dann kamen die Deutschen. Da drüben lagen sie – der Horchposten lag hier, nein, warte mal, da – ja, grade da, wo jetzt der Teich ist. Ihr Graben fing da an. Jetzt erkenne ich alles wieder. Immer vier Tage hier vorn, dann drei Tage Ruhe hinten. Na, Ruhe ... Und dann der Urlaub, da wurdest du geboren – und dann wieder her. Nein, die Bauern waren alle fort – es waren nur die Soldaten hier. Wir hatten aneinander vollkommen genug. Komm mal ein Stück weiter nach vorn, vielleicht kann ich dir da etwas zeigen. Bist du müde? Wir waren auch müde, manchmal. Ja, nachts auch, du Dummerchen. Grade nachts. Meinst du, da hats aufgehört? Na – man konnte schon sehen: sie haben Raketen angezündet. Ja – viele. Viele sind totgeschossen. Siehst du, da oben, die schwarzen Kreuze? Das ist der Soldatenfriedhof, da liegen sie, da liegen sie alle ... Siehst du, über dieses Feld hier muß der Graben gelaufen sein, grade hier. Und da! da, wo der Baum steht, da lagen die andern. Dazwischen! Dazwischen war das leere Feld. Fünfmal sind wir da gelaufen, fünf Angriffe haben wir gemacht ... und sie sind auch darüber hingelaufen, die Deutschen ... immer ist alles so geblieben, wie es war. Da drüben, aber natürlich – genau an der Stelle – da war der Offiziersunterstand, von da kamen immer nachts die Krankenträger, und hier waren die größten Einschläge. Und da, gerade da, wo ich jetzt den kleinen Stein hinwerfe, da war die Sache mit Blanchard.

Besinnst du dich auf sein Bild? Es steht bei Vater auf dem Schreibtisch. Ja, der Mann mit dem großen Bart und dem ulkigen Stock. Das war Blanchard. Junge, wenn du den gekannt hättest – so einen gab es nicht mehr. Klug und anständig und so ein Freund! So ein guter Freund wie dein Freund René. Der Blanchard – guten Tag, Madamchen, na, immer noch so rüstig auf den Beinen? Ja, sehr heiß! – der Blanchard, der lag da auf Horchposten. Das ist ein Posten, der muß horchen, wann die Feinde kommen. Und da kam ein Schrapnell geflogen, und ein Eisenstück muß ihn grade in den Bauch getroffen haben. Das war nachts um zwölf. Junge, halt doch meinen Finger nicht so fest, es tut dir ja hier keiner was! Und da hat er geschrien, drei Nächte und zwei Tage hat er noch gelebt. Nach mir hat er immer gerufen, nach mir und nach seiner Mutter. Die Stimme wurde immer leiser. Zuletzt hat er nur noch ganz leise mit seinem Verbandsfetzen gewinkt – ganz wenig. Wir konnten ihn nicht holen. Niemand durfte heraus – es wäre der sichere Tod gewesen. Damals waren die Deutschen grade furchtbar erbittert, ich glaube, sie hatten eine Schlacht verloren. Und da mußten wir ihn liegen lassen, den Blanchard, die ganze Zeit über. Ich wollte auf ihn schießen – damit er nicht so zu leiden brauchte. Aber es ging nicht, er lag in einer Mulde, und ich konnte auch nicht. Er hat so geschrien, daß sie aus dem Nebengraben zu uns gekommen sind, weil sie wissen wollten, was es da gäbe. Hier war das. Da hinten ist unser Feldwebel gefallen, da war der große Einschlag, bei dem zwei Korporalschaften draufgegangen sind . . . da ungefähr muß ich gestanden haben. Nein, nein! Das ist nur in deinen Lesebüchern so. Du mußt nicht glauben, was in deinen Geschichtsbüchern steht – es ist alles nicht wahr. Dies hier – das ist wahr, Junge . . .»

«Was hast du, Papa? Warum sagst du nichts mehr? Nimm doch die Hand von den Augen –! Papa –!»

(1925)

Les Abattoirs

Ein grüngrauer, stumpfer Himmel liegt über La Villette, dem Arbeiterviertel im Nordosten der Stadt. Ein Stückchen Kanal durchschneidet quer die Straßen, von hier fahren die Kähne mit dem Fleisch durch rußige Wiesen. Es ist sieben Uhr früh.

Gegenüber dem begitterten Eingang zu den dunkeln Gebäuden des Schlachthofes hocken, sitzen, bummeln vor den Caféhäusern merkwürdige Männer und Frauen. Viele haben blutbespritzte Hosen, blutgetränkte Stiefel, ein grauer Mantel bedeckt das ein wenig. Einer ist nur in Jacke und Hose, unten ist er rot, als habe er in Blut gewatet, auf dem Kopf trägt er eine kleine, runde, rote Mütze – er sieht genau aus wie ein Gehilfe von Samson. Er raucht. Eine Uhr schlägt.

Die Massen strömen durch die große Pforte, hinten sieht man

eine Hammelherde durch eine schattige Allee trappeln, mit raschen Schritten rücken die Mörder an. Ich mit.

Über den großen Vorhof, flankiert von Wärter- und Bürohäuschen, an einer Uhrsäule vorüber, hinein in die ‹carrés›. Das sind lange Hallen, nach beiden zugigen Seiten hin offen, hoch, mit Stall-Löchern an den Seiten. Hier wird geschlachtet. Als ich in die erste Halle trete, ist alles schon in vollem Gange. Blut rieselt mir entgegen.

Da liegt ein riesiger Ochs, gefesselt an allen vieren, er hat eine schwarze Binde vor den Augen. Der Schlächter holt aus und jagt ihm einen Dorn in den Kopf. Der Ochse zappelt. Der Dorn wird herausgezogen, ein neuer, längerer wird eingeführt, nun beginnt das Hinterteil des Tieres wild zu schlagen, als wehre es sich gegen diesen letzten, entsetzlichen Schmerz.

Eine Viertelminute später ist die Kehle durchschnitten, das Blut kocht heraus. Man sieht in eine dunkle, rote Höhle, in den Ochsen hinein, aus dem Hohlen kommt das Blut herausgeschossen, es kollert wie ein Strudel, der Kopf des Ochsen sieht von der Seite her zu. Dann wird er gehäutet. Der nächste.

Der nächste hat an der Stalltür angebunden gestanden mit seiner Binde. Die ist ihm jetzt abgenommen, er schnüffelt und wittert, mit geducktem Hals sieht er sich den Vorgänger an, der da hängt, und beriecht eine riesige Sache: einen Magen, der, einer Meeresqualle gleich, vor ihm auf dem Steinboden umherschwimmt.

Auf einem Bock liegen drei Kälbchen mit durchschnittenen Kehlen, noch lange zucken die Körper, werfen sich immer wieder. Rasch fließt das Blut mit Wasser durchmischt in den Rinnsalen ab. Dort hinten schlachten sie die Hammel.

Zu acht und zehn liegen sie auf langen Böcken, auf dem Rücken liegen sie, den Kopf nach unten, die Beine nach oben. Und alle diese vierzig Beine schlagen ununterbrochen die Luft, wie eine einzige Maschine sieht das aus, als arbeiteten diese braunen und grauen Glieder geschäftig an etwas. Sie nähen an ihrem Tod. In der Ecke stehen die nächsten, sie sind schon gebunden, schnell nimmt der Schlächter eins nach dem andern hoch und legt es vor sich auf den Bock. Kein Schrei.

Drüben in der nächsten Halle wird à la juive geschlachtet. Der Mann, der schächtet, ist aus dem Bilderbuch, ein Jude: ein langes, vergrämtes Gesicht mit einem Käppchen, in der Hand hat er einen riesigen Stahl, scharf wie ein Rasiermesser. Er probt die Schneide auf dem Nagel, er nimmt irgendeine religiöse Förmlichkeit mit ihr vor, seine Lippen bewegen sich. Die süddeutschen Gassenjungen übersetzten sich dies Gebet so: I schneid di nit, i metz di nit, i will di bloß mal schächte!

Hier wird das Tier nicht vorher getötet und dann zum Ausbluten gebracht, sondern durch einen Schnitt getötet, so daß es sich im Todeskampf ausblutet. Ich bin auf den Schnitt gespannt.

Der Ochse ist an den Vorderbeinen gefesselt, durch den Raum laufen über Rollen die Stricke, und zwei Kerls ziehen langsam an. Der Ochse strauchelt, schlägt mit den Beinen um sich, legt sich. Der Kopf hängt jetzt nach unten, die Gurgel strammt sich nach oben . . . Der Jude ist langsam nähergekommen, den Stahl in der Hand. Aber wann hat er den Schnitt getan –? Er ist schon wieder zwei Meter fort, und dem Ochsen hängt der Kopf nur noch an einem fingerbreiten Streifen, das Blut brodelt heraus wie aus einer Wasserleitung. Das Tier bleibt so länger am Leben, unter der Rückenmuskulatur arbeitet es noch lange, fast zwei und eine halbe Minute. Ob es bei diesem System, wie behauptet wird, länger leidet, kann ich nicht beurteilen. Das Blut strömt. Erst dunkelrotes, später scharlachrotes, ein schreiendes Rot bildet seine Seen auf dem glitschrigen Boden. Nun ist das Tier still, der Augenausdruck hat sich kaum verändert. Neben ihm hat sich jetzt ein Mann auf den Boden gekniet, der das Fell mit einer Maschine ablöst. Sauber trennt der Apparat die Haut vom Fleisch, die Maschine schreit, es hört sich etwa an, wie wenn ein Metall gesägt wird, es kreischt. Dann wird dem riesigen Leib ein Schlauch ins Fleisch gestoßen, langsam schwillt er an: es wird komprimierte Luft eingepumpt. Das geschieht, wird gesagt, um die Haut leichter zu lösen. Es hat aber den Nachteil, daß diese Luft nicht rein ist, und das Fleisch scheint so schneller dem Verderben ausgesetzt zu sein. Und es hat den Vorteil, daß sich die Ware, da die Luft nicht so schnell entweicht, im Schaufenster besser präsentiert.

Karrees und wieder Karrees – der Auftrieb auf dem benachbarten Viehmarkt, der zweimal wöchentlich stattfindet, ist stark genug: gestern waren es 13 000 Tiere. Paris ist eine große Stadt, und es gibt nur noch kleinere Abattoirs, wie das an der Porte de Vaugirard, und eines nur für Pferde in Aubervilliers. Jetzt ist das Pferdefleisch annähernd so teuer wie das reguläre – der Verbrauch hat wohl etwas nachgelassen. La Villette hat das größte Abattoir – keineswegs das modernste –, mit dem in Nancy und den großen Musterschlachthöfen in Amerika und Deutschland nicht zu vergleichen.

Stallungen und Stallungen. Viele Tiere sind unruhig, viele gleichgültig. An einer Stalltür ist ein Kalb angebunden, das bewegt unablässig die Nüstern, etwas gefällt ihm hier nicht. Zehn Uhr zwanzig, da ist nichts zu machen. Ein Ochse will nicht, er wird furchtbar auf die Beine geschlagen. Sonst geht alles glatt und sauber und sachlich vor sich. An einer Tür stehen zwanzig kurz abgeschnittene Rinderfüße, pars pro toto, eine kleine Herde. Hier liegt ein Schafbock und kaut zufrieden Heu. Es ist ein gewerkschaftlicher Gelber.

Der wird an die Spitze der kleinen Hammelherden gesetzt, die da einpassieren, er führt sie in den Tod; kurz vorher verkrümelt er sich und weiß von nichts mehr, der Anreißer. Er ist ganz zahm und kommt immer wieder zu seinem Futterplatz zurück. Dafür schenkt man ihm das Leben. Das soll in den letzten Jahren schon mal vorgekommen sein.

Hier im großen Stall ist ein Pferch ganz voll von Schafen. Sie werden wohl gleich abgeholt, sie stehen so eng aufeinander, daß sie sich überhaupt nicht bewegen können, und sie stehen ganz still. Sie sehen stumm auf, kein Laut, hundertzwanzig feuchte Augen sehen dich an. Sie warten.

Durch Stallstraßen, an Eisfabriken und Konservenfabriken vorüber, zu den Schweinen. Eine idyllische Hölle, eine höllische Idylle.

In dem riesigen, runden Raum brennen in den einzelnen Kojen, die durch Bretterwände abgeteilt sind, große Strohfeuer. Die Rotunde hat Oberlicht, und die Schlächter, die Männer und Frauen, die die Kadaver sengen, sehen aus wie Angestellte der Firma Hephästos & Co. Die Schweine rummeln in den Kojen, durchsuchen das Stroh – der Schlächter mit einem großen Krockethammer tritt näher, holt, heiliger Hodler! weit aus und schlägt das Tier vor den Kopf. Meist fällt es sofort lautlos um. Zappelt es noch, gibt er einen zweiten Schlag, dann liegt es still. Keine Panik unter den Mitschweinen, kein Laut, kein Schrecken. Draußen, in den Ställen drumherum, schreien sie, wie wenn sie abgestochen werden sollen – hier drinnen kein Laut. Dem toten Schwein werden von Frauen die Borsten ausgerupft, mit denen du dich später rasierst, dann wird es ans Feuer getragen und abgesengt. Die schwarzen Kadaver, auf

kleinen Wägelchen hochaufgeschichtet, fahren sie in den Neben-
saal, wo man sie weiterverarbeitet. Hier, wie bei den Rindern,
stehen Leute mit Gefäßen, die fangen das Blut auf. Das Blut raucht,
es ist ganz schaumig, sie rühren ununterbrochen darin, damit es
nicht gerinnt.

Die Schlächter stehen sich nicht schlecht: sie verdienen etwa
zweihundert Franken die Woche. (Eine Umrechnung ergäbe bei
den verschiedenen Lebensbedingungen ein falsches Bild; der Real-
lohn ist für deutsche Verhältnisse hoch: der französische Arbeiter
wohnt schlechter als sein deutscher Genosse, ißt bedeutend besser,
kleidet sich fast ebenso gut.)

Da an der Ecke stehen vor großen Trögen Männer und Frauen
und kochen die Kalbsköpfe aus. Blutig kommen sie hinein, weiß
kommen sie heraus. Auf dem Boden rollen die abgeschnittenen
Köpfe mit den noch geöffneten Augen – ein Mann ergreift sie und
pumpt sie gleichfalls mit der Luftpumpe auf. Jedesmal bläht sich der
Kopf, jedesmal schließt das tote Kalb langsam und wie nun erst
verlöschend die Augen . . . dann werden sie gekocht.

Das einseitige Stiergefecht dauert noch an, bis elf wirds so weitergehen. An der Uhr, vorn am Eingang, hängen die Marktnotizen.

Da ist zunächst eine große erzene Tafel, den Toten des Krieges als
Erinnerung gewidmet, aufgehängt von den vereinigten Groß-
schlächtereien der Stadt Paris. Namen, eine Jahreszahl . . . Ich stu-
diere die Markttafeln. Und beim Aufsehen bleiben mir Worte
haften, ein paar Worte von der Inschrift, die die Gefallenen ehren
soll. So:

La Boucherie en gros
1914–1918

Die Parallele ist vollständig.

(1925)

Der fromme Angler

Bei Ascona im Tessinischen lebt ein Mann, der hat es mit der
Frömmigkeit und liebt die Lebewesen und alles, was da kreucht
und fleucht. Gut. Nun angelt der Mann aber sehr gern. Und da
sitzt er denn so manchmal am Lago Maggiore und läßt die Beine

baumeln, hält die Angelrute fest und sieht ins Wasser. Und dabei betet er.

Er betet nämlich: es möge kein Fisch anbeißen.

Weil sich doch Fische immer so quälen müssen, wenn sie am Angelhaken zappeln, und das möchte der Mann nicht, und da sendet er denn ein heißes Gebet nach dem andern zum lieben Gott, Abteilung Lago Maggiore-Fische: es solle auch gewiß keiner bei ihm anbeißen. Und dann angelt er weiter.

O meine Lieben! Ist dieser Mann nicht so recht eine Allegorie, ja, ein Symbol? Das ist er. Dieser Mann muß entweder ein alter Jude sein, oder, verschärfter Fall des Judentums, er ist bei den Jesuiten in die Lehre gegangen. Er hat das Höchste erreicht, was Menschen erreichen können: er hat die himmlischen Ideale mit seinen sündigen Trieben zu vereinen gewußt, und das will gekonnt sein. Den Fischen, die da bei ihm zappeln, wird das ja gleich sein; aber ihm ist es nicht gleich, denn er hat nun beides: die Fische und die Seelenruhe.

Schluß, allgemeiner Ausblick:

Da sitzen sie am Ufer des Lebens . . . oder am Meere des Lebens, das ist eigentlich noch schöner . . . da sitzen sie am Meere des Lebens und baumeln mit den Beinen und halten die Angelrute ins Wasser, um den Erfolg zu fischen. Aber wenn sie schlau sind, dann beten sie dazu und sind: Fromme Huren; soziale Bankdirektoren; demokratische Militärs und privatest die Wahrheit liebende Journalisten. Sie angeln und sie beten.

(1930)

Die Verteidigung des Vaterlandes

«Angora, 4. August (W.T.B.). Die große Nationalversammlung beschloß, daß alle Mitglieder der Versammlung an der Verteidigung des Vaterlandes teilnehmen sollten. Die militärischen und medizinischen Mitglieder reisen an die Front ab, während die andern mit Versorgungsangelegenheiten hinter der Front sich befassen werden.» Das steht in zweihundert Provinzzeitungen, und der Prozentsatz der Leser, die von Angora nur wissen, daß es solche Kater gibt, dürfte neunundneunzig sein. Der kluge Rest rät entweder auf Jugoslawien oder einen Balkanstaat . . . Und was denken alle hundert? Was sie denken sollen: ‹Die Verteidigung des Vaterlandes!›

Es ist durchaus nicht festgestellt, wer gegen wen den Katerstaat Angora zu verteidigen sich bemüßigt fühlt. Das ist dem Leser auch völlig gleichgültig. Wenn nur ein Vaterland verteidigt wird. Vaterländer lassen sich gern verteidigen, und die deutschen Zeitungsleser lieben das. Haben die Katermänner in Angora nun auch ihre große Zeit? Das ist recht. Und des Lesers Blick schweift in die Verlobungsanzeigen.

Wir aber, liebe Freunde, lasset uns ein wenig spintisieren.

«Die große Nationalversammlung beschloß . . .» Die große Nationalversammlung, das große Lalula Angoras – wer mag das sein? Ich bin noch nie im Vaterland Angora gewesen – aber ich sehe sie alle vor mir: die würdigen Vollbärte, gewaschen in allen Wassern des Parlamentarismus, unentwegt treu irgendwelche Fahnen hochhaltend und nach guter alten Katersitte auf den jeweiligen Miezislaus den Ersten schwörend. Die Vollbärte zittern. Fette Hände senken sich wohlwollend auf junge Schultern, Beruhigung klopfend, alles im Leben endet mit einem Arrangement. Und ich sehe die andern, die jungen, sportgebräunten Schieber mit den schwarzen Lacktollen und den französischen Stiefelchen. Laßt sie Schlachten liefern –: wir liefern Brotbeutel. Und essen Kuchen.

«Die militärischen und medizinischen Mitglieder reisen an die Front ab . . .» An die Front – ja. Noli me tangere – sagte die Schwangere.

Die Militärischen also werden nah an die Front reisen und dort von Villen und Schlössern aus den andern sagen, wie sie zu sterben haben. Das ist nicht einfach. Man muß Reden zu diesem Zweck halten. «Kater Angoras! Wahrt eure heiligsten Güter! Bis zum letzten Hauch von Mann und Roß . . .!» Ich sehe die Tausende zusammengeprügelter Bauernjungen, die, ein wenig ängstlich, ein wenig müde vom langen Warten und ein wenig angeregt vom Anblick der vielen glänzenden Uniformen, da im Karree stehen; vor ihnen eine prachtvolle Suite und dann irgendein ER. Ein glorreicher Oberbefehlshaber, ein Präsident, ein General, was weiß ich. Knapp legt er die Hand an den blinkenden Mützenschirm. «Ich danke, meine Herren!» Furchtlos hält der tapfere Mann die ordenübersäte Brust den fotografischen Objektiven hin,

die alle auf ihn gerichtet sind. Ein ff. historischer Moment –!
Danke, meine Herren!

Die Medizinischen sind auch an die Front gereist. Oho! Kein
wilder Negerstamm ohne einen Medizinmann. Dickbäuchige Zi-
vilärzte werden, schnaufend in der ungewohnten Uniform, an
Grobheit es den aktiven Kollegen gleichzutun suchen – mit Erfolg,
mit Erfolg. Wer noch keine Kassenpraxis gehabt hat: hier lernt er,
wie man mit Leuten umzugehen hat. «Zum Sterben tauglich –
raus!» Und was sich vor vierzehn Tagen noch katzbuckelnd und
händereibend vor den Kommerzienräten Angoras verbeugt hat,
weiß sich hier nicht zu lassen vor Manneskraft.

«. . . während die anderen mit Versorgungsangelegenheiten hinter der Front sich befassen werden.» Beim Katzenschwanz Angoras
und beim heiligen Sankt Baldrian: das werden sie! Ja, wenn wir
diese andern nicht hätten –! Während vorn, noch vor den Militärischen und den Medizinischen, Menschen in Ackergräben verlausen
und verrecken, befassen sie sich. Womit du willst: mit Proviant und
mit Leder, mit Granaten und mit Pferden, ein wenig auch mit sich
selbst; auf Samtpfoten und leise schnurrend buckeln sie zum Be-
zirkskommando Angoras. Miau! Wir sind alle, alle unabkömm-
lich . . .

Ich sehe Angora. Branntwein wird ausgeteilt; ein paar Narren,
die nicht glauben wollen, daß ihr Vaterland auch über das Leben
verfügen dürfe, fliegen ins Gefängnis; Redakteure schreiben sich die
Federkiele heiß – vom Sterben der andern; das Kater-Lampesche
Telegrafenbüro fertigt gut sitzende Originalsiege an, an denen alle
Welt seine Freude hat; wer ‹mies, mies, mies› macht, bekommt
Prügel; die Regierung streicht den sozialistischen Katzen solange
über das Fell, bis sie vor Behagen schnurren und alle auf dem Bauch
liegen: in allen Schaufenstern prangt das Bild jenes historischen
Moments, mit jenem großen Mann, einem Ludendorff, der einmal
desertieren wird: ein wahrhaft gestiefelter Kater. Alle Generale
vergessen Gicht und Gallenstein und wettern wieder auf den Kaser-
nenhöfen daher, daß es eine Lust ist; der ganze Militärstand wacht
auf und sträubt die Katerbärte, bereit zum Sterben der andern und
froh der eignen so aktuell gewordenen Wichtigkeit. Ja, und die
Berufssoldaten werden doppelt so froh ihren Lohn einstecken, und
ihre Onkel und Neffen, die sich schämen, nicht selbst mitzumar-
schieren, und die sich ärgern, in jeder Gesellschaft – und noch dazu

vor Damen – von so einem uniformierten Kater ausgestochen zu werden, werden auch nicht hinter der Zeit zurückbleiben wollen. Und so werden sie in ihren Büchern und in ihren Kollegs, in ihren Kirchen und in ihren Lesezirkeln davon sprechen, wie heilig, wie notwendig und wie edel der Krieg ist, sie werden das Sterben der andern loben, und wie süß es sei . . . Denn nichts ist schwerer und nichts erfordert mehr Charakter, als sich in offenem Gegensatz zu seiner Zeit zu befinden und laut zu sagen: Nein.

Es ist nicht nur gefährlich; stirnrunzelnd wird der Kaufherr von seinen Lieferungsverträgen aufblicken und den neben ihm stehenden militärischen Handlanger fragen, wer denn da toll geworden sei – winkend, man möge den Verräter einsperren. Was geschieht. Es ist nicht nur das, weshalb so viele Leute es scheuen, nein zu sagen. Es ist ja so schön, im großen Strom der Masse mitzuschwimmen – Windstoß und Wasserrichtung tragen das Schiff –; und wenn es dann so stolz dahinsegelt, denken die Leute, es fahre aus eigener Kraft . . . Es ist auch bekömmlicher, sich der Macht zu unterwerfen – wer sich vor ihr verbeugt hat, auf den geht ein Quentchen der großen Macht über, und aus einem kleinen Lehrer oder Delikateßwarenverkäufer ist über Nacht plötzlich ein gewaltiger Mann geworden. Ein Tyrann macht viele. Das ist ein großes Geheimnis . . .

Und die Frauen Angoras werden jubeln und schnurren und miauen und Scharpie zupfen und rosenrote Gedichtchen schreiben und über blau gekleidete Leichen jauchzen und über rot gekleidete jammern und am lautesten nach dem Oberkater schreien . . . Auf den Dächern Angoras . . .

Und in den Schulen Angoras lehrt man die Lehre von der Herrlichkeit des Krieges. Man lehrt: Du sollst nicht töten! und man lehrt: Du mußt töten! – und weil niemand in der Geschichtsstunde an die Religion denkt, so hat beides in den jugendlichen Gehirnen sehr wohl Platz, um so mehr, als ja das staatliche Töten mit vielen herrlichen, leuchtenden, bunten Farben verbunden ist, mit Musik und Ehren, mit Feiern und Orden und mit sehr viel Kaisern, die man ganz aus der Nähe ansehen darf. Und weil der Mensch immer glaubt, alles, was er auf der Schule, als er noch klein war, gelernt hat, ohne nachzudenken, nur, weil es ihm so eingetrichtert ward, das sei als absolute Wahrheit vom Himmel gefallen, so werden die jungen Angoristen später im Leben gute Staatswürger abgeben.

So wird in Angora das Vaterland verteidigt. Der Deutsche liests, bejahts und nimmt sich vor, es bei nächster Gelegenheit grade so zu machen.

Und keiner steht auf – in Angora nicht und in Potsdam schon gar nicht – und sagt dem Tier Masse, Tier Zeitgeist, dem Tier Staat: Nein! Du, die blinde, schwarze Kollektivität, bist der große Krumme, der Teufel, ein wütiges Tier, bar jeder Verantwortung. Denn ist das Katzenfest vorüber, so löst du dich in einzelne Lebewesen auf, von denen es keiner, keiner gewesen sein will. Und auch keiner war. Einzeln sind sie ganz vernünftig.

Und nicht eher wird die Kateridee der absoluten Souveränität des Staates schwinden, als bis die einzelnen, die unter ihm seufzen, sich hochrichten und klar und bestimmt sagen:

Wir wollen nicht mehr.

(1921)

Brot mit Tränen

Manchmal, wenn etwas Fürchterliches passiert ist, muß man nachher essen. Das ist eine seltsame Art zu essen . . .

Ekel vor dem Alltag, Scham, ihm unterworfen zu sein, sind überwunden – denn erst hat der Gedanke so weh getan, nun, nach solchem Geschehnis, etwas zu essen. Dann erfüllt das Gefäß des Schmerzes eine Formalität.

Es ist gar kein Essen. Ja, es wird wohl dem Körper eine Nahrungszufuhr vermittelt, das ist wahr, und es rutscht auch hinunter. Aber die Augen brennen noch verschleiert von Tränen, salzig fällt es auf die Butterbrote, vom Pathetischen zum Trivialen ist es nur eine Nasenspitze weit. Die Backen kauen, die Kehle schluckt, die Hand umklammert irgend etwas Brotiges. Aber es schmeckt nach nichts, es ist eine unnütze Geste, dieses Essen. Es widert einen an, das da.

Einmal, da starb einer Verwandten der Mann. Das war um sieben. Als er tot war, saßen nachher alle bei Tisch, gezwungenermaßen, wie nach einer geschlagenen Schlacht, nach einer Niederlage. Es war aus. Niemand sprach: Dann aber sprach jemand, und ich werde nie die Stimme der Frau vergessen, die da zu ihrer Schwester sagte, schluchzte, naß stöhnte: «Wo hast du die Eier her –?» Und die andere, tonlos, leergeweint, am Ende: «Von Prustermann. Sind sie nicht gut –?» Seht, so holt sich das Leben seine Leute wieder, die ins Land der Trauer auf Urlaub gehen.

(1926)

Der liebe Gott in Frankreich

Wie verschieden ist es doch so im menschlichen Leben –!

Bringt in Deutschland jemand die Gedankenvorstellungen der Kirche mit dem Humor in nähern Zusammenhang, dann finden sich nicht nur etliche Domdechanten, sondern noch mehr Richter, die aus einem politischen Diktaturparagraphen – dem § 166 – herausinterpretieren, was man nur wünscht. In Frankreich gibt es doch immerhin dieselbe katholische Kirche (über den Erdkreis hinweg), aber da sieht es nun so aus:

In den ‹Deux Anes› steigt eine der kleinen Revuen, über die wir uns schon manchmal unterhalten haben. Siebentes Bild: ‹*Restaurant zum bekränzten Bürzel*›. Und weil ja in den feinen Hotels die Speisen feierlich dargebracht werden, dort also nicht gegessen, sondern das Essen zelebriert wird, so sehen wir nunmehr ein ganzes Diner auf eine recht absonderliche Weise serviert.

Vor dem Altar der Office steht der Maître d'Hôtel, er macht viele kleine Verbeugungen und ruft mit modulierender Stimme die Speisen aus. «Le Potage de la Vierge Printanière» – und Frauenstimmen aus der Küche respondieren: «. . . printanière –!» die Gäste nehmen keine Abendmahlzeit ein, sondern ein Abendmahl, der zweite Kellner schwenkt den Salatkorb wie eine Räucherpfanne, die Musik spielt Gounod-Bach, und es ist – wie die Prospekte der Beerdigungsinstitute sagen – eine Mahlzeit erster Klasse. Der Ober nennt die Gäste «Nos fidèles», was gleichzeitig treu und gläubig heißt, alles geht sehr schnell, und wenn es vorbei ist, dann singt der Chor der Kellner:

«Avé – avé – avez-vous bien diné?»

Alles lacht und klatscht. In den Zeitungen kein böses Wort. Im Publikum kein fader Jude, dem plötzlich das böse Gewissen schlägt und der pogromängstlich «geschmakkkkklos» murmelt, denn es geht nichts über den Katholizismus gebildet aufgeklärter Juden, kein frommer Abgeordneter, der nun aber neue Gesetze gegen Schmutz und Schund fordert . . . nichts.

Eine andre Rasse, gewiß. Damit ist noch nicht bewiesen, daß es in lateinischen Ländern mit dem Humor anders sei als bei uns, gewiß.

Aber glaubt doch ja nicht, daß es, alle Leichtigkeit des französischen Humors zugegeben, hier immer so gewesen ist. Die Kirche hat das Land einmal beherrscht. Und mit dem Patriotismus könnte man sich die gleiche Szene kaum ausdenken – da gäbe es Krach. Mit der Kirche aber . . .

Die hat eben – trotz allem – in Frankreich zum mindesten nicht die Macht, das öffentliche Leben so zu knebeln, wie sie das lautlos in Deutschland tut, wo alles kuscht, wenn sie bimmelt, und wo kein Mensch auf unsre Empfindungen Rücksicht nimmt, auf uns, deren Gefühle verletzt werden, wenn ein Pfaffe von der Kanzel herunter zum Mord hetzt. «Avez-vous bien diné?» Wenn man die deutsche Zentrumsherrschaft mitansieht, kann man nur sagen: Mahlzeit!

(1929)

Lesefrucht

Wir verdanken Gustav Meyrink die schöne Geschichte vom ‹Schöpsoglobin›, darin die Affen des Urwaldes mit einer Lösung geimpft werden, die heftigen Patriotismus erzeugt. Die Impfung richtet denn auch schreckliche Verwüstungen unter den Tieren des Waldes an: sie gehen mit markerschütterndem Stumpfsinn hinter einem Riesenaffen her, der sich das Gesäß mit Goldpapier beklebt hat . . . man lese das nach.

Was es für Affen unter den Menschen gibt – das ist nicht neu. Aber was es für völkisch empfindende Mannen unter den Affen gibt, das sollte man wohl nicht für möglich halten.

Da steht auf Teneriffa eine Station mit Menschenaffen, an denen die Psychologen ihre Intelligenzprüfungen vorgenommen haben. (Von einer Umkehrung dieses Experiments ist vorläufig abgesehen worden.) Es gibt da eine sehr fesselnde Untersuchung des Professors Köhler: ‹Intelligenzprüfungen an Anthropoiden›, erschienen im Verlag der Akademie der Wissenschaften, Berlin. Da erzählt er, wie die Affen gern allerlei Gegenstände mit sich herumschleppen, an ihren Körper anbringen, sich mit ihnen behängen. «Fast täglich sieht man ein Tier mit einem Seil, einem Fetzen Zeug, einer Krautranke oder einem Zweig auf den Schultern dahergehen. Gibt man Tschego eine Metallkette, so liegt diese sofort um den Nacken des Tieres. Gestrüpp wird mitunter in größeren Mengen auf dem ganzen Rücken ausgebreitet getragen. Seil und Zeugfetzen hängen gewöhnlich zu beiden Seiten des Halses über die Schultern zu Boden; Tercera läßt Schnüre auch um den Hinterkopf und über die Ohren laufen, so daß sie zu beiden Seiten des Gesichts herunterbaumeln.»

Und Köhler fügt nun eine glänzende Beobachtung hinzu:

«. . . daß die am Körper hängenden Gegenstände Schmuckfunktion im weitesten Sinne haben. Das Trotten der behängten Tiere sieht nicht nur mutwillig aus, es wirkt auch naiv-selbstgefällig. Freilich darf man kaum annehmen, daß die Schimpansen sich eine optische Vorstellung von ihrem eignen Aussehen unter dem Einfluß der Toilette machen, und nie habe ich gesehen, daß die äußerst häufige Benutzung spiegelnder Flächen irgend Beziehung auf das Behängen genommen hätte; aber» – paßt auf! – «aber es ist sehr wohl möglich, daß das primitive Schmücken gar nicht auf optische Wirkungen nach außen rechnet – ich traue so etwas dem Schimpansen nicht zu –, sondern ganz auf der merkwürdigen Steigerung des eignen Körpergefühls, Stattlichkeitseindrucks, Selbstgefühls beruht, die auch beim Menschen eintritt, wenn er sich mit einer Schärpe behängt oder lange Troddelquasten an seine Schenkel schlagen. Wir pflegen die Selbstzufriedenheit vor dem Spiegel zu erhöhen, aber der Genuß unsrer Stattlichkeit ist durchaus nicht an den Spiegel, an optische Vorstellungen unsres Aussehens oder an irgend genauere optische Kontrolle überhaupt gebunden; sobald sich so etwas mit unserm Körper mitbewegt, fühlen wir ihn reicher und stattlicher.»

Im Urwald fing es an. Am 1. August 1914 hat es sich zum letztenmal bewahrheitet. Zum letztenmal –?

(1930)

Der Zerstreute

Mein Blinddarm, der ruht in Palmnicken;
ein Backenzahn und überdies
ein Milchzahn liegen in Saarbrücken.
Die Mandeln ruhen in Paris.

So streu ich mich trotz hohen Zöllen
weit durch Europa hin durchs Land.
Auch hat die Klinik in Neukölln
noch etwas Nasenscheidewand.

Ein guter Arzt will operieren.
Es freut ihn, und es bringt auch Geld.
Viel ist nicht mehr zu amputieren.
Ich bin zu gut für diese Welt.

Was soll ich armes Luder machen,
wenn die Posaune blasen mag?
Wie tret ich an mit meinen sieben Sachen
am heiligen Auferstehungstag?

Der liebe Gott macht nicht viel Federlesen,
«Herr Tiger!» ruft er. «Komm hervor!
Wie siehst du aus, lädiertes Wesen?
Und wo – wo hast du den Humor?»

«Ich las» – sag ich dann ohne Bangen –
«einst den Etat der deutschen Generalität.
Da ist mir der Humor vergangen.»
Und Gott versteht.
                    Und Gott versteht.
                              (1932)

Unser Militär!

Einstmals, als ich ein kleiner Junge
und mit dem Ranzen zur Schule ging,
schrie ich mächtig, aus voller Lunge,
hört ich von fern das Tschingderingdsching.
Lief wohl mitten über den Damm,
stand vor dem Herrn Hauptmann stramm,
vor den Leutnants, den schlanken und steifen . . .

Und wenn dann die Trommeln und die Pfeifen
übergingen zum Preußenmarsch,
fiel ich vor Freude fast auf den Boden –
die Augen glänzten – zum Himmel stieg
      Militärmusik! Militärmusik!

Die Jahre gingen. Was damals ein Kind
bejubelt aus kindlichem Herzen,
sah nun ein Jüngling im russischen Wind
von nahe und unter Schmerzen.
Er sah die Roheit und sah den Betrug.
Ducken! ducken! noch nicht genug!
Tiefer ducken! tiefer bücken!
Treten und stoßen auf krumme Rücken!
Die Leutnants fressen und saufen und huren,
wenn sie nicht grade auf Urlaub fuhren.
Die Leutnants saufen und huren und fressen
das Fleisch und das Weizenbrot wessen? wessen?
Die Leutnants fressen und huren und saufen . . .
Der Mann kann sich kaum das Nötigste kaufen.
Und hungert. Und stürmt. Und schwitzt. Und marschiert.
Bis er krepiert.
Und das sah einer mit brennenden Augen
und glaubte, der Krempel könne nichts taugen.
Und glaubte, das müsse zusammenfallen
zum Heile von Deutschland, zum Heil von uns allen . . .
Aber noch übertönte den Jammer im Krieg
      Militärmusik! Militärmusik!

Und heute?
      Ach heute! Die Herren oben
tun ihren Pater Noske loben
und brauchen als Stütze für ihr Prinzip
den alten, trostlosen Leutnantstyp.
Das verhaftet, regiert und vertobakt Leute,
damals wie heute, damals wie heute –
und fällt einer wirklich mal herein,
setzt sich ein andrer für ihn ein.

Liebknecht ist tot. Vogel heidi.
Solche Mörder straft Deutschland nie.
Na und –?
Der Haß, der da unten sich sammelt,
hat euch den Weg noch nicht verrammelt.
Aber das kann noch einmal kommen . . .!
Nicht alle Feuer, die tiefrot glommen
unter der Asche, gehen aus.
Achtung! Es ist Zündstoff im Haus!
Wir wollen nicht diese Nationalisten,
diese Ordnungsbolschewisten,
all das Gesindel, das uns geknutet,
unter dem Rosa Luxemburg verblutet.
Nennt ihr es auch Freiwilligenverbände:
es sind die alten, schmutzigen Hände.
Wir kennen die Firma, wir kennen den Geist,
wir wissen, was ein Korpsbefehl heißt . . .
Fort damit –!
Reißt ihre Achselstücke
in Fetzen – die Kultur kriegt keine Lücke,
wenn einmal im Lande der verschwindet,
dessen Druck kein Freier verwindet.
Es gibt zwei Deutschland –: eins ist frei,
das andre knechtisch, wer es auch sei.
Laß endlich schweigen, o Republik,
Militärmusik! Militärmusik –! (1919)

Nach der Schlacht

Wenns mir mal schlecht geht, wird mich keiner kennen.
Ein fremder Hunger langweilt fürchterlich.
Und mancher sagt, hört er den Namen nennen:
«Ja, ich erinnre mich . . .»

An allen Türen klingle ich vergebens.
Ich schlucke so, wenn ich da draußen steh.
Es bleibt als Fazit eines ganzen Lebens:
«Mein Gott, das ist passé –!»

Es kommt ein Freund aus frühern bessern Tagen,
der spricht mit mir ein gutes Männerwort
und spricht und schenkt mir einen alten Kragen
und macht rasch wieder fort.

Wenns mir mal schlecht geht, will ich mich verstecken.
Da sind ja andre noch viel schlimmer dran:
Da gibt es welche bettelnd an den Ecken.
Die stehen Mann für Mann.

Was klag denn ich, wenn ich einst nicht mehr tauge?
Den andern ward, nach blutigem Höllentanz,
mit Holzbein und mit ausgelaufnem Auge
der Dank des Vaterlands.

(1924)

Drei Minuten Gehör!

Drei Minuten Gehör will ich von euch, die ihr arbeitet –!

Von euch, die ihr den Hammer schwingt,
von euch, die ihr auf Krücken hinkt,
von euch, die ihr die Feder führt,
von euch, die ihr die Kessel schürt,
von euch, die mit den treuen Händen
dem Manne ihre Liebe spenden –
von euch, den Jungen und den Alten–:
Ihr sollt drei Minuten inne halten.
Wir sind ja nicht unter Kriegsgewinnern.
Wir wollen uns einmal erinnern.

Die erste Minute gehöre dem Mann.
Wer trat vor Jahren in Feldgrau an?
Zu Hause die Kinder – zu Hause weint Mutter . . .
Ihr: feldgraues Kanonenfutter –!
Ihr zogt in den lehmigen Ackergraben.
Da saht ihr keinen Fürstenknaben:
der soff sich einen in der Etappe

und ging mit den Damen in die Klappe.
Ihr wurdet geschliffen. Ihr wurdet gedrillt.
Wart ihr noch Gottes Ebenbild?
In der Kaserne – im Schilderhaus
wart ihr niedriger als die schmutzigste Laus.
Der Offizier war eine Perle,
aber ihr wart nur ‹Kerle›!
Ein elender Schieß- und Grüßautomat.
«Sie Schwein! Hände an die Hosennaht –!»
Verwundete mochten sich krümmen und biegen:
kam ein Prinz, dann hattet ihr stramm zu liegen.
Und noch im Massengrab wart ihr die Schweine:
Die Offiziere lagen alleine!
Ihr wart des Todes billige Ware . . .
So ging das vier lange blutige Jahre.
Erinnert ihr euch –?

Die zweite Minute gehöre der Frau.
Wem wurden zu Haus die Haare grau?
Wer schreckte, wenn der Tag vorbei,
in den Nächten auf mit einem Schrei?
Wer ist es vier Jahre hindurch gewesen,
der anstand in langen Polonaisen,
indessen Prinzessinnen und ihre Gatten
alles, alles, alles hatten – –?
Wem schrieben sie einen kurzen Brief,
daß wieder einer in Flandern schlief?
Dazu ein Formular mit zwei Zetteln . . .
wer mußte hier um die Renten betteln?
Tränen und Krämpfe und wildes Schrein.
Er hatte Ruhe. Ihr wart allein.
Oder sie schickten ihn, hinkend am Knüppel,
euch in die Arme zurück als Krüppel.
So sah sie aus, die wunderbare
große Zeit – vier lange Jahre . . .
Erinnert ihr euch –?

Die dritte Minute gehört den Jungen!
Euch haben sie nicht in die Jacken gezwungen!

Ihr wart noch frei! Ihr seid heute frei!
Sorgt dafür, daß es immer so sei!
An euch hängt die Hoffnung. An euch das Vertraun
von Millionen deutschen Männern und Fraun.
Ihr sollt nicht strammstehn. *Ihr* sollt nicht dienen!
Ihr sollt frei sein! Zeigt es ihnen!
Und wenn sie euch kommen und drohn mit Pistolen –:
Geht nicht! Sie sollen euch erst mal holen!
Keine Wehrpflicht! *Keine* Soldaten!
Keine Monokel-Potentaten!
Keine Orden! *Keine* Spaliere!
Keine Reserveoffiziere!
Ihr seid die Zukunft!

                             Euer das Land!
Schüttelt es ab, das Knechtschaftsband!
Wenn ihr nur wollt, seid ihr alle frei!
Euer Wille geschehe! Seid nicht mehr dabei!
Wenn ihr nur wollt: bei euch steht der Sieg!
– *Nie wieder Krieg* –!

                                         (1923)

Befreiendes Menschentum –
noch nicht
Noch ist es nicht so weit,
denn wir leben in einer Übergangszeit!

> Es ist ein großer Irrtum zu glauben, daß
> Menschheitsprobleme «gelöst» werden. Sie
> werden von einer gelangweilten Menschheit
> liegen gelassen.

Europa

Am Rhein, da wächst ein süffiger Wein –
der darf aber nicht nach England hinein –
   Buy British!
In Wien gibt es herrliche Torten und Kuchen,
die haben in Schweden nichts zu suchen –
   Köp svenska varor!
In Italien verfaulen die Apfelsinen –
laßt die deutsche Landwirtschaft verdienen!
   Deutsche, kauft deutsche Zitronen!
Und auf jedem Quadratkilometer Raum
träumt einer seinen völkischen Traum.
Und leise flüstert der Wind durch die Bäume . . .
   Räume sind Schäume.

Da liegt Europa. Wie sieht es aus?
Wie ein bunt angestrichnes Irrenhaus.
Die Nationen schuften auf Rekord:
   Export! Export!
Die andern! Die andern sollen kaufen!
Die andern sollen die Weine saufen!
Die andern sollen die Schiffe heuern!
Die andern sollen die Kohlen verfeuern!
Wir?
   Zollhaus, Grenzpfahl und Einfuhrschein:
wir lassen nicht das geringste herein.
Wir nicht. Wir haben ein Ideal:
Wir hungern. Aber streng national.

Fahnen und Hymnen an allen Ecken.
Europa? Europa soll doch verrecken!
Und wenn alles der Pleite entgegentreibt:
daß nur die Nation erhalten bleibt!
Menschen braucht es nicht mehr zu geben.
England! Polen! Italien muß leben!
Der Staat frißt uns auf. Ein Gespenst. Ein Begriff.
Der Staat, das ist ein Ding mitm Pfiff.
Das Ding ragt auf bis zu den Sternen –

von dem kann noch die Kirche was lernen.
Jeder soll kaufen. Niemand kann kaufen.
Es rauchen die völkischen Scheiterhaufen.
Es lodern die völkischen Opferfeuer:
Der Sinn des Lebens ist die Steuer!
Der Himmel sei unser Konkursverwalter!
Die Neuzeit tanzt als Mittelalter.

Die Nation ist das achte Sakrament –!
Gott segne diesen Kontinent.

(1932)

Blick in ferne Zukunft

... Und wenn alles vorüber ist –; wenn sich das alles totgelaufen hat: der Hordenwahnsinn, die Wonne, in Massen aufzutreten, in Massen zu brüllen und in Gruppen Fahnen zu schwenken, wenn diese Zeitkrankheit vergangen ist, die die niedrigen Eigenschaften des Menschen zu guten umlügt; wenn die Leute zwar nicht klüger, aber müde geworden sind; wenn alle Kämpfe um den Faschismus ausgekämpft und wenn die letzten freiheitlichen Emigranten dahingeschieden sind –:

dann wird es eines Tages wieder sehr modern werden, liberal zu sein.

Dann wird einer kommen, der wird eine geradezu donnernde Entdeckung machen: er wird den Einzelmenschen entdecken. Er wird sagen: Es gibt einen Organismus, Mensch geheißen, und auf den kommt es an. Und ob der glücklich ist, das ist die Frage. Daß der frei ist, das ist das Ziel. Gruppen sind etwas Sekundäres – der Staat ist etwas Sekundäres. Es kommt nicht darauf an, daß der Staat lebe – es kommt darauf an, daß der Mensch lebe.

Dieser Mann, der so spricht, wird eine große Wirkung hervorrufen. Die Leute werden seiner These zujubeln und werden sagen: «Das ist ja ganz neu! Welch ein Mut! Das haben wir noch nie gehört! Eine neue Epoche der Menschheit bricht an! Welch ein Genie haben wir unter uns! Auf, auf! Die neue Lehre –!»

Und seine Bücher werden gekauft werden oder vielmehr die seiner Nachschreiber, denn der erste ist ja immer der Dumme.

Und dann wird sich das auswirken, und hunderttausend schwarzer, brauner und roter Hemden werden in die Ecke fliegen und auf den Misthaufen. Und die Leute werden wieder Mut zu sich selber bekommen, ohne Mehrheitsbeschlüsse und ohne Angst vor dem Staat, vor dem sie gekuscht hatten wie geprügelte Hunde. Und das wird dann so gehen, bis eines Tages . . .

(1930)

Erfüllung

Wie Wagenpferde, die schwer gezogen haben, getränkt werden —: das sehe ich so gern. Da stehen sie, mit nassem Fell, die Schweife wedeln ganz matt, sie lassen den Kopf hängen, und das eine stößt das andre, das grade trinkt, beiseite. Man sieht das Wasser in seine Kehle hinuntergleiten, es schlürft; alles an ihm ist Gier, gesättigte Gier, frische Gier und Befriedigung. Dann trinkt das zweite, und das erste sieht zufrieden vor sich hin, aus dem Maul rinnt ihm Wasser in langen Fäden . . . Das ist schön. Ich möchte den Kutscher streicheln, der ihnen da seinen Eimer hinhält. Warum ist das schön —?

Weil es erfüllte Befriedigung ist, die ist so selten. Es ist legitimer Wunsch, erarbeiteter Lohn, Notwendigkeit, und eine erquickende Spur Wollust ist auch darin. Auch tut es niemand wehe; keine Spinne tötet hier die mit großem Fleiß eingefangene Fliege, ihren ebenso naturhaften Hunger zu stillen, und die Mikroben im Wasser werden wohl keine Schmerzen erleiden, wir wollen uns da nicht lächerlich machen — es ist schön, wenn Pferde getränkt werden.

Es ist auch etwas Freude an der menschlichen Überlegenheit dabei: daß es ein Mensch ist, der ihnen zu trinken gibt. Trinken sie zum Beispiel aus einem fließenden Bach, so gönnt man es ihnen, aber das Bild verliert etwas von dem Behagen, mit dem uns das erste erfüllt. Wir sind wohl sehr eitel, als Gattung.

Und dann ist es auch schön, weil Pferde nicht sprechen können. Kommt ein durstiger, durchschwitzter Wandersmann an die Theke des kleinen Gasthauses und sagt: «Ein großes Helles! Donnerwetter, ist das heute eine Hitze . . .», dann trinkt er, und es ist kaum ein ästhetischer Genuß, ihm zuzusehn. Wenn nachher seine Augen glänzen und er «Ah —» macht, dann wirkt er auf uns, die wir keinen Durst haben, eine ganze Kleinigkeit albern.

Warum es grade bei den Pferden so ist, das weiß ich nicht. Man fühlt sich gut, wenn man sich vor ihnen gut fühlt. Eine milde Woge von Tierliebe quillt in einem auf. Aber die täuscht.

Denn läuft das Pferdepaar nachher nicht schnell genug, dann sind wir auf den Kutscher böse, weil er ihnen nicht ordentlich einen überzieht. «La race maudite, à laquelle nous appartenons . . .» sagte jener Fridericus in seiner Muttersprache. Wenn wir einmal nicht grausam sind, dann glauben wir gleich, wir seien gut.

(1929)

Die fünfte Jahreszeit

Die schönste Zeit im Jahr, im Leben, im Jahr? Lassen Sie mich nachfühlen.

Frühling? Dieser lange, etwas bleichsüchtige Lümmel, mit einem Papierblütenkranz auf dem Kopf, da stakt er über die begrünten Hügel, einen gelben Stecken hat er in der Hand, präraffaelitisch und wie aus der Fürsorge entlaufen; alles ist hellblau und laut, die Spatzen fiepen und sielen sich in blauen Lachen, die Knospen knospen mit einem kleinen Knall, grüne Blättchen stecken fürwitzig ihre Köpfchen . . . ä, pfui Deibel . . .! die Erde sieht aus wie unrasiert, der Regen regnet jeglichen Tag und tut sich noch was darauf zugute: ich bin so nötig für das Wachstum, regnet er. Der Frühling –?

Sommer? Wie eine trächtige Kuh liegt das Land, die Felder haben zu tun, die Engerlinge auch, die Stare auch; die Vogelscheuchen scheuchen, daß die ältesten Vögel nicht aus dem Lachen herauskommen, die Ochsen schwitzen, die Dampfpflüge machen Muh, eine ungeheure Tätigkeit hat rings sich aufgetan; nachts, wenn die Nebel steigen, wirtschaftet es noch im Bauch der Erde, das ganze Land dampft vor Arbeit, es wächst, begattet sich, jungt, Säfte steigen auf und ab, die Stuten brüten, Kühe sitzen auf ihren Eiern, die Enten bringen lebendige Junge zur Welt: kleine piepsende Wolleballen, der Hahn – der Hahn, das Aas, ist so recht das Symbol des Sommers! er preist seinen Tritt an, das göttliche Elixier, er ist das Zeichen der Fruchtbarkeit, hast du das gesehn? und macht demgemäß einen mordsmäßigen Krach . . . der Sommer –?

Herbst? Mürrisch zieht sich die Haut der Erde zusammen, dünne

Schleier legt sich die Fröstelnde über, Regenschauer fegt über die Felder und peitscht die entfleischten Baumstümpfe, die ihre hölzernen Schwurfinger zum Offenbarungseid in die Luft strecken: Hier ist nichts mehr zu holen . . . So sieht es auch aus . . . Nichts zu holen . . . und der Wind verklagt die Erde, und klagend heult er um die Ecken, in enge Nasengänge wühlt er sich ein, Huuh macht er in den Stirnhöhlen, denn der Wind bekommt Prozente von den Nasendoktoren . . . hochauf spritzt brauner Straßenmodder . . . die Sonne ist zur Kur in Abazzia . . . der Herbst −?

Und Winter? Es wird eine Art Schnee geliefert, der sich, wenn er die Erde nur von weitem sieht, sofort in Schmutz auflöst; wenn es kalt ist, ist es nicht richtig kalt sondern naßkalt, also naß . . . Tritt man auf Eis, macht das Eis Knack und bekommt rissige Sprünge, so eine Qualität ist das! Manchmal ist Glatteis, dann sitzt der liebe Gott, der gute, alte Mann, in den Wattewolken und freut sich, daß die Leute der Länge lang hinschlagen . . . also, wenn sie denn werden kindisch . . . kalt ist der Ostwind, kalt die Sonnenstrahlen, am kältesten die Zentralheizung − der Winter −?

«Kurz und knapp, Herr Hauser! Hier sind unsere vier Jahreszeiten. Bitte: Welche −?»

Keine. Die fünfte.

«Es gibt keine fünfte.»

Es gibt eine fünfte. − Hör zu:

Wenn der Sommer vorbei ist und die Ernte in die Scheuern gebracht ist, wenn sich die Natur niederlegt, wie ein ganz altes Pferd, das sich im Stall hinlegt, so müde ist es − wenn der späte Nachsommer im Verklingen ist und der frühe Herbst noch nicht angefangen hat −: dann ist die fünfte Jahreszeit.

Nun ruht es. Die Natur hält den Atem an; an andern Tagen atmet sie unmerklich aus leise wogender Brust. Nun ist alles vorüber: geboren ist, gereift ist, gewachsen ist, gelaicht ist, geerntet ist − nun ist es vorüber. Nun sind da noch die Blätter und die Gräser und die Sträucher, aber im Augenblick dient das zu gar nichts; wenn überhaupt in der Natur ein Zweck verborgen ist: im Augenblick steht das Räderwerk still. Es ruht.

Mücken spielen im schwarz-goldenen Licht, im Licht sind wirklich schwarze Töne, tiefes Altgold liegt unter den Buchen, Pflaumenblau auf den Höhen . . . kein Blatt bewegt sich, es ist ganz still. Blank sind die Farben, der See liegt wie gemalt, es ist ganz still. Boot, das flußab gleitet, Aufgespartes wird dahingegeben – es ruht.

So vier, so acht Tage –

Und dann geht etwas vor.

Eines Morgens riechst du den Herbst. Es ist noch nicht kalt; es ist nicht windig; es hat sich eigentlich gar nichts geändert – und doch alles. Es geht wie ein Knack durch die Luft – es ist etwas geschehen; so lange hat sich der Kubus noch gehalten, er hat geschwankt . . ., na . . . na . . ., und nun ist er auf die andere Seite gefallen. Noch ist alles wie gestern: die Blätter, die Bäume, die Sträucher . . . aber nun ist alles anders. Das Licht ist hell, Spinnenfäden schwimmen durch die Luft, alles hat sich einen Ruck gegeben, dahin der Zauber, der Bann ist gebrochen – nun geht es in einen klaren Herbst. Wie viele hast du? Dies ist einer davon. Das Wunder hat vielleicht vier Tage gedauert oder fünf, und du hast gewünscht, es solle nie, nie aufhören. Es ist die Zeit, in der ältere Herren sehr sentimental werden – es ist nicht der Johannistrieb, es ist etwas andres. Es ist: optimistische Todesahnung, eine fröhliche Erkenntnis des Endes. Spätsommer, Frühherbst und das, was zwischen ihnen beiden' liegt. Eine ganz kurze Spanne Zeit im Jahre.

Es ist die fünfte und schönste Jahreszeit.

(1929)

Nachher

Wir schaukelten uns auf den Wellen – kurze und lange umhauchten uns, die Sendestationen der Planetenkugeln versorgten uns damit, uns, im jenseitigen Herrenbad. Aus den Familienkabinen drang leises Kreischen.

«Welches war eigentlich Ihr schlimmster Eindruck hier bei uns?» fragte er. Ich sagte:

«Der erste Tag im Empfangssaal – das war gräßlich. Daran mag ich gar nicht zurückdenken. Gräßlich war das.»

«Warum?» fragte er. Ich sagte: «Zweiundsiebzig Jahre auf der Erde, das bedeutet: neunundsechzig Jahre lang gelogen, Empfindungen versteckt, geheuchelt; gegrinst, statt zu beißen; geschimpft, wo man geliebt hat . . . Manchmal dämmert eine Ahnung auf, das vielleicht lieber doch zu unterlassen. ‹Gewissen› sagen die Kultusbeamten. Es ist aber nur das matte Versickern des Gefühls, daß die, die vor uns gestorben sind, uns durchschauen, von oben her. Denken Sie doch: die ganze Lüge offenbar! Wenn ich das gewußt hätte! Ich kam in den Empfangssaal» – aber jetzt schienen sie drüben im Familienbad geradezu auf den Köpfen zu gehen –, «und ich glaubte vor Scham in die Erde sinken zu müssen. Es war aber keine da. Schrecklich – nie in meinem ganzen Leben habe ich mich so geschämt, so schrecklich geschämt. Und das allerschlimmste war: sie sahen mich nur an. Sie sahen mich alle nur an. Niemand kam auf die peinlichen Dinge zurück – aber ich wußte das doch, daß sie alles wußten! Ich war klein wie eine Maus – so jämmerlich. Ich würde nie mehr lügen.»

«Der alte Mann», sagte er, «der das arrangiert, hätte diese Zeremonie des Empfangssaals vorher legen sollen, vor unser Leben. Vielleicht . . .»

«Ja», sagte ich.

«Aber dann wäre es nicht so schön gewesen», sagte er.

«Nein», sagte ich.

Jetzt kam eine große Welle, eine von den langen, starken, und warf uns mit den Beinen aneinander, daß wir lachen mußten.

Wir saßen auf der Wolke und ließen die Beine baumeln.

«Am liebsten», sagte ich zu ihm, «waren mir zeitlebens die Betriebe, die ein wenig verfault waren. Da arbeitete ich so gern. Der Chef schon etwas gaga, wie die Franzosen das nennen, mümmlig, nicht mehr ganz auf dem Trab, vielleicht Alkoholiker; sein Stellvertreter ein gutmütiger Mann, der nicht allzuviel zu sagen hatte. Niemand hatte überhaupt viel zu sagen – der Begriff des Vorgesetzten war eingeschlafen. Auch Vorschriften nahm man nicht so genau – sie waren da, aber sie bedrückten keinen. Diese Läden hatten immer so etwas von Morbidität, es ging zu Ende mit ihnen, ein leiser Verfall. Wissen sie: man arbeitete, man faulenzte nicht, hatte Beschäftigung – aber es war im großen ganzen doch nur die Geste der Arbeit. Haben Sie mal in einer Posse eine Choristin die Möbel abpuscheln sehen? So etwas Ähnliches war es. Schrecklich, wenn der Betrieb etwa aufgefrischt werden sollte, wenn ein neuer Mann kam, der gleich am ersten Tag erklärte: ‹Die Schweinerei hört jetzt auf!› Wie lange es immer dauerte, bis sich auch der neue eingewöhnt hatte! Denn Verfall steckt an – unweigerlich. Ich bin zweiundsiebzig Jahre alt geworden: mir ist kein Fall bekannt, wo er nicht angesteckt hätte. Ja. Es gab viele Stätten solcher Art. Beim Militär habe ich sie gefunden, in der Industrie; auf dem Lande lagen solche Güter – Operettenbetriebe. Hübsch, da zu arbeiten. Sehr nett. Und immer so eine leise kitzelnde Angst vor dem Ende, denn einmal mußte es ja kommen, das Ende – immer konnte es nicht so weitergehen.»

«Nein», antwortete er, «immer konnte es natürlich nicht so weitergehen. Kommen Sie übrigens heute nachmittag zum lieben Gott?» – «Wer wird da sein –?» sagte ich. Er antwortete: «Gandhi, Alfred Polgar, einer von den unbekannten Soldaten und dann irgendein Neuer.»

«Ich mag die Neuen nicht», sagte ich. «Sie kommen sich so feierlich vor. Wie finden Sie übrigens den lieben Gott?»

«Sehr sympathisch», sagte er. «Er erinnert ein wenig an das, wovon Sie eben sprachen.» – «Ja», sagte ich.

Dann ließen wir wieder die Beine baumeln.

Wir standen in der Luft, ein Vergnügen, dessen man nicht satt wird, am Anfang. Es war einsam um uns, einmal hastete ein Geist an uns vorüber, im Frack; vielleicht war er zu einer spiritistischen Sitzung geladen.

«Haben Sie das auch bemerkt», sagte er, «das mit den sieben Jahren –?»

«Ja», sagte ich. «Sie meinen, daß es alle sieben Jahre wiederkam, alles miteinander –?»

«Ja», sagte er. «Alle sieben Jahre. Bei mir war es ziemlich regelmäßig. Bei Ihnen auch? Sie waren länger am Leben als ich. Zweiundsiebzig Jahre . . .»

«Es war ziemlich lächerlich, auf die Dauer», sagte ich. «Alle sieben Jahre. So um das sechste Jahr herum fing es immer an, sich zu rühren, ich wußte es schon, wenn es so weit war. Meine Verhältnisse besserten sich, ich bekam Geld in die Finger, im siebenten Jahr war der Höhepunkt. Dann kam langsam der Abstieg. Das Glück versandete, es ging einem so gut, daß es langweilig wurde. Gewöhnlich war es eine Art reibungslosen Dahinlebens, ein Glück, das nur im Negativen bestand: keine Nervenschmerzen, kein Schnupfen, keine Geldsorgen, keine Frauenzimmergeschichten. Ein Glück, das man erst nachher voll erfaßte; erst nachher, wenn es vorbei war, begriff man, wie gut es einem gegangen war. Dann wurde der Horizont langsam dunkler, Wolken kamen, man zappelte sich ab, bis man eines Tages wieder drin war im schönsten Tohuwabohu. Und dann fing es wieder von vorne an. Alle sieben Jahre.»

«Ich habe Ihn so oft gefragt», sagte er, «was denn nun das Ganze zu bedeuten hätte – das mit den ständigen Wiederholungen und den sieben Jahren . . . Er schweigt.»

Wir nannten nicht gern Seinen Namen. Wir liebten Ihn nicht.

«Und grade sieben . . .», fing er wieder an.

«Es soll so eine Art heilige Zahl sein», sagte ich. «Genaues weiß man darüber nicht. Kannten Sie den Doktor Fließ –?»

«Nein», sagte er.

«Er muß längst hier sein», sagte ich. «Aber ich habe ihn noch nie getroffen. Wahrscheinlich rechnet er jetzt die himmlischen Gesetze aus. Aber es ist da etwas daran, mit Wachstum der Pflanze, einer Art männlicher Periode . . . etwas sehr Gelehrtes. Zehnmal habe ich das also mitgespielt – etwa neunmal weiß ich davon. Gut, daß die Menschen nicht noch älter werden. Haben Sie sich nie gelangweilt –?»

«Nein. Nie», sagte er.

«Ich ziemlich», sagte ich. «Aber wie haben Sie das gemacht? Womit haben Sie sich so intensiv beschäftigt, daß Sie sich nicht langweilten –?»

«Mit dem Leben», sagte er. «Ich hatte reichlich zu tun, zu leben. Die Frage ‹Warum?› ist dem Ding angeklebt. So dürfen Sie nicht fragen.»

«Ich habe mich gelangweilt», murmelte ich leise und sah einer dekolletierten Geisterdame nach, die sich besonders schön unheimlich geputzt hatte. «Ich fand es nicht so sehr vergnüglich. Zehn Mal sieben Jahre . . . Warum . . .? Sagen Sie mir: warum –?»

«Haben Sie schwimmen gelernt, damals, als Sie lebten?» fragte ich ihn. Wir ruderten durch den endlosen Raum, in farblosem Licht, es hatte eigentlich keinen Sinn, sich zu bewegen, weil jeder Maßstab fehlte, wohin die Fahrt ging. Planeten waren nicht zu sehen – sie rollten fern dahin.

«Nein», sagte er. «Ich kann nicht schwimmen. Ich hatte einen Bruch. Mein Leib hatte einen Bruch.»

«Ich habe es auch nicht gelernt», sagte ich. «Ich wollte es immer lernen — ich habe drei-, viermal angefangen —; aber dann ist es immer nichts geworden. Nein, Schwimmen nicht. Englisch auch nicht – damit war es ganz dasselbe. Haben Sie alles erreicht, was Sie sich einmal vorgenommen hatten? Ich auch nicht. Und dann, an stillen Abenden, wenn man einmal aufatmen konnte und das ganze Brimborium des täglichen Klapperwerks verrauscht war, dann kamen die nachdenklichen Stunden und die guten Vorsätze. Kannten Sie das —?»

«Wie oft!» sagte er. «Wie oft!»

«Ja, ich auch . . .» sagte ich. «Man nahm sich so vieles vor an solchen Abenden. Da lag denn klar zutage, daß man sich eigentlich, im Grunde genommen, mit einem Haufen Unfug abgab, der keinem Menschen etwas nützte, und sich selbst nützte man damit am allerwenigsten. Diese kindischen Einladungen! Diese vollkommen nutzlosen Zusammenkünfte, auf denen zum hundertsten Male wiedergekäut wurde, was man ja schon wußte, diese ewigen Predigten vor bereits Überzeugten . . . Das sinnlose Gehaste in der Stadt mit den lächerlichen Besorgungen, die keinem andern Zweck dienten, als daß man am nächsten Tage wieder neue machen konnte . . . Wieviel Plackerei an jedem einzelnen Ding hing, wieviel Arbeit, wieviel Qual . . . Der Zweck der Sachen war vollständig vergessen, sie hatten sich selbständig gemacht und beherrschten uns . . . Und wenn es dann einmal ausnahmsweise ganz still um uns wurde, ganz still, daß man die Stille in den Ohren sausen hörte: dann schwor man sich, ein neues Leben anzufangen.»

«Man glaubt sogar daran», sagte er wehmütig.

«Und wie man es glaubt!» fuhr ich eifrig fort. «Man geht ins Bett, ganz voll von dem schönen Vorsatz, nun aber wirklich mit diesem ganzen Unfug aufzuräumen und sich zu leben — sich ganz allein. Und zu lernen. Alles zu lernen, was man versäumt hat, nachzuholen, die alte Faulheit und Willensschwäche zu überwinden. Englisch und Schwimmen und das Ganze . . . Morgens klingelt dann der Rechtsanwalt an, Tante Jenny und der Geschäftsführer des Vereins, und dann hat es einen wieder. Dann ist es aus.»

«Haben Sie das Leben geführt, das Sie führen wollten?» fragte er und wartete die Antwort nicht ab. «Natürlich nicht. Sie haben das Leben geführt, das man von Ihnen verlangt hat — stillschweigend, durch Übereinkunft. Sie hätten alle Welt vor den Kopf gestoßen, wenn Sie es nicht getan hätten, Freunde verloren, sich isoliert, als lächerlicher Einsiedler dagestanden. ‹Er kapselt sich ein›, hätte es geheißen. Ein Schimpfwort. Nun, das ist vorbei. Und wenn Sie jetzt zur Welt kämen: wie würden Sie es machen?» Er hielt mit seinen Schwimmbewegungen inne und sah mich gespannt an.

«Genau noch einmal so», sagte ich. «Genau so.»

«Er ist ein Pedant, ein ganz lächerlicher Pedant!» sagte er.

«Weißt du, wieviel Sternlein stehen . . .?» sagte ich. «Gott der Herr hat sie gezählt . . .»

«Er hat alles gezählt!» schimpfte er. «Gezählet – das feierliche e, das schon Liliencron nicht leiden konnte, genau so lächerlich wie dieser ganze alte Mann. Alles hat Er gezählt . . . Haben Sie einmal in unser Lebensbuch hineingesehen –?»

«Es war die größte Überraschung, die ich jemals erlebt – nein, die ich jemals gehabt habe», sagte ich. «Das ist denn doch die Höhe.»

«Nicht wahr? Aufzuschreiben, wie oft man jede einzelne Handlung begangen hat: es ist ja – geisteskrank ist das, das ist ja . . . das übersteigt denn doch alles an Greisenhaftigkeit, was je . . .»

«Sie lästern», sagte ich. «Sie müssen Ihn nicht lästern, dann kann dieses Buch nicht erscheinen. Gott ist groß.»

«Gott ist . . .»

«Nicht, nicht. Natürlich ist es lächerlich. Denken Sie sich: ich habe neulich einmal einen ganzen Nachmittag auf der Bibliothek verbracht und meinen Band durchgeblättert. Er ist sehr exakt geführt, das muß man schon sagen. Manches hätte ich nicht für möglich gehalten – summiert sieht es doch anders aus als damals, als man es tat.

Schlüssel gesucht: 393mal. Zigaretten geraucht: 11 876. Zigarren: 1078. Geflucht: 454mal. (Bei uns ist erlaubt, zu fluchen – daher kann ich es nicht so gut. Ich bin kein Engländer.) An Bettler gegeben: 205mal. Nicht viel. Nugat gegessen – ist ein Mensch je auf den Gedanken gekommen, derartiges aufzuschreiben . . .! Nugat: 3mal. Ich habe keine Ahnung, was Nugat ist. Die Handschrift des Buchhalters ist aber so ordentlich, daß es schon stimmen wird. Übrigens: die letzten tausend Seiten sind mit einer Buchhaltungsmaschine geschrieben. Man modernisiert sich.»

«Er zählt alles», grollte er. «Er zählt Verrichtungen, die ein anständiger Mensch . . .»

«. . . non sunt turpia», sagte ich. «Ich habe demnach, sah ich an jenem Nachmittag, recht mäßig gelebt, in Baccho et in Venere . . . recht mäßig. Ich mag Ihnen die Zahl nicht nennen – aber es grenzt schon an Heiligkeit. Jetzt tut es mir eigentlich leid . . . Das merkwürdigste ist –»

«Was?» fragte er.

«Das merkwürdigste ist», sagte ich, «zu denken, daß man dies oder jenes zum letztenmal in seinem Leben getan hat. Einmal muß es doch das letztemal gewesen sein. Am vierzehnten Februar eines Jahres hat man zum letztenmal ein Automobil bestiegen . . . Und man ahnt das natürlich nicht. Finales gibt es ja doch nur in den Opern. Man steigt ganz gemütlich in ein Automobil, fährt, steigt aus – und weiß nicht, daß es das letztemal gewesen sein soll. Denn dann kam vielleicht die Krankheit, die lange Bettlägerigkeit . . . nie wieder ein Automobil. Zum letztenmal in seinem Leben Sauerkraut gegessen. Zum letztenmal: telefoniert. Zum letztenmal: geliebt. Zum letztenmal: Goethe gelesen. Vielleicht lange Jahre vor dem Tode. Und man weiß es nicht.»

«Aber es ist gut, daß man es nicht weiß», sagte er; «wie?»

«Vielleicht», sagte ich. «Man sollte aber bei jeder Verrichtung denken: Tu sie gut. Gib dich ihr ganz hin. Vielleicht ist es das letztemal.»

«Aber Er ist doch ein gottverdammter Pedant . . .!» fuhr er auf.

«Nennen Sie nicht Seinen Namen!» sagte ich. «Er ist ein göttlicher Pedant.»

«Warum haben Sie gelacht –?» fragte ich ihn.

Er hatte dagesessen, seine Hand hatte mit den verrosteten Knöpfen einer nicht mehr benutzten Blitzkammer gespielt – und plötzlich hatte er gelacht. Es war ein recht eigentümliches Lachen gewesen, so ein Schluchzer, Station auf der Reise zwischen Lachen und Weinen . . . «Warum haben Sie gelacht –?» fragte ich ihn.

«Ich habe gelacht», sagte er, «weil ich an da unten denken mußte. An etwas ganz Bestimmtes; es ist sehr dumm. Wissen Sie, heute ist mein Todestag – nein, gratulieren Sie mir nicht . . . nicht der Rede wert. Zum fünfzigsten, bester Herr, zum fünfzigsten . . . Und heute vor acht Jahren – wissen Sie, warum Lebende keine Angst vor den Toten haben, die gerade gestorben sind?»

«Ich kann es mir denken», sagte ich. «Weil – weil wir ja die erste

Zeit gebunden sind, noch nicht hier oben . . . nun, Sie kennen das. Es ist, als ob sie es ahnten.»

«Ganz richtig!» sagte er und ließ die Hand über die Klaviatur spielen; hätte das Werk funktioniert, so wären die Erde, der Mond und einige andere Etablissements in Rauch aufgegangen. «Ja, das ist so. Wir sind nicht sofort disponibel – sie sind vor uns sicher, kurz nachher. Nun gut, und Sie wissen doch auch, was mit unsern Sachen geschieht – – nachher?»

«Natürlich», sagte ich. «Da wird ein Inventar aufgenommen, da kommen die Erben gelaufen, die Kinder, die unbezahlten Rechnungen . . .»

«An das Inventar dachte ich eben», sagte er. «Das heißt: nicht gerade an das Inventar. Sondern daran, wie sie in unsern Sachen herumstochern. Es ist komisch und rührend zugleich. Kennen Sie das?»

«Nun . . .» sagte ich.

«Es ist nämlich so», sagte er. «Sie kramen die Schubladen aus, kratzen an den Schrankschlössern herum, packen alles aus und packen es wieder ein . . . Und jeder Hosenknopf hat auf einmal eine Bedeutung, jedes Federmesser ist mit Sentimentalität geladen, alte Briefmarken machen ein Kummergesicht und trauern mit . . .» Wieder ließ er diesen mittleren Schluchzer hören. «Sie finden alte Kuverts mit Rezepten und Tabakasche; Chininpillen und fein säuberlich aufbewahrte Theaterprogramme, mit denen wir einmal irgend etwas anfangen wollten, natürlich haben wir es vergessen, und nun liegt dieser ganze Kram in den Fächern – ein Viertel aller menschlichen Habe pflegt ja aus solchem Unfug zu bestehen. Und sie fassen das alles mit zitternden Fingern an, ihre Tränen lassen sie darauf fallen, und während sie Kontenbücher auf- und wieder zuschlagen und an Glasstöpseln riechen, sagen sie: ‹Das hat er sich noch aufbewahrt!› und: ‹Achatsteine hat er immer so gern gehabt!› – und auf einmal ist unser Wesen auf tausend Dinge verteilt, es sieht sie an – wir sehen sie an, mit tausend Augen . . . Alles kommt ihnen wieder zur Erinnerung, wird lebendig . . . so haben sie uns nie geliebt.»

«Nein», sagte ich. «So haben sie uns nie geliebt.»

«Woran liegt das?» fragte er vorsichtig.

«Man muß wohl nicht mehr da sein, um geliebt zu werden», sagte ich. «Noch nicht oder nicht mehr: man muß wünschen, um zu

lieben. Zu unsern Lebzeiten kümmert sich keiner um unsern Nachlaß.»

«Aber da ist es ja auch kein Nachlaß», sagte er.

Eine Leitung schien versehentlich noch angeschlossen zu sein –
denn nun fuhr ein Blitz aus dem Gehäuse, daß es zischte, und wir
machten uns eiligst davon, auf daß er es nicht erführe, der Allwis-
sende.

Er pfiff – das tat er so selten. «Sie sind sehr vergnügt –?» fragte ich.
«Sie müssen hingehn!» sagte er. «Sie müssen auf alle Fälle hingehn!
Es ist ganz großartig. Ganz großartig ist es!» – «Was?» fragte ich.
«Einweihung eines neuen Planeten? Schlußfest auf einem Traban-
tenmond? Maskenball in der Milchstraße?» Er wehrte mit einer
Handbewegung ab. «Nicht doch!» sagte er. «Das O hat mir das
Erdkino gezeigt! Sie müssen hingehn!»

Wer das O war, wußte ich – aber was war ein Erdkino? Ich fragte
ihn. Er nahm einen Meteorstein in die Hand und schickte ihn auf die
Reise, nach unten. «Das Erdkino?» sagte er.

«Das O hat die Erde aufgenommen – nun, das ist nichts Neues.
Aber es hat die Bilder aneinandergesetzt, flächig aneinanderge-
pappt, verkleinert, wieder vergrößert, ich bin kein Techniker und
habe seine Erklärung kaum verstanden. Es sagt etwas von Zeitraffer . . . Es kann die Menschen auf den Filmen löschen – man sieht
nur die Sachen.» – «Was für Sachen?» sagte ich. «Sachen!» sagte er.
«Kleider, Anzüge, Hutnadeln, Schränke, Bücher, Dampfer, Laternen, Papier, Antennen, was Sie wollen. Das sieht man. Nun setzt es
sich in den Fabriken zusammen, die Menschen sind nicht zu sehen,
verstehen Sie? Es setzt sich allein zusammen, wächst, aus dem
Boden, in Werkstätten, in Ateliers, lackiert sich, prangt und spreizt
sich in Neuheit . . . Dann wird es benutzt, die Schranktüren klap-
pen auf und zu, Papier wendet sich, Hutnadeln hängen in der Luft,
Bilder leuchten, Anzüge wandeln, drehen sich, liegen über Stühlen . . . wie sind die Sachen fleißig! Wie dienen sie! Wie sind sie
tätig! Wie leben sie mit! Welch ein Leben!» Seine Augen leuchteten.
«Und dann?» fragte ich. «Und dann werden die Sachen müde,
immer seltener stülpt sich der Hut auf eine unsichtbare Form,
immer wackliger fällt der Vorhang, immer bröckliger klappt die
Zauntür . . . Und dann gibt es einen Ruck, Holz wird zerschlagen
– man sieht nicht, von wem –, alte Kissen fliegen durch den Raum,

Schnur schnurrt zusammen und rollt sich ab – und dann sinken die Sachen auf die Erde. Ganz langsam sinken sie nieder, da liegen sie. Und dann werden sie immer unkenntlicher, sie werden wohl zu neuen Klumpen gekocht, zusammengeschweißt, ich verstehe mich nicht so darauf. Und viele werden wieder Erde. Und dann fängt es wieder von vorn an.»

«Und das gibt es da alles zu sehen?» sagte ich. «Das und noch viel mehr», stimmte er begeistert zu. «Noch mehr?» fragte ich. «Was tun denn die Sachen noch?» – «Die Sachen tun nichts!» sagte er. «Es gibt einen andern Film; da hat das O die Sachen ausgelöscht, man sieht nur die Menschen – und es hat auch einen Teil der Menschen ausgelöscht und nur diejenigen mit der gleichen Betätigung übriggelassen.» Ich sagte: «Wie das . . .?» Er sagte:

«Es hat Kontinente fotografiert, auf denen man nur trinkende Menschen sieht. Hören Sie? Nur Trinkende. Geöffnete Münder, gespitzte Lippen, hastige Durstende und abschmeckende Genießende – Todschlaffe über Pfützen und spielende Kinder, die an Tröpfchen saugen, Kinder an der Mutterbrust und heimlich saufende Ammen . . . Und einmal: nur Lesende. Von allen Graden. Und einmal: nur Rauchende. Und einmal . . . Ja.»

«Was – und einmal?» fragte ich.

«Und einmal nur Liebende», sagte er leise. «Das war nicht schön. Hören Sie: das war ekelhaft. Welch ein Puppenspiel. Was treibt sie? Es ist, als bewegten sie sich nicht, als bewegte es sie. Das sind nicht mehr sie, die dieses Auf und Ab vollführen – das ist ein andres. Sie sehen es tausend und tausendmal beim O – schließlich scheint es eine zeremonielle Förmlichkeit, man möchte rufen: Aber so wechselt doch einmal! Tut doch einmal etwas andres! Nein – das Repertoire ist so klein . . . Sie nähern sich einander, gehen umeinander herum, lächelnd, und dann immer dasselbe, immer dasselbe . . . Sagen Sie: Haben wir uns auch so albern benommen, damals?»

«Sie wären sonst nicht hier», sagte ich.

«Aber das ist ja . . . ich bitte Sie: so albern. Und immer wieder –?»

«Man muß wohl an das Einmalige glauben», sagte ich. «Sonst kann man es nicht tun. Sähe man wirklich alles und alle – man könnte wohl nicht bleiben, da unten. Das O soll weiter fotografieren; sie werden es zum Glück nie zu sehen bekommen.»

«Doch. Nachher», sagte er. Wir schwiegen und schämten uns.

«Wir sprechen immer von da unten!» sagte er. «Haben wir eigentlich keine andern Sorgen?» – «Wenn ich mich mit Ihnen unterhalte», sagte ich, «das ist wie Klatsch. Man plätschert behaglich in dieser dicken Suppe – Sie wissen immer so schön, wie ichs meine . . . mit jedem kann man das nicht.» – «Danke», sagte er.

Wir saßen an der Selbstleber-Ecke; von hier war es einigen Verdrehten gelungen, wieder ins Leben zurückzuspringen – ein Verzweiflungsakt, der nur alle paar Jahre einmal vorkam. Ein ungewisses Astrallicht zitterte um uns. Ich fing wieder an.

«Ich muß Sie etwas fragen», sagte ich. Er nickte zustimmend. «Kennen Sie den Haß der Nähe?» – «Sie meinen: die Geschichte mit der Ehe. Ich war vierzehn Jahre . . .» – «Nein, das meine ich nicht», sagte ich. «Es ist etwas andres. Passen Sie auf:

Der Rennreiter steht an den Tribünen, das Pferd ist abgesattelt, er hat gewonnen, ist sauber gebadet und schön massiert, er ist guter Laune. Bei ihm steht sein Freund, der Bücherschreiber. Dem will er ein gesellschaftlich passendes Wort sagen. ‹Habe gestern das neue Buch von Agnes Günther gelesen›, sagte er, ‹ein sehr schönes Buch!› Aber da kommt er an den Rechten. ‹Was!› sagt der bücherschreibende Freund, ‹ein schönes Buch? Die Günther und ein schönes Buch? Na, hören Sie mal . . . das ist der hundsgemeinste Kitsch, der mir jemals . . .› Der Rennreiter ist ganz erschrocken. Was ist das? Er hat doch nur eine belanglose Phrase sagen wollen, irgend etwas Verbindlich-Unterhaltsames – ihm ist das Buch in Wirklichkeit völlig gleichgültig . . . Und der andre schäumt. Er zitiert Agnes Günther und Erika Händel-Manzonetti und Waldemarine Bonsels, und was Sie wollen! Und schäumt und geifert und tobt und ist ganz befangen in seinem Kram . . .»

Ein älterer, bebarteter Geist huschte vorüber, murmelte etwas von «überwertiger Idee», bekam einen Meteorstein ins Kreuz und verschwand. Ich fuhr fort:

«Und umgekehrt ist es genau so. Der Literat besichtigt die Maschine des Ingenieurs, wird in der Fabrik herumgeführt . . . Und sagt: ‹Hübsche Maschine das –!› Der Ingenieur lächelt, zunächst nachsichtig. ‹Das ist eine belanglose Sache, lieber Freund!› antwortet er. ‹Um Ihnen die Wahrheit zu sagen: der größte Dreck des Jahrhunderts. Unpraktisch, total verbogen, unmöglich.› Und dann schnurrt er Zahlenreihen ab, daß dem Besucher ganz himmelangst wird, er beschimpft seine Konkurrenten und lobt versteckt sich, preist Amerika und spielt das russische Spiel: Naplewatj na wsju

Ewropu! Spuck auf ganz Europa ... Und der Literat steht da, verdutzt, vor den Kopf gehauen und kann sich diesen Eifer gar nicht erklären ...»

«Ja», sagte er. «Das kenne ich.» – «Woher kommt es –?» sagte ich.

«Niemand kann sich einen Passanten vorstellen», sagte er. «Alle glauben, man kenne die Hintergründe, wisse, wie es gemacht wird, sehe die Sache auch von hinten an, gewissermaßen. Aber dem Vorübergehenden ist das ja alles so völlig gleichgültig, so ganz und gar gleichgültig. Er will nichts als die Resultate. Er geht eben so vorbei, pickt sich hier ein Körnchen und da, etwas Wissen, Unterhaltung, Anschauung – mögen die sich da die Knochen zusammenschlagen! Und wie sie schlagen! Sie packen ihren ganzen Hauskram aus, sie erzählen Einzelheiten, berichten, wie es zustande gekommen ist, und wie es hätte werden müssen ... Sie sind nicht zu halten. Wie sie sich hassen, die Nahen –!»

«Sind Sie mal in einen fremden Familienzank hineingeraten?» sagte ich. Er horchte auf. «Die heißen Köpfe, die roten Gesichter, der Eifer, dieser Übereifer, diese für den Fremden ganz unverständliche Kraft des Hasses, der Abneigung ... Welch ein Aufwand! Welch tönendes Geschrei!»

«Nah sind sie sich», sagte er. «Sie rächen sich für die Nähe – sind sich verwandt, gruppenweise, alle miteinander. Sie hassen sich im Nebenmann, drum herum liegt die ganze große Welt, sie sehen sie nicht – sie können sie nicht sehen. Es sind Generale fürs Spezielle. Man möchte sie herausheben und zur Abkühlung etwas hochhalten. Wer, ich bitte Sie, wer sieht über weite Strecken, wer sieht die Welt, wer sieht alles –?»

In der Ferne zuckte eine Lichtschneide auf, es murrte schwach, wir sagten nichts mehr.

«Wieviel Uhr ...» – aber schon sank die Hand schlaff herunter. «Ach so –», sagte er. Ich lächelte doch. Als ich den Ausdruck seiner Augen bemerkte, stellte ich die Lachfalten wieder gerade. «Keine Zeit», flüsterte er. «Sich daran zu gewöhnen, daß es keine Zeit mehr gibt. Ja, die guten Aprioristiker ...» Ich bog ab. «Haben Sie sich da unten die Zeit auch geometrisch vorgestellt?» sagte ich. «Nein, wie ...» sagte er. «Als lebe man im Raum vorwärts», sagte ich. «Als könne man im Raum der Zeit auf- und abrutschen, vorwärts und rückwärts, mit allen Spielen im Raum: wer da hinten auftaucht, ist noch klein, er kommt auf uns zu, wird immer größer, dann nimmt seine Gestalt ab, verschwindet, wissen Sie?» – «Das kenne ich nicht», sagte er. «Nicht?» sagte ich. «Es ist so:

Das kleine Haus, in dem ich einmal gewohnt habe, steht unbeweglich. Nun setzt es sich in Bewegung; nachts, wenn wir nicht einschlafen können, hört man, was es macht. Es fährt durch die Zeit. Vorn, am Bug schäumt das Zeitwasser hoch auf, mit solcher Geschwindigkeit geht es vorwärts, es zerteilt die Zeit, sie gleitet rechts und links am Haus vorbei, da rauscht sie auf, überall, und wir liegen in der kleinen Bettschublade und werden davongetragen, wehrlos, machtlos, weiter und immer weiter. Manchmal streckt sich eine Hand aus solch einem Bett, sie hängt laß herunter und bewegt sich – zurück? Da gibt es kein Zurück. Manchmal schaudert der Schlafende vor dem, was nun kommt – aber sie fahren mit ihm. Ahnungen helfen nicht. Morgens früh, wenn du aufwachst, hält das Haus schon anderswo.»

«Ja – etwas Ähnliches habe ich doch wohl schon empfunden», sagte er. «Man ist übrigens nicht sehr glücklich dabei.»

«Nein», sagte ich. «Man ist nicht sehr glücklich dabei. Zum Schluß bleibt die etwas trübe Empfindung von einer Masse Eindrücke; es wäre ein herzhafter Spaß, wenn man den Zeitraffer anbringen könnte und das ganze Leben, das man zu führen verurteilt ist, donnerte mit einem Male herunter. Aber das war nicht zu machen.»

«Haben Sie sich sehr gesehnt, zu . . . hierher zu kommen?» sagte er.

«Oft», sagte ich. «Hunger habe ich alle meine Lebtage gehabt. Hunger nach Geld, dann: Hunger nach Frauen, dann, als das vorbei war: Hunger nach Stille. Oh, solchen Hunger nach Ruhe. Mehr: Hunger nach Vollendung. Nicht mehr müssen – nicht mehr durch die Zeit fahren müssen –.»

«Man geht spurlos dahin –», sagte er. «Nein», sagte ich. «Man geht nicht spurlos dahin. Ach, denken Sie nicht an Denkmäler – das ist ja lächerlich. Und ich weiß schon, was Sie jetzt sagen wollen: unsterbliche Werke. Ich bitte Sie . . . Nein, etwas anderes. Ich habe etwas dort gelassen, ja, ich habe etwas dort gelassen.» – «Was?» sagte er, ein wenig ironisch.

«Ich habe den Dingen etwas gelassen», sagte ich. «Seit jenem Tage, wo ich den greisen Klavierspieler in Paris wiedersah, den mein

Vater zwanzig Jahre vorher in Köln gesehen hatte. Er spielte noch dieselben Stücke, der Wandervirtuose – noch genau dieselben. Und da war mir, als grüßte durch ihn mein toter Vater. Auch ich habe den Dingen etwas gesagt. Ich habe an vieles, was längere Dauer hat als ich und Sie, Grüße befestigt. Ich habe hier einen Gruß angeheftet und da einen Kranz, hier einen Fluch und da ein abwehrendes Schweigen . . . und als ich das tat, da merkte ich, daß die Dinge schon voll waren von solchen Grüßen Verstorbener. Fast alle hatten sich an die Materie gehalten, hatten Spuren hinterlassen; wenn man vorüberstrich, bat, flehte, beschwor, fluchte und segnete es von diesen Sachen herunter, die die Menschen tot nennen. Ich bin nicht spurlos dahingegangen. Nur –»

«Nur –?» sagte er.

«Nur –», sagte ich. «Die Menschen sind Analphabeten. Sie können es nicht lesen.»

Er sah mich an und tastete an die Stelle, wo einmal seine Uhr gesteckt hatte. «Kommen Sie!» sagte er. «Wir wollen zum Nachmittagskaffee.»

Wir saßen auf der goldenen Abendwolke und ließen die Beine baumeln – er ruckelte ungeduldig hin und her, weil sich die Wolke nicht abkühlen wollte, man fühlte sich sanft geröstet. «Noch ein kleines», tröstete ich ihn. «Gleich wird sie fahl und grau, dann sitzen wir angenehmer. Wir wollen nicht wegschwimmen.» Da blieb er. Als es kühler wurde, sagte er: «Sie müssen doch eigentlich ein schönes Dasein gehabt haben, damals. Wenn ich so denke, wie agil Sie sind, wie flink, wie anpassungsfähig . . .» Ich sah ihn von der Seite an und wickelte mich fester in das Gewölk. «Ich?» sagte ich. «Ich . . .»

«Wenn man Sie sprechen hört», sagte er, «hat man den Eindruck, als seien Sie mit den Mitbrüdern fertig geworden, nicht immer siegreich, aber immerhin. Ich meine das nicht böse. Sie sagen gar nichts. Warum lachen Sie –?»

«Es ist ja jetzt alles vorbei», sagte ich. «Es war so:

Am Anfang ging es an. Mit dem Elan der Potenz ritt ich über viele Bodenseen, ich hatte keine Schwierigkeiten zu überwinden, weil ich sie gar nicht sah. Nachher, als das nachließ, zog der Schimmel doch langsamer, und ich hatte Muße, mir ein bißchen die Landschaft anzusehen, durch die wir fuhren.»

Er hatte ein Stück Wolke auseinandergezogen und malte mit ihr ein Gesicht an den Himmel, einen ausdruckslosen Pausback. Dann wischte er ihn wieder weg. «Und was sahen Sie?» sagte er.

«Was ich sah?» sagte ich. «Ich sah – aber ich verstand nicht. Ich verstand immer weniger. Wissen Sie, daß es eine bestimmte Sorte Geisteskranker gibt, die Furcht hat vor allem, und die ratlos ist. Sie frösteln ständig, ziehen sich zusammen, wenn sie mit der Welt in Berührung kommen, immer enger, dann sterben sie; sie sind ins Negative hinübergekippt. Jahrelang, besonders in der Mitte meines Lebens, hatte ich das Gefühl, ausgestoßen zu sein, als Kind unter Erwachsenen zu leben, Verhandlungen der Großen beizuwohnen, deren Sinn mir ewig verborgen bleiben würde. Sie sprachen miteinander – und ich hörte verständnislos zu. Sie fochten Ehrgeizschlachten aus – ich stand daneben und machte runde Augen. Sie schlossen Geschäfte ab – ich hatte gewissermaßen den Eindruck, zu stören. Und das allerschlimmste war: Alle verstanden sich, sprachen ihre Sprache, sie hatten sofort die Ellbogenfühlung, sie waren verwandt. Ich stand da, allein, auf einem weiten Hof mit meiner Kappe in der Hand, und ich drehte sie, wie es die Schauspieler machen, wenn sie Verlegenheit ausdrücken . . . Mittags saß ich mit ihnen zusammen, sie schwatzten, ich schwatzte auch – aber mir fehlte irgend etwas, ein Code-Schlüssel, eine Auflösung, ich wußte nicht . . . und abends ging ich traurig nach Hause.»

Jetzt bröselte er langsam die Wolke auf, die immer kleiner wurde. Wir hatten kaum noch Platz zum Sitzen. «Aber da waren doch noch andre», sagte er. «Auch: Einsame. Auch: Enttäuschte. Auch: Weltfurchtsame. Weshalb gingen Sie nicht zu diesen –?»

«Um einen Klub der Einsamen zu gründen?» sagte ich. «Ich verachtete sie maßlos, ich haßte sie nahezu. Ich fand sie lebensschwach, anspruchsvoll, uninteressant verrückt. Ihnen gegenüber mimte ich das Leben, das pralle Leben. Außerdem kochten sie eine andere Art Melancholie, und so verstanden wir uns nicht. Blieben sie allein, waren sie mir widerwärtig. Fanden sie den Anschluß, dann fühlte ich mich erhaben über so viel gemeinen irdischen Sinn.»

«Also was blieb Ihnen zum Schluß?» sagte er, ein klein wenig spitzer, als mir lieb war. Ich konnte ihm nicht mehr antworten, denn nun hatte er glücklich die ganze Wolke aufgebröselt, wir rutschten ab und fielen, fielen –

Das mittlere Feld war gesperrt, weil ein Meteorregen niedergehen sollte – obgleich uns der gar nichts antun konnte, hatte der alte Herr mit vertatterten Händen die Sperrung angeordnet. Wir krochen vier Zeitlosigkeiten hindurch am Rande des Feldes entlang, dann setzten wir uns, um den Regen mitanzusehen, wenn er zu regnen anhübe. Mir paßte die Absperrung nicht, und ich fluchte leise vor mich hin.

«Haben Sie einmal einen Märtyrer gesehen?» sagte er. Mir blieb ein ellenlanger und herrlicher Fluch, den mich einst ein Matrose in Dänemark gelehrt hatte, im Halse stecken. «Einen Märtyrer?» sagte ich. «Einen, der seine unbefriedigte Eitelkeit hinter eine Sache steckt und nun plötzlich dasteht, lichtumflossen – ja, ich kenne das.» – «Wenn Sie das kennen», sagte er, «dann wissen Sie auch, was man mit so einem macht?» – «Sie . . . man gibt ihm wenig zu essen, die Kinder auf der Straße und die Professoren rufen hinter ihm her, er sei unfruchtbar und hätte keinen Kontakt mit der Wirklichkeit.» – «Das auch», sagte er. «Aber ich habe einmal etwas gesehen, lange nach meinem Tode, etwas viel Merkwürdigeres.

Da kriecht in der zweiten Hyperbel ein Ding herum, es ist noch kein rechter Planet, es will erst einer werden. Dort habe ich einmal zur Frühstückszeit geangelt. Und da hatten sie einen Kerl gefangen, der wollte ihnen den ganzen Ball umkrempeln, ein Heiliger, ein Vorwärtsrufer – in die Einzelheiten habe ich mich nicht gemischt, es ging mich ja nichts an. Den hatten sie also beim Kragen, und da haben sie ihn dann beendigt.»

«Nun ja», sagte ich. «Das kommt vor. Das ist doch nichts Außergewöhnliches. Einer opfert sich auf, weil er muß; er brächte ein Opfer, wenn ers nicht täte; er horcht, wie es in den andern weint, dann wühlt er sich durch, bis er zu dieser Stimme gelangt, quält sich und wird gequält, und dann kommt er zu uns. Gewiß, ja.»

«Das war es nicht», sagte er. «Wie sie es taten . . . Welch ein Hohn! Sie berieten lange, wie es zu tun wäre. Nun muß da eine Infektion stattgefunden haben – einer schlug vor, ihn zu kreuzigen.» Ich sah jetzt aufmerksam auf das Meteorfeld – es war nicht grade neu, daß einer gekreuzigt werden sollte. Er fuhr ruhig fort.

«Sie führten ihn also zur Kreuzigung hinaus, vor die große Stadt, auf ein Feld. Der Zug näherte sich dem Hinrichtungsplatz – der Heiland, ein gedrungener, dunkler Mann, sah sich ungeängstigt, aber erschreckt um. Da war kein Kreuz.» Ich sah auf. «Was heißt das: da war kein Kreuz?» sagte ich.

«Da war kein Kreuz», sagte er. «Eine lange, hohe Stange stand da, wo das Kreuz zu stehen hatte. Und der Anführer der Rotte trat vor und sagte zum dortigen Heiland: ‹Du bist nicht einmal wert, daß man dich kreuzigt. Du bist nicht einmal ein Kreuz wert. Zwei Balken sind zu viel für dich, du Beglücker. Hier ist eine Stange, die genügt.› Und dann kreuzigten sie ihn.»

«Sie konnten ihn doch gar nicht kreuzigen», sagte ich. «Sie hatten kein Kreuz.»

«Sie nagelten ihn an die Stange», sagte er. «Sie war breit genug ... Sie nagelten ihn so: den einen Arm, den linken, senkrecht hoch erhoben, am linken Ohr vorbei, und den rechten glatt herunterhängend, an der rechten Hüfte. Da hing er, ein blutender Strich. Er schrie nicht.»

«Das – Sie haben das selbst gesehen?» sagte ich.

«Ich habe das gesehen», sagte er. «Wie ein Finger ragte er in den Himmel. Er lebte achtzehn Stunden, davon nur eine halbe ohne Bewußtsein. Es war ein Christus ohne Kreuz. Er sah so unbedingt aus – kein Querbalken strich wieder durch, was das lange Holz einmal ausgesagt hatte. Es starrte nach oben wie ein schneidendes Ausrufungszeichen, den Blitz herausfordernd. Aber es kam kein Blitz. Und ich sage Ihnen: die Leute haben recht getan. Wieviel Holz braucht der Mensch? Zwei Balken? Einer genügt. Sie sind ihren Weg zu Ende gegangen, wie der seinen zu Ende gegangen ist. Man soll bis ans Ende gehen. Die himmlische Güte ...»

«Der Meteorregen –!» rief ich. Wir sahen angestrengt zum angekündigten Ereignis hinüber; es verlief matt und etwas eindruckslos, wie alles, wovon Er sich so viel verspricht.

Er ist fort. Ich kann das noch gar nicht glauben.

Die ganze letzte Zeit hatte er schon immer so schwermütig gesprochen, hatte dunkle Andeutungen von sich gegeben, vom «männlichen Glück, vorhanden zu sein», von einer «schönen Sinnlosigkeit der Existenz» und andre beunruhigende Sätze. Ich hatte dem keine Bedeutung beigelegt. Jeder hat schließlich seinen eigenen Cafard. Und auf einmal war er fort.

Am Morgen, als die Zentral-Sonne mit majestätischem Rollen durch den Raum gewitterte, war er zu mir gekommen, schleichender, merkwürdiger denn je. Er hatte geschluckt. «Wir ... wir werden uns vielleicht . . .» Dann hatte er sich abgewandt. Mir ahnte nichts Gutes. Nachmittags war er weg.

Ich fand ihn nicht. Beim Alpha war er nicht, beim Silbergreis nicht, auf seinem Angelplaneten nicht, nirgends, nirgends. Ich ging zum O, mir blieb gar nichts andres übrig. Ich hasse das O, es ist gelehrt, kalt, klug, scheußlich. Das O lächelte unmerklich, bastelte an seinen Apparaten, sah mich an, ließ mich heran . . .

Pfui Teufel. Ah, pfui Teufel.

Das O hatte den Zeitraffer gestellt, die alten Strahlen noch einmal zurückgeholt, ein fauler Witz, den es sich da macht. Und ich sah.

Den dicken gerundeten Bauch der Mama; es war, als hätte sie sich zum Spaß ein Kissen vorgebunden. Sie ging langsam, vorgestreckten Leibes. Und dann sah ich ihn, oder doch das Ding, in das er gefahren war.

Er lag auf einem Anrichtetischchen und wurde grade gepudert. Er zappelte mit den kleinen Beinchen und bewegte sich, blaurot vor Schreien. Sein Papa leicht geniert daneben und machte ein dummes Gesicht. Die Kindswärterin hantierte mit ihm eilfertig und gewohnheitsmäßig, in routinierter, gespielter Zärtlichkeit. Ich sah alle Einzelheiten, seine unverhältnismäßig großen Nasenlöcher, den Badeschwamm . . .

Zwei Städte weiter saß ein kleines Mädchen auf dem Fußboden und warf Stoffpuppen gegeneinander, das war seine spätere Frau; ein rothaariger Bengel schaukelte unter alten Bäumen: das war sein bester Freund; in einer Hundehütte jaulte ein Köter, der Großvater dessen, der ihn einst beißen würde; ein Haustor glänzte: die Stätte seiner größten Niederlage. Er wußte von alledem nichts, brüllte und war sehr glücklich. Neben mir kicherte leise das O.

Da liegt er im Leben. Er fängt wieder von vorn an. Er will auf eine Reitschule gehen und sich die Beine brechen; er will den Erfolg schmecken, den in Geschäften und den in der Fortpflanzung; er wird den Kopf in die Hände stützen, oben, in einem vierten Stock, und über die Stadt mit den vielen schwarzen Schornsteinen sehen, auch in den Himmel . . . Dabei wird ihm etwas einfallen, eine Art Erinnerung, aber er wird nicht wissen, woran. Er wird seine Jugend verraten und das Alter ehren. Er wird Gallensteine haben und Sodbrennen, eine Geliebte und ein Konversationslexikon. Alles, alles noch einmal von vorn.

Und ich werde mich hier oben zu Tode langweilen, wenn das

möglich wäre – ich werde mir einen neuen Freund suchen müssen, mit dem ich auf den Wolken sitzen und mit den Beinen baumeln kann . . . Eine homöopathische Dosis von Neid ist in meinem Seelenragout zu schmecken, nicht eben viel, nur so, als sei jemand mit einer Neidbüchse vorbeigegangen . . . Was hat ihn nur gezogen? Was zieht sie nur alle, die wieder herunter müssen ins Dasein –? Schmerz? Hunger? Sehnsucht? Und vielleicht gerade die Sinnlosigkeit, der Satz vom unzureichenden Grunde, die Unvollkommenheit, die kleinen Hügelchen, die es zu überwinden gibt, und die man nachher so reizend leicht herunterfahren kann? Aber er kennt das doch alles, er kennt es doch, wir haben es uns oft genug erzählt . . . Und wie hat er sich darüber lustig gemacht!

Eidbruch. Fahnenflucht. Verrat! Ich komme mir schrecklich überlegen vor, ein Philosoph. Ich habe recht. Er hat unrecht.

Aber er lebt. Er atmet, mit jenem Minimum an Erkenntnis, das das Atmen erst möglich macht; er ersetzt beständig seine Zellen, schon morgen ist er nicht mehr derselbe wie gestern, und heute ist er glücklich, weil er nichts mehr von alledem weiß, was er hier gewußt hat; er verschwimmt nicht mehr im All, er ist ein einziges Ding, Grenzen sind die Merkmale seines Wesens, und gäbe es außer ihm keine andern, er wäre nicht. Seine Mutter liebt ihn, weil er ist; sein Vater wird ihn später einmal lieben, weil er so ist und nicht anders. Manchmal ist er glücklich, unglücklich sein zu können.

Er ist fort. Und ich bin ganz allein.

Er schämte sich über die Maßen, als er wieder da war. «Sie sind lange fortgewesen –», sagte ich. «Wir wollen doch die Sache beim Namen nennen», sagte er. «Ich habe Sie plötzlich allein gelassen; so, wie es da unten welche gibt, die aus dem Leben scheiden, aus Sehnsucht nach dem Tode – so habe ich das Umgekehrte getan. Nun –» Ich schwieg. Dann:

«Es hat Ihnen gefallen?» sagte ich harmlos. Er sah mich aufmerksam an. «Ironie verkaufe ich allein», sagte er. «Aber ich kann es ja ruhig sagen: Nein – es hat mir nicht gefallen.» – «Und warum nicht?» sagte ich. «Weil –», sagte er. «Ich will Ihnen etwas erzählen:

Oft habe ich Ihnen hier oben nicht geglaubt; Sie haben so niederdrückende Sachen über die da gesagt – Sie sind ein Dyskolos.»

Ich nickte freundlich. Namen treffen nie, besonders nicht, wenn man selbst gemeint ist. «Ein Dyskolos», sagte er. «Sie essen die Trübsalsuppe mit großen Löffeln – Ihnen ist nicht wohl, wenn Ihnen wohl ist – Sie müssen so eine Art bösen Gewissens haben, wenns Ihnen gut geht. Es hat mir übrigens wirklich nicht gefallen.» Oben links ging die Erde auf, o du mein holder Abendstern!

«Sehen Sie das?» sagte er. «Sehen Sie das? Geht es da armselig zu! Welcher Reichtum an Armut! Welcher Überfluß an Nutzlosem! Welch Schema des Eigenartigen! Ich war entsetzt. Dieses Mal bin ich nicht alt geworden.» – «Aber Sie hatten doch Freude, wieder da zu sein . . .?» sagte ich vorsichtig.

«Es wird alles in Serien hergestellt», sagte er. «Ich hatte Freude – eine Minute: die erste. Aber ich hatte vergessen, meine Rückerinnerung bei Ihnen zu lassen – ich wußte alles. Herr, ich wußte alles, was kam. Mein erstes Kinderschuhchen, Elternfreude und Mutterliebe und die kleine Schulmappe . . . Und die ersten Pubertätspickel und die Gedichte, die junge Liebe und die vernünftige Heirat. Ja. Aber am schlimmsten –» – «Am schlimmsten –?» sagte ich.

«Am schlimmsten war es später», sagte er. «Die Abgenutztheit des Originellen – die Tradition der Individualität – die Maschinerie des Außergewöhnlichen: es war nicht zum Aushalten. Ah, ich bin nicht Phileas Fogg, der Exzentriks sucht – ich weiß, daß man nicht mit beiden Beinen auf einer Lampe sitzen kann – aber welche Armut! Welche Dürftigkeit in den Ausdrucksmöglichkeiten, in der Perversität noch, im Leiden selbst. Es ist immer dasselbe – es ist immer dasselbe. Und jeder tut so, als begegne einem das zum erstenmal, wenn es ihm zum erstenmal begegnet.»

«Sie sagten vorhin», sagte ich, «daß Sie so ins Leben hineingerutscht seien, wie manche herausgehen: aus Sehnsucht nach dem Tode. Gibt es das: Sehnsucht nach dem Tode –?» – «Nein», sagte er. «Nein: nicht Sehnsucht nach dem Tode. Nur: Müdigkeit. Da liegen nun sechsunddreißig Kalender auf dem Tisch, jeder mit Neujahr, Hundstagen und Silvester, und das muß alles noch gelebt werden – welche Aufgabe! Das mag man mitunter nicht. Wirst du ohne Hunger durchkommen? Ohne Syphilis? Ohne Kinderkatastrophen? Nur Blinde sind kräftig – Schwäche macht sehend. Die Chancen sind ungleich verteilt. Ich wußte zuviel. Und sehen Sie: da kleben sie und gehen nicht weg und gehen nicht weg. Was mag sie wohl halten –?» Er sah auf die Erde.

Der kleine blitzende Punkt stand jetzt im Zenit, unter tausend andern, die leuchteten wie er.

Keiner leuchtete wie er.

Wir saßen auf der Wolke und ließen die Beine baumeln.

«Was am schwersten war, dieses Mal?» sagte er und blies nachdenklich den Meteorstaub in die Luft, «am schwersten ... Am schwersten war der Knacks.» – «Welcher Knacks?» sagte ich. «Der zwischen Jugend und dem andern, was dann kommt», sagte er. «Manche nennen es: Mannesalter. Es hätte sollen ein Übergang sein, ein harmonisches Gleiten, ich weiß schon. Bei mir war es ein Knacks.» Der alte Herr probierte einen neuen Meteor aus, der sich emsig bemühte, die höhere Astronomie gänzlich durcheinanderzubringen – es war etwas ziemlich Hilfloses. Wir sahen erhaben zu, denn es ging uns so schön gar nichts an. «Ein Knacks, sagten Sie?» fing ich wieder an. «Ein Knacks», sagte er. «Es war so:

Sie hopsen da herum, alles ist einfach klar – wenigstens scheint es Ihnen so. Was Sie nicht richtig durchschauen können, das umkleiden Sie mit einem herrlichen Nebel von Lyrik, Pubertät, Nichtachtung, Sorglosigkeit, tapsig hingehuschten Wolken; der tote Punkt in Ihrem Blickfeld ist eine Fläche, dahinein geht viel. Alles ist nur Spaß, wissen Sie, das macht die Sache, wenn auch nicht angenehm, so doch sehr erträglich. Alles ist nur Spaß.» – «Und dann –?» sagte ich. «Und dann –», sagte er, «und dann ist da eines Tages – nein: nicht eines Tages, eines Tages ist es nicht aus. Viel schlimmer. Erst ist es nur ein leises Unbehagen, die Räder quietschten doch früher nicht? Dann wird Ihnen das Quietschen zur gewohnten Begleitmusik, dann schmeckt dies nicht mehr und dann jenes nicht, und dann fangen Sie auf einmal an, zu sehen.» Jetzt machte der Meteor einen Bogen, der Verfasser versprach sich wohl von diesem Kunststück etwas, das er ‹majestätisch› genannt wissen wollte. Es war ein rechter Ausverkauf an Majestät.

«Sie sehen –», sagte er. «Aber es ist doch schön, klar zu sehen –?» sagte ich. «Sie tun so», sagte er, «als wären Sie nie unten gewesen. Es ist grauenhaft. Sie sehen: daß es gar nicht so ist, wie Sie bisher geglaubt haben, sondern ganz anders. Sie sehen: daß es wirklich nicht so schön einfach ist, wie es Ihre Bequemlichkeit und Eselei sich zurechtgemacht haben. Sie sehen: schräg hinter die Dinge, niemals mehr, das ist besonders aufreizend, jedenfalls sehen Sie nicht mehr glatt von vorn. Und dann die andern –! Bis dahin haben sie Sie noch begleitet, man hat sich ganz gut verstanden, es ging gewissermaßen erträglich und verträglich zu. Nun heiraten die, nun haben sie Kinder, hören Sie: richtige lebende Kinder! die nehmen sie ernst; erst hatte jeder eine Frau, jetzt hat das, was da neu entstanden ist, beide, und auf einmal, eines Tages bekommen Sie einen freundlichen Rippenstoß von nebenan: ‹Nicht wahr, Alter – wir wollen uns doch nichts vormachen, das da: Samtvorhänge, Warmwasserspülung, Behäbigkeit, das ist doch das Wahre, was?› Es ist wie ein Donnerschlag. Ihre Ideale bewahren sie sich getrocknet auf, im Herbarium ihrer Gefühle, manchmal, sonntags, sehen sie sich das an. Und lachen darüber, verstehen Sie das? sie lachen darüber. So ziehen sie an Ihnen vorbei.» – «Blieben Sie denn stehen?» sagte ich.

«Ich blieb stehen», sagte er. «Ja, ich blieb wohl stehen. Alle kamen an mir vorüber, der ganze Zug mit Roß und Mann und Wagen und allen Reisigen. Zum Schluß die alten Weiber, und dann wackelten da welche, die ich noch als kleine Kinder gekannt hatte: sie hatten den ganzen Nacken voll seriöser Sorgen und waren ehrgeizig und verdammt real. Sie brachten es alle zu etwas, sehr ernsthafte Leute. Beinah hätten sie mir einen Groschen in den Hut geworfen. Ich hatte aber keinen Hut. Und da stand ich, ganz allein.» – «Waren Sie denn kein Mann?» sagte ich und mühte mich, das sehr neutral zu sagen. «Ein Mann», sagte er. «Doch auch, ja. Ich kroch auch später den andern nach, und was früher Ideal geheißen hatte, hieß jetzt einfach: Zuspätkommen. Ein Mann erwachsen . . . Aber in einer Ecke meines Herzens, wissen Sie, da wo es am hellsten und dunkelsten zugleich ist – da bin ich doch immer ein Junge gewesen.»

Wir schwiegen. Und als ich mich nach ihm drehte, da war er nicht mehr da. Er hatte sich fallen lassen, vermutlich aus Scham, denn so etwas sagt man nicht.

«Kommen Sie mit ins Wasser-Sanatorium?» sagte er. Ich sah ihn an. «Wird hier jemand geheilt?» sagte ich. «Jemand . . . ja», sagte er. «Sie verstehen nicht richtig: da wird nicht mit Wasser geheilt. Anders: denken Sie an Kinderkrankenhaus. Wird da mit Kindern geheilt? – Kinder werden geheilt.» – «Wollen Sie vielleicht sagen, daß hier Wasser geheilt wird?» sagte ich. «Krankes Wasser . . . das habe ich noch nie gehört.» – «Sie sind nun schon so lange hier», sagte er, «und kennen sich noch immer nicht aus. Kommen Sie mit.»

Es war hinter dem Wasserplaneten, einer dicken, gurgelnden und etwas lächerlichen Sache, die da wie rasend umherwirbelte. An den Rändern zischten die Spritzer in der Rotationsrichtung, der Himmelskörper speichelte sich durch den Raum. Den ließen wir turbulieren, dann kam der große Salzsee, darüber hinaus war ich noch nie gewesen. Dann kam es.

Weit, äonenweit: Wasser, eine stille Fläche. Sie lag in der Luft wie eine hauchige Scheibe, glasdünn, glasklar, wie mir schien. Ich sagte ihm das. «Es ist nicht klar», sagte er. «Das ist es eben. Es ist hier zur Erholung, das Wasser. Es ist abgeguckt.» – «Was ist es –?» sagte ich. «Es ist abgeguckt», sagte er. «Sie haben da alle hineingesehn – setzen wir uns. Ich werde Ihnen das erklären.» Wir setzten uns an den Rand der Wasserglasplatte. Man konnte die andern Wolken sehn, die unterhalb wimmelten.

«Was tun die, die Muße haben, wenn man ihnen Wasser oder Feuer vorhält?» sagte er. «Sie sehen hinein», sagte ich. «Richtig», sagte er. «Aber . . . sie sehen nicht nur hinein. Sie lassen sich hineinfallen. Die Augen werden glasig, das Gehirn arbeitet nicht, es ist ein Halbtraum. ‹Das Leben zog in den Flammen an ihr vorüber› – das steht in den Büchern. Es zieht gar nichts vorüber. Die da springen aus dem vorüberlaufenden Strom der Zeit ins Wasser, ins Kaminfeuer, wie auf eine kleine Insel; da stehen sie und blicken verwundert um sich. Jetzt strömt das andre, und sie selbst bleiben. Die Nerven lassen nach, alles läßt nach, ist entspannt – die Zügel hängen lässig über die Wagendecke, langsamer laufen die Zeitpferde . . . da senken sie sich ins Wasser.» – «In dieses Wasser hier?» sagte ich. «Eben in dieses», sagte er. «Sie haben so viel hineingetan, das Wasser ist voll davon, und jetzt ruht es sich aus. Mein Lieber, wer hat da alles Bröckchen des Lebens hineingeworfen! Bröselchen von Schmerz, Erinnerung, Wehleidigkeit, Faulheit, Tobsucht, zerbissene Wut, heruntergeschlucktes Begehren –! Das strengt an. Das arme Wasser liegt hier und ruht. Es muß wieder sauber werden. Es ist vermenscht.»

«Warum tun sie es?» sagte ich. «Sie brauchen das», sagte er. «Wenn die Flammen züngeln, werden sie nachdenklich – bei den Flammen geht es noch besser, sie verbrennen alles, was in sie hineinfällt. Wenn das Meer rauscht, werden sie nachdenklich – sie fühlen plötzlich Halbvergeßnes, einer klopft an die Tür, an eine wenig beachtete, kleine Hintertür . . . sie öffnen den Spalt – da kommt es herein. Und drängt sie halb aus dem Haus, mit einem Fuß stehn sie draußen;

außer sich. Für Augenblicke sind sie Pflanze geworden, sie wachsen dumpf vor sich hin, auch dieses Wachstum ist manchmal angehalten. Dann steht die Zeit still, und die Urmelodie wird hörbar: das Leid. Haben Sie jemals einen gesehn, der froh ins Wasser gesehn hätte, froh ins Feuer –?» Ich sagte, daß ich es nie gesehn hätte. «Also, was ist es –?» sagte ich. «Was empfinden sie, was bedeutet das?» – «Es ist eine Art Generalprobe», sagte er. «Es ist ein süßschwacher Tod.»

Wir standen langsam auf und schoben uns von der Wasserplatte fort. Sie lag da, ruhig atmend, und als wir davonschwammen, sah es uns nach: aus hunderttausend Augen.

Er lachte noch, als wir schon längst wieder allein waren. «Das war wie auf einem Theater!» sagte ich. «Haben Sie das gesehn?» sagte er. «Sein Gesicht? Der Ausdruck in den erstaunten Augen? Der ganze verdutzte Kerl? Es war herrlich.» Sie hatten einen Ehemaligen eingeliefert, der frisch angekommen war, einen gut bezahlten Schreiber von da unten, sie nennen es wohl höhern Beamten oder dergleichen. Der hatte sein Lebelang in einem Teich von Wichtigkeit gepatscht, er troff noch davon, als er ankam. Und nun traf er da auf seine alten Freunde, und die klärten ihn ein bißchen auf, wie es denn nun mit ihm in Wirklichkeit da unten bestellt gewesen sei, sie hatten ihm die Wahrheit gesagt, die volle persönliche Wahrheit . . . «Er hats erst gar nicht geglaubt!» sagte er. «Haben Sie das bemerkt? Dann traf es ihn wie ein Starkstrom. Er ist noch ein zweites Mal gestorben, glauben Sie? Jetzt ist er ganz hin.» – «Es ist nicht sein Fehler», sagte ich. «Wie?» sagte er. «Es ist nicht sein Fehler? Natürlich ist es sein Fehler!»

«Es ist nicht sein Fehler», sagte ich. «Er ist so eingerichtet. Wir waren es auch.» Die Wolke, auf der wir saßen, trieb rasch seitwärts, es war ein unbehagliches Gefühl; wir sprangen auf eine andre, solidere, die leise schwankte. Irgend eine Sonne erhellte sie sanft von unten her. «Ich weiß nicht recht, was Sie meinen», sagte er. «Ich meine», sagte ich, «daß er nichts dafür kann. Sehen Sie einmal:

Man sagt immer: wenn Menschen wüßten, was über sie gesprochen wird . . . Das ist dumm. Was wird denn schon gesprochen? Es wird geklatscht, Verleumdungen werden gesagt, Lügen, Konkurrenzlügen, Eifersuchtslügen, Selbstberuhigungslügen, Neidlügen – das ist nicht sehr interessant, und häufig erfahren es die Besprochnen ja auch. Nein, das ist es nicht. Aber wie über sie gesprochen wird, wie über alle gesprochen wird – das ist es!» – «Und wie wird über alle gesprochen?» sagte er.

«Jeder Mensch», sagte ich, «kann nur leben, wenn er sich ernst nimmt. Verzweifeln kann er, leiden kann er, gegen sich wüten kann er – aber Verzweiflung, Leid, Wut muß er ernst nehmen. An seiner Wohnungstür steht: Schulze; Sie, das glaubt er sich! Er glaubt: hier wohnt Schulze, Schulze bin ich – die Sache ist in Ordnung. Sie ist aber nicht in Ordnung. Wenn er wüßte . . .! Wenn jeder wüßte, wie die andern von ihm sprechen: durch die Nase, achselzuckend, unter der Hand, nach der Melodie: Ach, der –! Haben Sie einmal mitangehört, wie diese Summe von: Geburt, nassen Windeln, sexueller Not, Verliebtheit, Ansätze des kleinen Lebenswerks, das Lebenswerk selbst, und bestände es auch nur im Erringen einer Position beim Magistrat, Wirken und Arbeit, Arbeitsnächte und Erholungstage im Herbst, wie diese unendliche Summe, die jenem das Gefühl seiner ernsten Sicherheit gibt, von andern abgetan wird? Man kann den Namen an der Wohnungstür aussprechen . . . man braucht nur die Stimme singend etwas fallen zu lassen, so: Schulze . . .! und der Kurswert des Mannes ist auf Null. Es sind alles Papiere, die noch gar nicht wissen, daß sie unter pari stehen. Da werden zweierlei Notierungen vorgenommen: das Werk notiert sich selber: große Hausse – aber gehandelt wird es ganz anders, ganz anders. Die letzte Selbstachtung ginge in die Binsen, hörten sie es mit an.» – «Aber sie hören es zum Glück nicht mit an . . .!» sagte er. Jetzt war das Licht von unten stärker geworden; wir hockten da wie die Weihnachtsengel auf einer Fotochromansichtskarte.

«Nein, sie hören es nicht. Das ist nicht nur ihr Glück», sagte ich. «Es ist eine der Hauptbedingungen ihres Lebens.

Sie könnten gar nicht leben, hörten sie es. Sie könnten nicht leben, wüßten sie, wie die andern von ihnen sprechen. Sie haben zwar so eine dumpfe Ahnung, als sei das alles Schwindel: das Gummigrinsen der Begrüßung, die teilnahmsvollen Fragen nach Arbeit, Miete, Frau und der werten Gesundheit – aber sie klammern sich ja doch an diesen Korken der Konvention, es ist das schönste Gesellschaftsspiel. Sie nehmen es ein wie Medizin. Hörten sie –! Wüßten sie –! Sie gingen zu Tausenden ein, sie müßten eingehen, wer kann so leben, wenn er weiß, wie vergeblich, wie nichtig, wie wenig es ist im Grunde –?» – «Wer?» sagte er. «Ein ganz Starker.» – «Nein», sagte ich. «Auch ein ganz Starker braucht die

Lüge, grade der. Doch Haß ist Anerkennung, Kampf Hochachtung, Neid Balsam für die Seele. Aber eins kann keiner vertragen, das ist ein kleiner Tod.» – «Was?» sagte er. «Verachtung –» sagte ich. «Keiner weiß, wie er verachtet wird, sonst könnte er nicht leben. Er wird verachtet, sonst könnten die andern nicht leben.»

Die Wolke schimmerte nunmehr blutrot, von unten müssen wir schön ausgesehen haben. Es gab aber kein Unten, es war niemand da, der uns auslachen konnte, und so segelten wir froh dahin.

«Was haben wir gelacht!» sagte er. «Wir haben so gelacht!» Er wischte sich ein wasserhelles Sekret aus den Augen, und ich tat desgleichen: denn was er da erzählt hatte, war nicht ohne gewesen. Er sprach sonst wenig von solchen Dingen – aber es waren zwei vorübergeglitten, ineinandergekrampft, mit zugeküßten Lidern, zwei, die aus ihrem Liebeshimmel heruntergefallen waren in die Hölle der Erfüllung. Übrigens wußten sie das nicht. Das hatte ihn auf den Gedanken gebracht, mir die Geschichte eines Ehepaares zu erzählen, das sich nach dem Buch liebte, nach dem vollkommnen Ehebuch, mit einer Art Notenständer am Bett. Wir atmeten tief.

«Sie haben so gelacht –», sagte ich. «War noch genug Gelächter da –?» Er sah mich verständnislos an. «Ob genug Gelächter – wie meinen Sie das?» – «Sie wissen», sagte ich, «woher das Gelächter kommt?» – «Aus der Brust!» sagte er und lachte tief. «Nein», sagte ich. «Nicht aus der Brust. Wollen Sie sehen, woher es kommt, das Gelächter?» Er wollte das. Und ich zeigte es ihm.

––––––––––

Es war schon finster, als wir vor dem gigantischen Berg standen. «Was ist das? Wohin führen Sie mich?» sagte er leise. «Was das ist?» sagte ich. «Es ist der Berg des Gelächters. Kommen Sie ein Stückchen hinauf – hier hinauf. Hören Sie –!» Wir lauschten.

Kaskaden von Lachen kamen heruntergebraust, Wogen von Gelächter, Kicherbäche, ganze Tonleitern klapperten herab, es schritt auf großen Füßen Treppenstufen herunter, auf uns zu, und wenn es unten ankam, verebbte es in Atemlosigkeit zu kleinen Tönen . . . Leise bewegte sich der Boden unter unsern Füßen. Dumpf dröhnend lachten die Bässe, Triller von Frauenlachen stiegen auf und fielen melodisch ab, Koloraturgelächter und silberne Schellen . . . Fettes, schadenfrohes Lachen wälzte sich ölig dahin, breit klatschte es an die Ufer; Lachgemecker und fröhliches Gelächter von Kindern, spitze Lachstimmen, die sich überlachten, eine kletterte über die andere, dann fiel alles in sich zusammen. Und wieder stieg oben ein Chor von Gelächtern auf, dumpf überdröhnt von einer dicken, alten, akkompagniert von einer süßen Weibsstimme. Stille. Ein Rinnsal von Lachtränen tropfte an uns vorbei.

«Das ist der Vulkan des Gelächters», sagte ich. «Sie kannten es nicht? Sie haben mir hier oben so viel gezeigt und kannten ihn nicht? Er versorgt die da unten mit Lachen, von oben kommt es herunter, aus dem Vulkankrater rollt es heraus, alle Sorten. Alle Gelächter, die gebraucht werden: Sie haben sie gehört? Grinsen und pfeifende Peitschen mit kleinen Knoten in der Schnur, die brennen so schön ... dummes Lachen und befreiendes Lachen und Lachbonbons, mit Tränen gefüllt – alles kommt von da oben. Man kann nicht hinauf.»

«Was ist oben?» sagte er. «Ich habe es mir sagen lassen», sagte ich. «Ein riesiges, tiefes Loch wie im Ätna, da quillt es heraus.» – «Aber woher kommt es?» sagte er. «Wer versorgt die Erde mit Gelächter – woher diese Quantität, die Unerschöpflichkeit, die immerwährende Bereitschaft, zu geben und zu geben –?»

«Es gibt ein Ding», sagte ich, «das hat begriffen, warum Er das geschaffen hat, da unten. Es hat den Witz der Welt begriffen. Seitdem –» – «Seitdem?» sagte er. «Seitdem lacht das Ding», sagte ich.

Wir wandten uns ab. Weit unten sahen wir die beiden fallen, ihrer Privathölle zu. «Ein seltsames Geschäft», sagte ich. Er wollte lachen, setzte plötzlich ab. Im Dunkel glitt eine Tierseele scheu an uns vorüber. «Hat das nie aus dem Lachtränenbach getrunken?» sagte er. «Tiere lachen nicht», sagte ich. «Sie sind die Natur selbst, die ist ernst, unerbittlich, vielleicht heiter – aber lachen? Er läßt sie nicht lachen.» – «Und warum nicht –?» sagte er. «Weil Er Furcht hat», sagte ich. «Er hat Furcht, man könnte Ihn auslachen. Dabei tut es keiner. Sie gehen an den Berg des Gelächters und lachen zwar aus, aber nur einander. Hören Sie, wie es heruntergluckert!»

Jetzt war der ganze Berg überrieselt mit Gelächter, fallendem und steigendem; erst hatten wir ein wenig mitgelacht, dann lächelten wir nur noch, und nun stimmte es ganz traurig. «Lachen ist eine Konzession des Herrn», sagte ich. «Sie ist auch danach», sagte er. Dann glitten wir davon.

Wir saßen auf der Wolke und ließen etwas baumeln, was man als Beine ausgeben konnte – lange.

«Er hat einen neuen Meteorstein gemacht», sagte er. «Sie können sich diesen Stolz nicht vorstellen, diese Schöpferfreude! Diese Gehobenheit! ‹So aus dem Nichts . . .› waren Seine Worte. ‹Und jetzt: ein Stein!› Als ob es das erste Mal wäre! Wie lange hat Er dieses Metier nun schon? Können Sie das verstehen?» – «Er ist naiv», sagte ich. «Wer etwas schafft, muß daran glauben. Er schöpft freilich mit der Kelle aus einem Riesenbottich, nach einiger Zeit fällt das Geschöpfte, das Geschaffene wieder zurück . . . Aber Er hat Freude an Sachen. Ich begreife diese Freude schon. Haben Sie sie nie empfunden?» Er horchte angestrengt von mir fort: offenbar auf Ätherwellen, deren Klang noch niemand erlöst hat; pfeifend, wie die Kobolde heulten sie dahin, durchaus bereit, zur ‹Neunten Symphonie› zu werden, wenn es ihnen einer befahl, unglücklich ob ihrer ungebärdigen Freiheit. Sie verklangen. «Haben Sie niemals Freude an Sachen empfunden?» sagte ich. Er wandte sich mir zu. «Ich? Nie!» sagte er. «Doch», sagte ich. «So:

Alle Männer haben sie an sich, diese Freude. Wenn wir eine Seifenhülse leer gewaschen hatten, waren wir stolz darauf wie auf ein gutes Werk. Diese mit dem Weltall einverstandene Miene, wenn einer die leere Schachtel fortwarf: in Ordnung. Sauber. Gut aufgebraucht. Eine neue. Waren Sie kein Pedant? Die letzte Feder verbraucht, eine Flasche Haarwasser zu Ende gespritzt, ein kleines Pappblatt mit Kragenknöpfen abgelegt – welche Gehobenheit! Es ist etwas geschehn! winzig kraucht eine minime Eitelkeit vom Magen zum Hirn empor: ich war tätig. Das gleiche befriedigende Gefühl, wie wenn in der Schule eine Rechenaufgabe mit Null aufging. Saldo. Bilanz. Fertig. Wir waren uns in diesem Augenblick so einig mit dem All.»

«Ich war ein Pedant», sagte er. «Das ist wahr. Ich habe die Sachen geliebt, weil sie so schön geduldig waren, so still; wenn man es geschickt anfing, beherrschte man sie vollkommen. Zeitweise regierten sie uneingeschränkt; das war, wenn man nichts andres vorhatte; wenn keine Geldnot war, keine ungeduldige Frau, kein fressender Schmerz, keiner über die Ehe; über die eigne Gefühllosigkeit beim Tode eines Freundes, welchen Ärger man sehr schön als Ergriffenheit ausgeben konnte – wenn alles still war . . . Aber manchmal →»

«Manchmal –?» sagte ich. «Manchmal», sagte er, «hatten wir gar keine Sachen. Vergessen die Krawatten, nicht beachtet die Schuhleisten, unangesehen die Aschbecher, übergangen die Türschwellen – es war nichts mehr da. Da sind wir dann einem Ziele zugestürmt.» – «Wie bitte?» sagte ich. «Einem Ziele zugestürmt», sagte er. «Ich bin länger hier oben als Sie – ich weiß, daß wir nicht mehr wollen. Manchmal wollte ich, noch wollen zu können. Sehen Sie, darum liebten wir die Sachen: sie wollten nicht, sie taten nicht mit, stumm ruhten sie am Strom unseres Willens; und vorüber strömte der Fluß der Energien, das Leben brandete an den Ufern der Hosenstrecker, vorbei, wo einsame Kleiderbügel ragten . . . An ihnen konnte man die Geschwindigkeit des eignen Strudels ermessen. Und sie ließen sich beherrschen –» Nun raste eine Flottille erkälteter Pfiffe über uns dahin; es ächzte in der Materie, akustischer Urschlamm tobte über uns hinweg, bereit, den nächsten Empfänger zu zertrümmern . . . «Hören Sie das . . .» sagte er. «Ich kann das nicht hören», sagte ich. «Ohren ordnen – dies müßte man ungeordnet aufsaugen, Menschen sind mit der Ordnung verbundene Wesen. Woher also», sagte ich, «der Stolz, wenn etwas so Dummes fertig gemacht war wie der Schlußverbrauch einer Seifenschachtel?»

«Weil Männer», sagte er, «wenn sie etwas taugen, Jungen sind; Schüler sind sie, Musterschüler oder Mittelschüler oder bewußt schlechte Schüler, auf alle Fälle unsagbar eitel auf die gute oder schlechte Leistung. Wenn auf dem Schreibtisch kein Schnitzelchen Papier mehr liegt; wenn alles abgeblasen ist; wenn das Bett in kantiger Weiße strahlt, die Badewanne trocken blitzt, die Lampen sanft brennen –: es gibt keinen Mann, der dann nicht wie der König der Sahara durch sein kleines Reich schritte, Wüstenkönig ist der Löwe – und dieser ist sogar noch stolz auf die Leistung der andern. Wer kann ganz und gar ermessen, wie unsagbar simpel wertvolle Männer sind –!» – «Ich weiß nur», sagte ich, «wer es nicht weiß. Wer sie für dumm und unschlau hält, für unlistig, also für belächelnswert – wer also auch anders, ganz anders zu den Sachen steht; wer die Sachen wirklich besitzt, eigentumsgierig, oberflächlich, abstrakter, happigabweisend . . . wer sie hätschelt oder herumstößt, aber nicht liebevoll-väterlich zu ihnen sein kann; wer einseitiger Besitzer ist, nichts kommt von den Sachen zurück – wer die Sachen hat, ohne sie je zu haben.» – «Wer?» sagte er.

Leise ließ ich mich von der Wolke fallen, sacht glitt ich dahin, durch ungebärdig flackernde Töne, durch Schwingungen, die noch nicht wußten, ob sie Ton oder Licht werden sollten; ich entschwand ihm, ohne zu antworten, vielleicht hätte ihn die Antwort gekränkt, und ich behandelte ihn zart. Zart wie eine Frau.

«Kennen Sie das Entzücken an der erotischen Häßlichkeit?» fragte der Dritte. Er war plötzlich da, hatte kaum Guten Wolkentag gesagt, er saß mit uns, neben uns, aber die Beine ließ er nicht baumeln, das hätten wir uns auch schön verbeten. Mit den Beinen baumelten nur wir. Wir warfen beide mit einem Ruck die Köpfe herum und starrten ihn an.

«Die Freude an der Häßlichkeit? von Frauen?» sagte der Dritte noch einmal.

Darüber war hier noch nie gesprochen worden; eine fast asketische Scham hatte uns gehindert, uns über das Allerselbstverständlichste auszusprechen. «Zeig mal, wie ist das bei dir– ?» sagen die Kinder, als sei der andre ein fremder Erdteil.

Warten stand in der Luft; wir mußten etwas sagen; wir konnten nichts sagen. Der Dritte ignorierte eine Antwort, die nicht gegeben worden war, und fuhr fort:

«In Gerichtsverhandlungen haben sie oft dem fein gebildeten Angeklagten vorgehalten, er habe mit der eignen Reinmachefrau ein Verhältnis gehabt, es hörte sich an wie Vorwurf der Blutschande; habe er sich denn nicht geekelt? mit einem so tiefstehenden Geschöpf? so unter ihm? wie? Sie hatten das wohl nie gespürt, sonst hätten sie nicht so dumm gefragt. Daß plötzlich eine Figur aus der einen Sphäre in die andere gezogen wurde, was Freude am Spiel bedeutet: so, wie wenn einer auf einer Flasche bläst oder mit einem Violinbogen ficht oder – spaßeshalber – Hanfgras raucht. Man kann Hanfgras rauchen, dazu ist es unter anderm auch da, wenn Sie wollen, man tut es nur gemeinhin nicht. Aber auf einmal zuckt in einem das Spiel.»

Wir sahen uns an, mit jenem unausgesprochenen Tadel im Blick, der blitzschnell den andern verrät, die Einheitsfront von zweien gegen den Dritten herstellt, einig, einig, einig. Ich gab ein vorsichtiges Räuspern von mir, wie die Einleitung zu einer Einleitung . . . Der Dritte ließ es nicht dazu kommen.

«Man fällt so tief», sagte er, – «oh, so tief. Schlaffe Brüste, graue Wäsche, ein dummes Lachen, meliertes Haar, eine kommune Bemerkung, weit unter allem möglichen; verbildeter Körper, geweiteter Nabel, glitzernde Augen, die das Glitzern nicht gewohnt sind . . . so tief sinkt man. Man wühlt sich in das Unterste hinein, man verachtet sich und ist stolz auf diese Verachtung und böse auf diesen Stolz. Nägel sitzen im Fleisch, die man immer tiefer hereintreibt, wissen Sie. Es ist, wie wenn einer Pfützen aufleckt. Noch tiefer hinab, noch schmieriger, ja, ich gehöre zur Vorhölle, ich kann gar nicht tief genug fallen, da habt ihr mich ganz und gar, streck dem Kosmos die Zunge heraus, so, die breite, gereckte, dicke Zunge –»

Der Dritte schwieg.

Da sprachen wir zum erstenmal. Ich sagte: «Und nachher?» Auch er, mit dem ich dergleichen nie besprochen hatte, war mit von der Partie. «Armer», sagte er. «Und nachher?» Der Dritte sah uns voll an, er schaffte es, wir waren gegen ihn nur einer.

«Nachher –», sagte der Dritte. «Ich bin kein Armer. Ich bin reich – mir konnte nichts geschehen, nachher. Ich ging wieder im Licht, war emporgetaucht, die Scham hatte ich heruntergeschluckt und abgewaschen, sie war nicht mehr da. Ich brauchte nicht zu beichten, jeder meiner Blicke beichtete, aber sie sahen es nicht. Ich fühlte mich sicher, weil ich den moorigen Untergrund kannte, ich strauchelte nicht, ich fiel nicht, ich nicht. Ich war wie eine Bank: das war mein Aktienkapital für die Reserve, damit arbeitet man nicht alle Tage, aber es steht hinter einem, und es ist da. Man kann darauf zurückgreifen, wenn es not tut. Und es tut manchmal not, und wenn es soweit ist, dann ist da wieder dieser ungeheuerliche Sturz zwischen fünf Minuten vor acht, wo du telefonierst, bis um drei Viertel zehn – du fällst und steigst: mit eingezogenen Schwingen, die Süßigkeit der Säure auskostend, das Licht des Drecks, die tausend Tasten einer Orgel, von der nun die untersten, selten benutzten Bässe anklingen, so dumpf, daß das Ohr sie kaum noch hören kann. Herauf und herunter, herauf und herunter: ein Luzifer und ein Dunkelheitsbringer, ein Adler und ein Wischlappen, ein Höhenflieger und ein Tauchervogel. Man fällt so tief. Womit ich Ihnen einen schönen guten Abend zu wünschen die Ehre habe.» Weg war der Dritte.

Ich sah ihn an . . . «Man muß sich», sagte er, «die Zelle weit träumen, in die man eingesperrt wird. Sonst hält man es nicht aus. Wissen Sie, was er uns beschrieben hat?» – «Nein», sagte ich; «was?»

«Dauerlauf an Ort», sagte er. «Eine sehr gesunde Übung.»

Wir hatten etwas Neues erfunden: wir fuhrwerkten Ihm in Sein Wetter, und Er war ganz verzweifelt. Hatte Er südöstlichen Regen mit leichten Erdbeben angesagt, so zogen wir des Nachts vorher hin und stellten das Erdbeben ab, und am nächsten Morgen war große Verwirrung: Er schimpfte auf das Barometer, und in den Erdbebengebieten sanken die Aktien der katholischen Kirche beträchtlich. Seit Er sich darauf versteift hatte nach dem Kriegsende das Wetter durchgehend schlechter zu machen, nahm unser Unfug kein Ende. Es war eine schöne Zeit.

Wir hatten Sein Barometer grade so durcheinandergebracht, daß es einem schon leid tun konnte, und nun ruhten wir uns von getaner Arbeit aus: sanft mit den Beinen baumelnd und gelöst vergnügt, wie wir es da unten nie gewesen waren . . .

«Haben Sie», sagte er plötzlich, «eigentlich immer alles gesagt –?» – «Ich habe vieles gesagt», sagte ich, «darunter auch manchmal das, was ich wirklich meinte. Aber immer –?» – «Immer», sagte er, «und alles, darauf kommt es an. Haben Sie zum Beispiel alles über Ihre Freunde zu Ihren Freunden gesagt, über die, die Sie umgaben, die, die Sie umgaben?» –

«Wie hätte das sein können?» sagte ich. «Von den engern Freunden will ich gar nicht einmal reden – Freundschaft beruht darauf, daß eben nicht alles gesagt wird, nur so ist Beieinandersein möglich. Das ist nicht Lüge, das ist etwas andres?» – «Aber sonst –» – «Nun, sonst?» sagte er. «Ich habe nicht alles gesagt!» sagte ich. «Manchmal bin ich fast daran geplatzt. Aber ich hätte von Bruno sagen müssen, er sei im Grunde ein sattgefressener Versorgter, der nur so lange mit unsereinem umgehe, wie er beneiden oder verachten könne, von ihm aber dürfe man nichts wollen, nicht das Kleinste; und von Willi, daß er ein tragischer Schlemihl sei, dessen Unglück darin bestehe, das Unglück durch seine bloße Existenz herbeizulocken, einer jener vielen, die nichts dafür können . . .; und von Hanno, daß seine Karriere uns dazu verleitet, den Blitz der Götter herabzuflehen, nur, damit jener doch einmal in seinem Leben einen aufs Dach bekäme; und von Oskarchen, daß er Sitten und Gebräuche eines kleinen Provinzlers sein eigen nenne, und daß der Umgang mit ihm nicht heiter sei; und von Lenchen . . .» – «Allmächtiger!» sagte er, «welche Liste –!» – «Rufen Sie Ihn nicht beim Namen!» sagte ich. «Sie wissen, daß Er es nicht mag.» Wir lauschten. In der riesigen Weltennacht regte sich nichts, unser Streich war geglückt. Er würde morgen große Augen machen . . . «Welche Liste!» sagte er. «Und mit denen sind Sie umgegangen? Denn es waren immerhin Ihre nächsten Leute!»

«Ich hatte keine andern», sagte ich. «Andre hätten mir auch gar nichts genützt. Aber ich habe es ihnen nicht gesagt, das da.» – «Und warum nicht –?» sagte er. «Weil», sagte ich, «man so nicht leben kann – mit der Wahrheit in der Hand. Sie vertragen es nicht. Sie leben von der Lüge, von einer eingebildeten Überlegenheit, von dem Glauben, sie würden geachtet, während sie in Wirklichkeit nur benutzt, ausgenutzt, ignoriert und geduldet sind. Sag ihnen, wie du wirklich über sie denkst, wenn ein Brief von ihnen ankommt – und alles ist aus.»

«Und», sagte er, «haben es Ihnen die andern gesagt, das Wahre –?» Ich sah ihn betroffen an. «Nein», sagte ich. «Doch – ich glaube – ja. Ich denke . . . ja. Wie?» – «Und», sagte er, «woraus leiten Sie Ihre Überlegenheit her, die Legitimation, so herablassend auf alle andern zu sehen, so vernichtend zu urteilen, die witzige Scheidung: Ich und die andern zu machen – woraus leiten Sie es her –?»

«Daraus, daß ich lebte», sagte ich. Nun sprach er nicht mehr, und wir warteten auf den jungen Morgen.

(1925–1928)

Kleine Station

«– 'menau!» rufen die Schaffner. «– 'menau!» Mit dem Ton auf der letzten Silbe. Wir sehen hinaus.

Da rauschen ein paar Bäume, der Stationsvorsteher hat sich Sonnenblumen gezogen, die aus der Zeit herrühren, wo er noch nicht Fahrdienstleiter hieß, da steht ‹Männer› dran und da ‹Frauen›, und für die Zwitter ist auch noch ein Güterschuppen da. Die Lokomotive atmet. Niemand steigt aus. Niemand steigt ein. Aber hier ist: Aufenthalt.

Von «– 'menau» ist nichts zu sehen, das liegt wohl hinter den Bäumen. Doch, hier ist ein kleines Stückchen Straße, wenn nicht alles täuscht: die Bahnhofsstraße, maßlos häßlich, hoffen wir, daß es da hinten hübscher aussieht. Sicherlich tut es das.

Da steht ein Schillerdenkmal (1887) und ein Kriegerdenkmal – nein, zwei: eins von dunnemals und eins von heute, eins mit einer

Zuckerjungfrau und eins mit einem Stahlhelmmann. Eine Kaiser-Wilhelm-Straße ist da, und die lange Chaussee trägt den Namen der nächsten großen Stadt. Die Kirche ist aus romanischem Stil und das Postamt aus Backsteinen.

Einer ist der reichste Mann von «– menau» – einer muß doch der Reichste sein. Er ist viel in der Stadt und weilt nicht oft im Orte, wie das Blättchen schreibt. Am Stammtisch sorgen der Amtsrichter, der, ach Gottchen, Referendar, der Apotheker und der Postinspektor für die Aufrechterhaltung der Republik, wie sie sie auffassen. Manchmal darf da auch der Redakteur sein Bier trinken.

Wenn Markt ist, schwitzen dicke Bauerngesäße in der Kneipe, alles ist voll Dunst und Rauch und Geschrei. Der Lehrer hat ein bißchen die Tuberkulose, aber das macht nichts: im Sommer fällt ohnehin der Unterricht so oft aus, wie der Gutsbesitzer die Kinder zur Feldarbeit braucht. Es ist ein Arzt da, der viele Kinder hat, merkwürdig. Am Marktplatz wohnt Fräulein Grippenberg, sie spielt Klavier; wenn nachts der Mond geschienen hat, singt sie am nächsten Tage, die Hunde haben das nicht gern. Ein Polizeibüro ist da, worin es grob und säuerlich riecht; der amtierende Polizist hat hervorstehende Augenbrauen, fast kleine Buschen; er war aktiver Wachtmeister, seine Einjährigen hatten nichts zu lachen, aber er hatte was.

Wo die Liebespaare wohl hingehen? Wahrscheinlich in die Felder. Die Gemeinde zählt 1245 Seelen, da heißt es fleißig sein: der Kaiser braucht Soldaten . . . ach nein! Ja doch. Telefonieren kann man beim Doktor, sonst im Gasthaus, aber da ist das Telefon kaputt. Auf einem brachliegenden Felde in der Gemarkung VIII des Kätners Römmelhagen steht ein Runenstein. Schadt nichts, laß ihn stehen.

Möchte man hier leben –? Auf dich haben sie nicht gewartet; sie haben ihre Schicksale, sterben, saufen, handeln, lassen Grundstückseintragungen vornehmen, prügeln ihre Kinder, stecken der Großmama Kuchenkrümel in den Mund und verzweifeln – höchst selten – an der Welt. «– 'menau!»

Ja, und dann fahren wir wieder. (1926)

Heimat

Aber einen Trost hast du immer, eine Zuflucht,
ein Wegschweifen. Selbst auf Umgebungsflach-
heiten stehen Bäume, Wasseraugen schimmern
dich an, Horizonte sind weit, und auch durch
düstere Verhängung kommt noch Feldatem.

Alfons Goldschmidt: ‹Deutschland heute›

Nun haben wir auf vielen Seiten Nein gesagt, Nein aus Mitleid und
Nein aus Liebe, Nein aus Haß und Nein aus Leidenschaft – und nun
wollen wir auch einmal Ja sagen. Ja –: zu der Landschaft und zu dem
Land Deutschland.

Dem Land, in dem wir geboren sind und dessen Sprache wir
sprechen.

Der Staat schere sich fort, wenn wir unsere *Heimat* lieben.
Warum grade sie – warum nicht eins von den andern Ländern –? Es
gibt so schöne.

Ja, aber unser Herz spricht dort nicht. Und wenn es spricht, dann
in einer andern Sprache – wir sagen ‹Sie› zum Boden; wir bewun-
dern ihn, wir schätzen ihn – aber es ist nicht das.

Es besteht kein Grund, vor jedem Fleck Deutschlands in die Knie
zu sinken und zu lügen: wie schön! Aber es ist da etwas allen
Gegenden Gemeinsames – und für jeden von uns ist es anders. Dem
einen geht das Herz auf in den Bergen, wo Feld und Wiese in die
kleinen Straßen sehen, am Rand der Gebirgsseen, wo es nach Wasser
und Holz und Felsen riecht, und wo man einsam sein kann; wenn
da einer seine Heimat hat, dann hört er dort ihr Herz klopfen. Das
ist in schlechten Büchern, in noch dümmeren Versen und in Filmen
schon so verfälscht, daß man sich beinah schämt, zu sagen: man
liebe seine Heimat. Wer aber weiß, was die Musik der Berge ist, wer
die tönen hören kann, wer den Rhythmus einer Landschaft
spürt . . . nein, wer gar nichts andres spürt, als daß er zu Hause ist;
daß das da sein Land ist, sein Berg, sein See, auch wenn er nicht
einen Fuß des Bodens besitzt . . . es gibt ein Gefühl jenseits aller
Politik, und aus diesem Gefühl heraus lieben wir dieses Land. Wir
lieben es, weil die Luft so durch die Gassen fließt und nicht anders,
der uns gewohnten Lichtwirkung wegen – aus tausend Gründen,
die man nicht aufzählen kann, die uns nicht einmal bewußt sind und
die doch tief im Blut sitzen.

Wir lieben es, trotz der schrecklichen Fehler in der verlogenen und anachronistischen Architektur, um die man einen weiten Bogen schlagen muß; wir versuchen, an solchen Monstrositäten vorbeizusehen; wir lieben das Land, obgleich in den Wäldern und auf den öffentlichen Plätzen manch Konditortortenbild eines Ferschten dräut –

laß ihn dräuen, denken wir und wandern fort über die Wege der Heide, die schön ist, trotz alledem.

Manchmal ist diese Schönheit aristokratisch und nicht minder deutsch; ich vergesse nicht, daß um so ein Schloß hundert Bauern im Notstand gelebt haben, damit dieses hier gebaut werden konnte – aber es ist dennoch, dennoch schön. Dies soll hier kein Album werden, das man auf den Geburtstagstisch legt; es gibt so viele. Auch sind sie stets unvollständig – es gibt immer noch einen Fleck Deutschland, immer noch eine Ecke, noch eine Landschaft, die der Fotograf nicht mitgenommen hat . . . außerdem hat jeder sein Privat-Deutschland. Meines liegt im Norden. Es fängt in Mitteldeutschland an, wo die Luft so klar über den Dächern steht, und je weiter nordwärts man kommt, desto lauter schlägt das Herz, bis man die See wittert. Die See – Wie schon Kilometer vorher jeder Pfahl, jedes Strohdach plötzlich eine tiefere Bedeutung haben . . . wir stehen nur hier, sagen sie, weil gleich hinter uns das Meer liegt – für das Meer sind wir da. Windumweht steht der Busch, feiner Sand knirscht dir zwischen den Zähnen . . .

Die See. Unvergeßlich die Kindheitseindrücke; unverwischbar jede Stunde, die du dort verbracht hast – und jedes Jahr wieder die Freude und das «Guten Tag!» und wenn der Mittelländische Meer noch so blau ist . . . die deutsche See. Und der Buchenwald; und das Moos, auf dem es sich weich geht, daß der Schritt nicht zu hören ist; und der kleine Weiher, mitten im Wald, auf dem die Mücken tanzen – man kann die Bäume anfassen, und wenn der Wind in ihnen saust, verstehen wir seine Sprache. Aus Scherz hat dieses Buch den Titel ‹Deutschland, Deutschland über alles› bekommen, jenen törichten Vers eines großmäuligen Gedichts. Nein, Deutschland steht nicht über allem und ist nicht über allem – niemals. Aber *mit* allen soll es sein, unser Land. Und hier stehe das Bekenntnis, in das dieses Buch münden soll:

Ja, wir lieben dieses Land.

Und nun will ich euch mal etwas sagen:

Es ist ja nicht wahr, daß jene, die sich ‹national› nennen und nichts sind als bürgerlich-militäraristisch, dieses Land und seine Sprache für sich gepachtet haben. Weder der Regierungsvertreter im Gehrock, noch der Oberstudienrat, noch die Herren und Damen des Stahlhelms allein sind Deutschland. Wir sind auch noch da.

Sie reißen den Mund auf und rufen: «Im Namen Deutschlands . . .!» Sie rufen: «Wir lieben dieses Land, nur wir lieben es.» Es ist nicht wahr.

Im Patriotismus lassen wir uns von jedem übertreffen – wir fühlen international. In der Heimatliebe von niemand – nicht einmal von jenen, auf deren Namen das Land grundbuchlich eingetragen ist. Unser ist es.

Und so widerwärtig mir jene sind, die – umgekehrte Nationalisten – nun überhaupt nichts mehr Gutes an diesem Lande lassen, kein gutes Haar, keinen Wald, keinen Himmel, keine Welle – so scharf verwahren wir uns dagegen, nun etwa ins Vaterländische umzufallen. Wir pfeifen auf die Fahnen – aber wir lieben dieses Land. Und so wie die nationalen Verbände über die Wege trommeln – mit dem gleichen Recht, mit genau demselben Recht nehmen wir, wir, die wir hier geboren sind, wir, die wir besser deutsch schreiben und sprechen als die Mehrzahl der nationalen Esel – mit genau demselben Recht nehmen wir Fluß und Wald in Beschlag, Strand und Haus, Lichtung und Wiese: es ist unser Land. Wir haben das Recht, Deutschland zu hassen – weil wir es lieben. Man hat uns zu berücksichtigen, wenn man von Deutschland spricht, uns: Kommunisten, junge Sozialisten, Pazifisten, Freiheitliebende aller Grade; man hat uns mitzudenken, wenn ‹Deutschland› gedacht wird . . . wie einfach, so zu tun, als bestehe Deutschland nur aus den nationalen Verbänden.

Deutschland ist ein gespaltenes Land. Ein Teil von ihm sind wir.

Und in allen Gegensätzen steht – unerschütterlich, ohne Fahne, ohne Leierkasten, ohne Sentimentalität und ohne gezücktes Schwert – die stille Liebe zu unserer Heimat.

(1929)

Park Monceau

Hier ist es hübsch. Hier kann ich ruhig träumen.
Hier bin ich Mensch – und nicht zur Zivilist.
Hier darf ich links gehn. Unter grünen Bäumen
sagt keine Tafel, verboten ist.

Ein dicker Kullerball liegt auf dem Rasen.
Ein Vogel zupft an einem hellen Blatt.
Ein kleiner Junge gräbt sich in der Nasen
und freut sich, wenn er was gefunden hat.

Es prüfen vier Amerikanerinnen,
ob Cook auch recht hat und hier Bäume stehn.
Paris von außen und Paris von innen:
sie sehen nichts und müssen alles sehn.

Die Kinder lärmen auf den bunten Steinen.
Die Sonne scheint und glitzert auf ein Haus.
Ich sitze still und lasse mich bescheinen
und ruh von meinem Vaterlande aus.   (1924)

Stationen

Erst gehst du umher und suchst an der Frau
das, was man anfassen kann.
Wollknäul, Spielzeug und Kätzchen – Miau –
du bist noch kein richtiger Mann.
   Du willst eine lustig bewegte Ruh:
    sie soll anders sein, aber sonst wie du . . .
      Dein Herz sagt:
         Max und Moritz!

Das verwächst du. Dann langts nicht mit dem Verstand.
Die Karriere! Es ist Zeit . . .!

Eine kluge Frau nimmt dich an die Hand
in tyrannischer Mütterlichkeit.

Sie paßt auf dich auf. Sie wartet zu Haus.
Du weinst dich an ihren Brüsten aus . . .
    Dein Herz sagt:
      Mutter.

Das verwächst du. Nun bist du ein reifer Mann.
Dir wird etwas sanft im Gemüt.
Du möchtest, daß im Bett nebenan
eine fremde Jugend glüht.
    Dumm kann sie sein. Du willst: junges Tier,
    ein Reh, eine Wilde, ein Elixier.
      Dein Herz sagt:
        Erde.

Und dann bist du alt.
                Und ist es soweit,
daß ihr an der Verdauung leidet –:
dann sitzt ihr auf einen Bänkchen zu zweit,
als Philemon und Baucis verkleidet,
    Sie sagt nichts. Du sagst nichts, denn ihr wißt,
    wie es im menschlichen Leben ist . . .
    Dein Herz, das so viele Frauen besang,
    dein Herz sagt: «Na, Alte . . .?»
                Dein Herz sagt: Dank.

                       (1930)

Sie schläft

Morgens, vom letzten Schlaf ein Stück,
nimm mich ein bißchen mit –
auf deinem Traumboot zu gleiten ist Glück –
Die Zeituhr geht ihren harten Schritt . . .
    pick-pack . . .

«Sie schläft mit ihm» ist ein gutes Wort.
Im Schlaf fließt das Dunkle zusammen.
Zwei sind keins. Es knistern die kleinen Flammen,
aber dein Atem fächelt sie fort.

Ich bin aus der Welt. Ich will nie wieder in sie zurück –
jetzt, wo du nicht bist, bist du ganz mein.
Morgens, im letzten Schlummer ein Stück,
kann ich dein Gefährte sein.

(1928)

Mutterns Hände

Hast uns Stulln jeschnitten
un Kaffe jekocht
   un de Töppe rübajeschohm –
un jewischt und jenäht
un jemacht und jedreht . . .
   alles mit deine Hände.

Hast de Milch zujedeckt,
uns Bobongs zujesteckt
   un Zeitungen ausjetragen –
hast die Hemden jezählt
und Kartoffeln jeschält . . .
   alles mit deine Hände.

Hast uns manches Mal
bei jroßen Schkandal
   auch 'n Katzenkopp jejeben.
Hast uns hochjebracht.
Wir wahn Sticker acht,
sechse sind noch am Leben . . .
   Alles mit deine Hände.

Heiß warn se un kalt.
Nu sind se alt.
   Nu bist du bald am Ende,
Da stehn wa nu hier,
und denn komm wir bei dir
   und streicheln deine Hände.

(1928)

Inhalt

Wie Gestern und Morgen sich mächtig vermischen

Hier ein Stuhl – da ein Stuhl – und wir immer dazwischen

Liebliche Veilchen im März

Geplappertes A-B-C bei den alten Semestern

Fraternité – Liberté – ist das von gestern?

Antwort auf Fragen wollen alle Dir geben

Du mußt es tragen: Ungesichertes Leben

Kreuz und rasselnder Ruhm

Befreiendes Menschentum – noch nicht
Noch ist es nicht so weit, denn wir leben in einer Übergangszeit!

Kurt Tucholsky

ro
ro
ro

C 143/31